毛澤東傳

毛澤東傳

專制者・下（1962–1976）

魯林（Alain Roux）著　穆蕾 譯

中文大學出版社

《毛澤東傳：專制者・下 (1962–1976)》
魯林 著
穆蕾 譯

法文版 © Larousse 2009
簡體中文版 © 中國人民大學出版社 2014
繁體中文版 © 香港中文大學 2017

國際統一書號 (ISBN)：978-988-237-023-4

出版：中文大學出版社
　　　香港 新界 沙田・香港中文大學
　　　傳真：+852 2603 7355
　　　電郵：cup@cuhk.edu.hk
　　　網址：www.chineseupress.com

本社已盡力確保本書各圖片均已取得轉載權。倘有
遺漏，歡迎有關人士與本社接洽，提供圖片來源。

Le Singe et Le Tigre: Mao, Un Destin Chinois (Chapter 15 to Conclusion, in Chinese)
　　By Alain Roux
　　Translated by Mu Lei

French edition © Larousse 2009
Simplified Chinese edition © China Renmin University 2014
Traditional Chinese edition © The Chinese University of Hong Kong 2017
All Rights Reserved.

ISBN: 978-988-237-023-4

Published by The Chinese University Press
　　　The Chinese University of Hong Kong
　　　Sha Tin, N.T., Hong Kong
　　　Fax: +852 2603 7355
　　　E-mail: cup@cuhk.edu.hk
　　　Website: www.chineseupress.com

Every effort has been made to trace copyright holders of the illustrations
in this book. If any have been inadvertently overlooked, we will be
pleased to make the necessary arrangement at the first opportunity.

Printed in Hong Kong

目　錄

相　遇

繁體中文版序

　　1965年10月1日，我置身天安門廣場，身邊還有其他十幾位受邀到中國學習中文的法國學生。這一天是中華人民共和國成立的紀念日，我期待着毛主席會在天安門城樓上出現。他沒有來。在歷史的幕後，文化大革命的悲劇已經開始了。

　　我就這樣錯過了與中國的第一次相遇。對許多西方青年而言，毛澤東代表的社會主義比晦暗的警察國家蘇聯更有生命力，但這個國家的真實狀況卻是，正有一場鬥爭隱匿在國家機器內。我也曾錯過其他與中國相識的良機。很多時候，我像其他西方人一樣，將對更公正、更自由世界的嚮往寄託在中國身上。馬可波羅説中國是一個充滿奇蹟的國家。18世紀，伏爾泰筆下的中國是一個由哲學家統治的王朝。

　　之後是西方蔑視中國，自負傲慢的時代：中國配不上她的過去，只好到西方侵略者這裏取經，西方價值觀被描繪成普世價值。如今，這些確定性已經讓位給質疑，中國再次成為一個謎。偉大的智者帕斯卡爾（Blaise Pascal）生活的時代恰逢滿清帝國開始沒落，他

在《思想錄》中寫道[1]：「中國的歷史……我告訴你，有盲目的，也有明瞭的……中國晦澀難懂，但其中也能找得到清晰之處：去找出來吧！」。

有一個明智的建議，特別是在撰寫毛澤東這樣特殊的人物傳記時——這些人物打亂了國家的歷史，深遠地改變我們這個時代——寫作時要避免兩個誤區：着迷而盲目，或打倒偶像，把他塑造成一個怪物。作為歷史學家，我努力做到清晰觀察、建立事實、梳理事件的先後關係以及對人民生活的影響。我沒有尋求理解、贊同或辯護甚麼。我是歷史學家，不是法官。讀者會形成自己的意見，偉大舵手的固執使國家陷入饑荒或局部內戰時該如何評判指責，也是讀者的事。我不知道此次與中國讀者的相遇算不算成功。不過，我仍然感謝出版社和譯者讓我有這個機會。他們對自由思考和表達的尊重，使這次與真相的相遇得以實現。還原真相是對歷史學家最高的要求，這就是為甚麼我在書稿開頭引用了孔子離世幾百年後羅馬作家西塞羅（Marcus Tullius Cicéron）的箴言：「歷史不會撒謊，或者對真相保持沉默」[2]。

魯　林（Alain Roux）

2017 年 3 月 10 日於巴黎

第十五章

發動「文化大革命」

1962年秋天，毛澤東鄭重呼籲共產黨各級領導「永遠不要忘記階級鬥爭」，發動了自1958年以來又一場災難性的運動。「三年困難時期」的饑荒悲劇結束了「大躍進」和人民公社，經過1962年至1964年的「社會主義教育運動」，在接下來的冬季裏，一場黨的上層鬥爭無聲地拉開了序幕。毛澤東是遊戲的主人，在之後的六個月裏開始他的報復，使不完全服從他的人驚慌失措。1966年5月25日，北京大學的騷動標誌着「文化革命」的開始。毛澤東越來越不看好將來他死後接班人的行為。用畢仰高的話說，自從「大躍進」失敗以來，毛澤東似乎得了一種「失敗眩暈症」。[1]

我不打算在這裏重複這段動盪的歷史，儘管還有很多灰色地帶留待人探究。很多文獻在很大程度上仍然不完整，摻雜着許多未經證實或由「紅衛兵」改寫的文本。我的目的是找出毛澤東在這些事件中更確切的作用，以便更好地了解一個「偉大舵手」出於甚麼樣的動機在越來越困難的情況下堅定地掌着舵。

事實上，正如我已經指出的那樣，我不願意像張戎和喬・哈利戴

那樣進行過於簡單地處理，他們在《毛澤東：鮮為人知的故事》[2]中將毛刻畫成一個憤世嫉俗的怪物，一個現代的薩達納帕(Sardanapale，亞叙的國王)，殘暴而墮落：一個偏執的暴君怎麼會自願顛覆權力的基石？事實上，毛澤東並沒有像施維葉 (Yves Chevrier) 寫的那樣「想和其他人一樣統治革命，而是以革命來統治」。這是瘋狂的。毛澤東在一場前所未有的政治風波中釋放出無法控制的力量，但他採取了一切預防措施。1962 年至 1966 年間，他進行了仔細的調查。[3]

最後一個帝王

1963 年 1 月 9 日，毛澤東寫了〈滿江紅・和郭沫若同志〉[4]。和生命中其他的決定性時刻一樣，他覺得此時需要以詞這種完全傳統的方式來做個總結[5]：

小小寰球，有幾個蒼蠅碰壁。

嗡嗡叫，幾聲淒厲，幾聲抽泣。

螞蟻緣槐[6]誇大國，蚍蜉撼樹談何易。

正西風落葉下長安[7]，飛鳴鏑。

多少事，從來急；

天地轉，光陰迫。

一萬年太久，只爭朝夕。

四海翻騰雲水怒，五洲震蕩風雷激。

要掃除一切害人蟲，全無敵。

這首詞的含義很清楚：毛澤東把「現代修正主義者」比喻為無能

的螞蟻，堅定地發起了對他們的戰鬥。「誇大國」毫無疑問指尼基塔·赫魯曉夫和蘇聯領導人，1961年蘇共第二十二屆大會上他們聲討中國共產黨的理論立場。北京戰鬥的聲音（「飛鳴鏑」）也許指的是中國內部修正主義在「七千人大會」上的進攻。2月5日他修改的第一稿最後兩行更能體現他的精神狀態[8]：「革命精神翻四海，工農踴躍抽長戟。」

這個好勝而躍躍欲試的毛澤東正處於最佳狀態，作為革命無產階級的首領與資本主義復辟者進行鬥爭。經過長時間的退讓，他控制了一切，轉入反攻，同時他深知在一個受「大躍進」災難創傷的國家內，必須小心行事。因此，在9月24日八屆十中全會的講話中，他覺得有必要安撫其有些動搖的盟友劉少奇和鄧小平，因為他們擔心這種好鬥不是個好兆頭。毛澤東說階級鬥爭不應該影響工作，也不應該佔優勢地位，要委派專人完成這個任務，比如康生和他部門的工作人員。三年來，毛澤東走遍全國各省，組織各種小組討論，平均每月批閱11份報告，一直缺席中央政治局例會（除了極少數例外），以此考驗自1961年以來他不信任的領導人。雖然他還主持中央委員會全會，但會議間隔越來越長：第十次和第十一次全體會議相隔近三年。事實上，毛澤東越來越少從豐澤園和頤年堂會議室發出指示統領這個幅員遼闊的國家。關鍵的決定都是從他的私人住所菊香書屋傳出來的。通常他站在大床旁主持小型會議，床上堆滿了報告和精裝的舊書。在杭州、武漢以及他的專列上都有類似的大床。他的工作作風混合了游擊隊的臨時起意和傳統的皇家儀式：他喜歡以小群體的非正式會議來解決緊急問題，並偏好到遠離中心的地方考察。除了對他的個人崇拜和他在最後拍板的權力外，他還採

取了「內部朝廷」的做法：派出的調查員只對他負責，繞過高級官員和「外部朝廷」，甚至繞過黨的政治局和秘書處。[9]這一切和斯大林的統治方法完全不同。1922年成立的斯大林秘書處有767人，斯大林整天在克里姆林宮的某個辦公室裏打電話或批註報告，只有忠實信徒才能進入他的辦公室，他很少公開露面，長期在南部度假。

　　毛澤東有一個由四人組成的秘書處，只有田家英是全職，陳伯達和胡喬木已經有其他職務。江青是非官方的秘書。毛澤東每天早上讀《人民日報》和新華社的通訊，如果在各省視察則加上當地的報紙。江青和田家英幫他用筆劃出重要的段落，並挑選各種談論國際問題的文章。他每天讀兩本翻譯的外國新聞摘選《參考資料》，工作量不大。他時常派他的秘書或8341警衛隊的人員到各省調查，向他彙報。他給劉少奇、鄧小平和周恩來在各自的領域留下了很大的發揮空間，同時遠程控制他們的活動，並時常提醒他們唯有他才有決定的權力。這種跛腳的治理方式給謠言留下了很大的空間。康生、江青和當時的得勢之人在中南海這個封閉的世界散播謠言。也許是為了避免這種封閉的狀況使他陷入閉塞，毛澤東花很多時間在游泳池邊的小屋子裏接見各類知識分子和外國人士：他長時間穿着浴袍，因為晚年發胖使他越來越難以穿上褲子。他一直患有失眠症，喜歡在住所不遠處的懷仁堂欣賞舞蹈：他不再隱瞞與護士和服務員越來越持久的關係。有時這會造成非常滑稽的場景。有一個年輕的警衛冒失地將茶端給毛澤東時，在他的房間裏看到一個剛剛被毛澤東從床上趕下來的赤身裸體的年輕女子。[10]這個老人的放蕩沒有讓小圈子裏的領袖震驚，他們在道家傳統中找到理由，認為這是長壽的方法。此外，毛澤東正成為一個活着的上帝，他有一些神聖的妓

女是正常的，這些陪他睡覺的年輕女子出身卑微，不但沒有抱怨，而且把這件事當作一次真正的晉升。

崇拜越來越盛

事實上，對毛澤東的崇拜越來越盛。他的畫像、雕像、文選無處不在。在很多農民家裏，他和祖先一起被供在祭壇上。被允許見他的人必須經過一系列嚴格的程序，等待很長時間才能被通知會面，會面有時在夜間進行。在他罕見的公開露面之前總是會通過揚聲器反覆播放《東方紅》，用莊嚴的儀式突出典禮的隆重性。[11] 人們花很長時間學習他的著作，學習結束的時候，參與者滿腦子都是他的語錄，並以此來裝點他們的談話。他們希望這些神聖的句子能打開仕途的大門，或至少保護他們免受修正主義或右傾的指控，而這些指控可能會改變他們的生活。[12] 毛澤東被畫在牆壁上或畫布上，他身後火紅的太陽正從地平線上升起，背景是綠色的松樹 —— 不朽的象徵：人們用曾經問候帝王的儀式祝願他萬壽無疆。1965年1月9日，美國記者埃德加‧斯諾採訪毛澤東。在回答關於個人崇拜的問題時，[13] 毛澤東給出了一個奇怪的間接答案：「據說斯大林曾是個人崇拜的中心，而赫魯曉夫[14] 卻完全沒有。……中國人民有這類的感情和作法。……赫魯曉夫先生的倒台，可能就是因為他完全沒有個人崇拜……」

毛澤東肯定不會冒這樣的風險。他開始成為全能的「青銅皇帝」，手勢緩慢，行為莊嚴，就像安德烈‧馬爾羅在他的《反回憶錄》[15] 中描寫的那樣。1965年8月3日，在一次令人失望的會面後，毛澤東

說「我要獨自和群眾站在一起」，呼應了他自〈沁園春‧雪〉以來的詩詞的主題：他是帶領群眾走向未來的英雄，像秦始皇和那些建立了王朝的帝王們一樣，指點人民的命運。

像他們一樣，毛澤東擁有絕對的權力。為了讓中國和從前一樣繁榮富強，他重新提出培養新人的宏偉計劃。在20世紀的最初幾年，喚醒毛澤東政治意識的民族主義改革者們期盼的也是這樣的結果。不久，所有這些哲學和政治概念組成了「毛澤東思想」，然後被指定為「馬克思列寧主義普遍原理與中國革命戰爭和國防建設實際相結合的產物」，這一思想在遇到危機的這些年最終定了型。[16]

這個「思想」的基礎是在毛澤東進入紫禁城前的三十年間逐漸形成的。我們注意到在他的早期著作中，他就相信全能的群眾可以克服一切障礙。人民與生俱來就擁有革命的美德，我們要做的就是調動群眾的積極性。同時像延安整風運動和延安文藝座談會上說的那樣，將知識分子的作用限制為宣傳員。然而，毛澤東自己是一個真正的知識分子：他是一個精力旺盛、風格獨特的記者，他的詩詞很快就受到行家的讚賞。他從來沒有注冊成為一所大學的學生，我們可以把他在湖南省立第一師範學校的學習看作文科預科學習（他畢業的時候25歲了）。不過，他一生中沒有受過真正的大學教育，這讓他很痛苦。自學成才，閱讀博雜，他在一生中都不信任正牌文人。

當初列強將不平等條約強加給垂死的清王朝，讓中國遭受屈辱，激起了毛澤東的民族主義情感，民粹主義的萌芽和民族主義結合在了一起。

社會主義的興起是後來的事情，它被認為最適合這場復興中國的鬥爭。西方國家趾高氣揚，充滿侵略性，怎麼學習它的模式呢？

1936–1937年，共產國際和以王明為首的許多共產黨領導人提出將中國共產黨置於國民黨的旗幟下，抵抗日本，毛澤東拒絕了這一聯盟，利用抗日戰爭加強共產黨的政治和軍事實力，為奪取政權做準備：蘇聯第一個五年計劃的成功給毛澤東留下了深刻的印象，他認為確實只有社會主義才能讓中國實現現代化。戰勝國民黨後，他將中國交給了蘇聯學校。這個計劃在延安這片廣袤的軍營裏，在斯巴達式的氛圍中形成。中國的共產主義保留着火藥的氣味和小米的味道。

這個「思想」的一個特點是暴力革命起重要作用。「革命不是請客吃飯」，「槍桿子裏面出政權」，這些是1927年以來毛澤東的言論，那時他剛剛發現起義農民在反對欺壓他們的不公正權力時擁有巨大的力量。他一生中一直在重複這些話。他領導1935年至1938年革命的動機是階級鬥爭。在內戰期間，毛澤東學會了激起農民的憤怒，引導他們加入有紀律的紅軍，使他們成為決定性的力量，而共產黨是紅軍唯一的領導。他發起的革命是農民起義軍的革命。事實上，毛澤東知道如何避免過去農民起義中致命的缺陷——孤立。為此，他建立了一個聯盟體制，根據當時戰術的需要移動區分人民和敵人的標尺。富農和知識分子有時受到辱罵，有時受到追捧，處於波動的邊界。在毛澤東的思想中，階級鬥爭的中心作用是一種矛盾的形而上學，黑格爾的辯證法被嫁接到中國古代的信仰上，這種信仰認為世界由衝突構成，在陰陽之間不斷更新。因此，革命是一種不斷的創造，因而要繼續革命。

多年的內戰中，在根據地基礎上形成的「赤色政權」催生了「毛澤東主義」的一個政治特徵——「群眾路線」。群眾被假定為自發要

求政治運動的起源，共產黨通過實地調查（毛澤東説「沒有調查就沒有發言權」）後發起政治運動，並成為領導，然後把運動秩序化和系統化。行政和軍事機構、群眾組織和黨的機構都參與其中，統一集中成一個整體，由唯一的政黨共產黨和它的超級領導人領導。對毛澤東的崇拜開始於1942年至1943年。

國民黨被擊敗後撤往台灣，香港是遭受禁運的中國內地除蘇聯外對世界開放的寶貴窗口。除了這兩個地區，1949年至1952年間，政權擴展到整個中國（包括西藏和新疆），毛澤東的政治理念得以鞏固甚至僵化。而在毛澤東身上，「成功的老人」轉變為「碩果纍纍的老者」（呂西安·畢仰高）。直到1959年夏天的廬山會議，這個老人開始固執地堅信致命的烏托邦。

原先的民粹主義唯意志論在1955年至1956年之交變得具有決定性，當時的論點是發展遲緩的好處是避免了消費的誘惑（毛澤東「土豆燒牛肉的社會主義」）。「一張白紙，沒有負擔，好寫最新最美的文字」……烏托邦式的12年農業計劃在實施伊始就失敗了，但毛澤東堅持用他的「大躍進」，再次提出這樣的計劃。對人民天生的革命美德的吹捧強化了毛澤東最初的反智主義。1962年至1964年，[17]他多次提到「讀書太多成了書呆子」，認為中國的學制太長，太注重書本知識。「現在的考試辦法是對待敵人的辦法，而不是對人民的辦法。……這種考試方法，我看應該完全改掉。先出考題，公開出來，由學生研究。例如對《紅樓夢》[18]出二十道題，有的學生作出一半，但其中有幾個題目答得很出色，有創造性，可以給一百分。」過去最偉大的人都不是考試的奴隸。[19]偉大的皇帝明太祖幾乎不識字，而嘉慶重用知識分子，卻在對付野蠻人的第一次鴉片戰爭中失敗受辱。

高爾基就只念過兩年書，其餘全部是自學；富蘭克林是賣報的，發明了電；瓦特是工人，沒念過書，發明了蒸汽機。毛澤東肯定自己在「綠林大學」——游擊隊——中學到的比13年的學校教育要多，不過他承認，教育讓他掌握了寫作，「對革命有用」。奇怪的是他描繪了一幅孔子的肖像，有點像他自己的傳記，好像他和這位聖人有相似之處：孔夫子出身貧農，放過羊，在葬禮上他給人家吹吹打打謀生，會彈琴趕車，騎馬射箭。當然，他從來沒有經歷甚麼苦難，對農業不感興趣，但他經常受到輕視，從未當過高官（原文如此）。他了解人民，但因為他的護衛和一些弟子的熱忱而與群眾有距離，護衛和弟子們不准別人說孔夫子的壞話。[20]

　　民族主義是毛澤東思想的另一個基礎部分，他認為外交政策是他的保留區域。維多利亞女王統治時遺留的邊界衝突使中國和印度發生了爭端，這涉及喜馬拉雅山約125萬平方公里的邊境地區。[21] 中印局勢因為達賴喇嘛和他的臨時政府人員於1959年3月逃離西藏在印度領土上安身而更加緊張。1961年是平靜的一年。中國在新疆和西藏之間建了一條戰略公路，1962年9月8日，中國佔領了麥克馬洪線以南高山上的印度邊境哨所。中國再次表現得咄咄逼人是因為毛澤東在中國共產黨中央委員會八屆十中全會時重新回到一線：10月4日，毛澤東下令中國軍隊對印度使用武力，實際上衝突發生在12日。20日，解放軍的四支特遣隊打擊了喜馬拉雅山的印度軍隊，迅速使其陣腳大亂，損失了3,000人，並從原來的位置往南撤了40至60公里。11月21日，中國宣布停止「進攻性的懲罰」，撤回出發點以南20公里，同時還建議與印度進行談判。這次危機的高度政治化處理使印度非常尷尬。人們從中識別出這是毛澤東的處事風格。

同時，毛澤東對赫魯曉夫的「冒險主義」和「投降精神」感到遺憾。赫魯曉夫要通過海路將地對地導彈運到古巴，這種導彈的攻擊範圍能夠到達美國佛羅里達州，10月26日，在美國艦隊的攔截威脅下，他下令蘇聯船隻調頭。毛澤東與蘇聯的意識形態衝突更加尖銳，中蘇之間也出現了領土爭端。1964年7月10日，毛澤東在接見日本社會黨的國會議員時說：「一百多年前，把貝加爾湖以東，包括伯力、海參崴、堪察加半島都劃過去了。那個賬是算不清的。我們還沒跟他們算這個賬。」毛澤東把這些民族主義舊賬和對赫魯曉夫的「現代修正主義」的逐步揭發結合了起來。

與蘇聯的衝突

1956年4月，在蘇共第二十次代表大會之後，毛澤東寫了〈論十大關係〉，認為蘇聯領導人修改列寧主義原則，會導致資本主義復辟。發動「大躍進」後，他對蘇聯《政治經濟學教科書》的評語越來越嚴厲[22]就證明了這一點。毛澤東認為，蘇聯社會主義的發展模式以國有化經濟為基礎，過度徵收農民生產的財富為工業化買單，這只能是一個短暫的過渡期。事實上，他的意思是保留「資產階級法權」，例如工作等級、貨幣和市場的作用、工資和獎金體制。這是一個矛盾衝突的過程，新生的社會主義和垂死的資本主義發生碰撞。因此，毛澤東對「社會主義新事物」表現出極大的興趣，例如人民公社的集體食堂在他眼中是共產主義的萌芽，實行「按需分配」。後退和資本主義復辟始終是可能的。在社會主義條件下繼續攫取工人生產的剩餘價值能不能保證人民群眾集體佔有他們的個人和社會勞動

呢?還是會讓一小撮脫離群眾的幹部受益呢?在後一種情況下,幹部們變成官僚和剝削者,成為「黨內的資產階級」,革命將面臨危險。

於是,毛澤東建立了社會控制,並從1958年開始加強這種社會控制,但這種做法反而冰凍了革命的熱情,增加了風險。在他的推動下,黨和國家逐步實行居住地登記制度(戶口)。自1958年以來,每個人都有一份正式資料,而不是一個公民身份證,這份資料會登記各種重要的家庭信息,表明他的出生地:每個人都作為農民或城市居民被確定下來。城市居民會寫明他出生在某個小城鎮、中等城市或大城市。如果是農民,在理論上,他只有權利獲得需要的糧食份額,而這些糧食是他自己生產的。我們在1959年和1961年之間已經看到過這種情況,農民如果去城市工作,是沒有單位確保的城市居民權利的:糧票、醫療衛生支出、退休保障、住房、免費教育、各種休閑和有保障的工作(「鐵飯碗」)。單位有每個人的戶籍登記副本。因此,農民幾乎被限制在他的村莊裏。如果他暫時去城市工作,這個「國內移民」只能住在宿舍裏,工資很低,不受工會保護。如果他在沒有證件的情況下非法延長逗留期,則會被公安人員突擊搜查、逮捕和遣返。此外,每個工人都有一份檔案,由單位人事部門、黨委、居委會和派出所共同建立。檔案裏記錄了這個人的社會態度、政治行為和階級成分。如果他屬「黑五類分子」,[23]那他就是社會的賤民。在統一分配的框架下,這些檔案資料在大學生畢業分配中也起到了重要作用。

1949年實施這些規定最初是為了應對國民黨政權、20年內戰以及外國佔領遺留下來的可怕危機。毫無疑問,剛開始這些規定全面改善了狀況:人們可以養活自己,有住房、服裝、醫藥,有工作和

薪水。然而，很快這些制度就像一台機器扼殺了個人的積極性和個人自由，特別是它還有一個相應的強制性的勞教和勞改體制，勞教最好的情況是軟禁在郊區的一個村子裏。作為蘇聯的學生，中國借用了它的強制收容制度。毛澤東雖然清晰地看到了蘇聯經濟模式的關鍵問題，但他在蘇聯的鎮壓式統治方面沒有發現任何問題。更廣義地說，他只看到了這種社會控制系統的優勢，認為它有利於進行動員，他最需要這樣的動員來實施他的政治活動。

但是，這樣的體制出了問題，特別是在農村可怕的饑荒肆虐了三年時。社會被束縛，變得僵化而冷酷無情。各級政府的官僚濫用體制賦予了幹部無限的權力。社會上升的通道限制在共產黨和軍隊內，保證了相同的複製，被排除在體制外的人數以千萬。毛澤東和共產黨已初步解決了他們所面對的矛盾，同時又製造了新的矛盾。1964年春天，台灣的一支突擊隊夜襲的時候獲取了一份驚人的資料，讓人們對新體制的不足有一些認識，毛澤東也知道這份資料。[24]這是一個縣的檔案（福建連江），幹部們挪用集體資金（微薄的），在小隊中保留再次被禁止的單幹，在交給大隊的糧食上動手腳，例如「弄濕」天然肥料以增加重量，用封建的做法操辦婚姻，田地大量荒廢（涉及2,500至6,000名工人），從事流動販賣活動和做生意（「下海」）。這好像是1978年後農村情況的一次彩排。毛澤東在1963年5月的一篇文章中得出結論[25]：

> 我們的幹部則不聞不問，有許多人甚至敵我不分，互相勾結，被敵人腐蝕侵襲，分化瓦解，拉出去，打進來，許多工人、農民和知識分子也被敵人軟硬兼施，照此辦理，那就不要很多時間，少則幾年、十幾年，多則幾十年，就不可避免

地要出現全國性的反革命復辟。馬列主義的黨就一定會變成修正主義的黨,變成法西斯黨,整個中國就要改變顏色了。

因此,一段時間後毛澤東做了一個噩夢。但是,和以前一樣,理智上的悲觀變成了意志上的樂觀,他認為依靠意志可以跨越所有的障礙。他的答案是:從中國社會主義制度中加劇的矛盾出發,調動不滿的群眾,尤其是年輕工人和學生,「推翻」官僚或腐化成剝削者的官員。這將是一場「革命內部的革命」,可借此打造新一代的「革命接班人」。毛澤東不信任知識分子,因為他們的出身不好 —— 我們發現毛澤東將他們比作資本家或地主皮膚上的毛髮,知識分子在1962年秋季八屆十中全會上決定的「社會主義教育運動」這場意識形態的鬥爭中發揮了關鍵作用。

毛澤東的這場運動是自相矛盾的,因為他是所針對體制的領導者,「黨既是弓箭手又是靶子」(阿蘭·巴迪烏),這場運動的過程是「繼續革命」。[26] 他必須定期重複,以保持必要的熱情,並防止其具體化。問題是,這場奇怪的革命無法達到合乎邏輯的結果,因為它最終將對共產黨政權形成質疑。我們清楚地看到「百花運動」變成了暴力的反右運動。毛澤東是一個弓箭手,只是他還沒有拉弓。

這樣一個危險的遊戲,唯一可以進行下去的前提是個人崇拜的對象毛澤東贊同遊行。1965年10月1日,我和數百名外國人一起受邀登上天安門城樓上的觀禮台,觀看數萬名首都居民跟在歌頌社會主義的紙彩車後遊行。個子最高的人舉着一尊白色的毛澤東塑像,比共和國喇嘛廟鎮懾人的黑色佛像還要高。人群中爆發出歡呼聲,敬祝領袖毛主席萬壽無疆。但是毛澤東並沒有來,聽不到他們的喊聲。

　　事實上，游擊隊的慣用方法是不打無把握之仗。此時毛澤東正在後台準備發起一個新的運動，即所謂的「文化大革命」。1962年9月下旬推出的「社會主義教育運動」持續了三年時間，毛澤東逐漸確定了自己的目標，召集人馬，迷惑對手，而國際環境越來越戲劇化，這更加有利於他的計劃。

緊張局勢升溫（1962–1964）

　　從1962年年底至1963年2月20日，毛澤東乘專列走遍全國，說服省級幹部去動員剛剛經歷了三年困難時期開始倦憊的人民。1月6日，毛澤東在杭州過了新年，並在那裏接見了一個日本共產黨代表團，[27] 為中蘇論戰進行徒勞的辯護，之後他視察了南昌、長沙、武漢、鄭州和邯鄲。[28] 和他談話的11個省委書記中，只有湖南和河北的書記關注「社會主義教育運動」，其他所有人都優先談論農業生產，他們對人民的壓力非常敏感。米高爾・奧克斯伯格（Michael Oksenberg）[29] 分析道：「政府持續不斷的需求已經導致許多中國人重視安全與安寧，享受溫暖的土地，逃離令人不愉快的政治壓力，享受有限的沒有批評風險的快樂成了他們中許多人的主要目標」。毛澤東感到不滿意，1963年2月21日至28日在北京召開工作會議。當劉少奇[30] 很有學問地介紹反修鬥爭的藝術時，毛澤東突然插話：「只要堅持階級鬥爭，一切都能解決！」，並提出學習湖南和湖北的「典型」報告。「社會主義教育運動」變成「四清」：檢查小隊和大隊的帳本，尤其是公分的評估和分配這個敏感的問題，因為這是待遇的基礎。農村的貧下中農在當時的情況下又活躍起來，組成協會[31] 檢查幹部

的工作。為了對農村地區工作作風進行整改，毛澤東決定同時在城市發起一個運動，稱為「五反」：反對行賄、反對偷稅漏稅、反對盜騙國家財產、反對偷工減料和反對盜竊經濟情報。但是各省級黨委書記在工作會議上的報告不容樂觀：湖南有 5.5% 的小隊不顧指示重新開始個體農業經營，特別是很多從前的貧農。革命的鮮血正在變質。河南的 15 萬積極分子組成工作組，每組十幾個人去農村調查。他們發現了 10 萬個投機案件，1,300 個反革命小組，26,000 例從前的地主和富農進行的反社會活動。他們清算出 8,000 名秘密社會成員，50,000 名術士和風水師，10,000 個供奉祖先的神壇，50,000 椿包辦婚姻、買賣婚姻。在一個由 20 個家庭組成的小隊中，一年內做生意的人（大概是小販）從 8 人變成 80 人。農村的氣氛緊張，工作組動員貧農團告密製造了恐怖的氣氛：幹部公開自殺，有些人被毆打致死。三年饑荒的傷口仍然沒有愈合，當地的小幹部被認為曾經囤積糧食，群眾要求他們在群眾面前證明自己的清白。毛澤東為自己的錯誤找到了替罪羊。

然而，在同一時間，社會主義陣營中各國共產黨之間意識形態的鬥爭重新開始了。1962 年 11 月至 1963 年 1 月，蘇聯領導人分別在保加利亞、匈牙利、捷克斯洛伐克、德意志民主共和國及東歐各國的共產黨大會上譴責中國。《人民日報》和《真理報》再次展開爭論。1963 年 2 月 20 日，毛澤東又給「陶里亞蒂同志」寫了一封公開信，[32] 批評了追隨蘇聯人的意大利共產黨的修正主義行為。2 月 23 日，針對兩天前蘇聯人提出擱置爭議的建議，毛澤東的回答是不予理睬：是蘇聯人先開始的，球在他們手中。3 月 23 日，毛澤東在上海與鄧小平和周恩來討論中蘇關係。1963 年 5 月 2 日至 12 日，劉少奇出訪國

外的同時，毛澤東在杭州召開工作會議澄清「四清」運動指示中「模糊的問題」。在討論中，他提出一個問題：在社會主義與資本主義、馬克思列寧主義和修正主義的鬥爭中，誰將會贏？他還提到了中國「變顏色」的危險。彭真和陳伯達起草「前十條」（即〈關於目前農村工作中若干問題的決定（草案）〉）總結工作，獲得了毛澤東的批准。[33] 人們通過編寫「四類故事」（個人、家庭、村子、公社）重新開始階級鬥爭，組織「憶苦」活動，回憶過去的罪惡，大力譴責每個大隊內「四類壞分子」的代表。農村成為階級鬥爭的大教室，這種再教育是一場文化革命。1963年7月4日，彭真在給毛澤東的信中談到自己擔心2月份以來針對不同的地方幹部的暴力事件，害怕「『左』傾錯誤重演」。之後數月內，毛澤東謹慎地退回了二線。

確實，1963年的夏天，他的精力用在了別處。6月25日，中共中央發表〈關於國際共產主義運動總路線的建議〉。我們在其中發現了1960年4月以來提出的，之後在報紙聲明中一再提到的相同觀念：赫魯曉夫投降資本主義，他將率領蘇共走入死胡同，追隨他的各國共產黨成了改良派，放棄了武裝鬥爭奪取政權。這將導致大國統治第三世界，是對列寧主義的背叛。1963年7月5日至21日，蘇共和中共之間的談判在莫斯科舉行，會談是雙方無休止的獨白，最終以無限期擱置結束。[34] 1963年11月29日，蘇聯建議舉行談判，結束中國新疆與當時屬蘇聯的哈薩克斯坦之間不斷的邊界摩擦事件。1964年2月外交部副部長會談在北京進行，會談以失敗告終。從1963年9月6日到1964年9月14日，九篇論戰的文章在中國報紙上陸續發表。此事由康生負責，7月23日由毛澤東拍板。[35] 然而，幾乎在同一時間（7月25日），美國和英國領導人抵達莫斯科。8月5日，

他們與蘇聯領導人簽署了一項條約，承諾將不再繼續進行核武器試驗，中國被排除在「核俱樂部」[36] 之外。在毛澤東看來，蘇聯通知他這一決定證實了後者的背叛。「社會主義教育運動」演變成「四清」運動，從此和反對蘇聯修正主義結合起來，成為一個「反修—防修」的運動：必須同時反對中國內部的修正主義，而且保護自己不受蘇聯修正主義的影響。

這兩個事件突然發生，卻沒有被重視，毛澤東表面上退居二線，但顯然正在積極籌備返回前台。

首先是1963年3月5日，他在中國的報紙上提出一個新的口號：「向雷鋒同志學習。」儘管有些奇怪，但毛澤東全然一副慈父的姿態。不久，這個小戰士頭戴解放軍冬帽的照片變得無處不在，[37] 成為群眾崇拜的對象、全民的英雄。雷鋒出生於一個貧苦的農民家庭，從小是孤兒，他的父親是內戰時的烈士，兩個兄弟死於饑餓，母親自殺，他身上聚集了中國人民所有的苦難。在他短暫的一生中，雷鋒曾在東北鞍山鋼廠當工人「為人民服務」，多次被評為勞模。入黨以後，他在某工兵部隊當司機。1962年8月15日，一輛13號卡車前進的時候，一根電線桿擊倒了他：雷鋒是班長，下車指揮司機倒車。他有寫日記的好習慣，日記裏記錄了他每天做的好事：為班上的士兵洗髒衣服；一雙襪子縫了補，補了縫；休假的時候參加了一天志願勞動，拉磚的速度比所有人都快，為「社會主義建設作貢獻」；幫助小腳的老媽媽過馬路；教文盲識字。他的日記中穿插着毛澤東鼓舞人心的語錄[38] 和他自己的警句，如「做一顆永不生鏽的螺絲釘。螺絲釘是平凡的，不怎麼引人注意，但沒有一台機器沒有螺絲釘可不行」，或者是更令人擔憂的：「對待同志要像春天般的溫暖

……對待敵人要像冬天一樣殘酷無情」。他的指導員送給他四卷毛主席的文選作為禮物，他趕緊在上面寫上四句誓言：「讀毛主席的書，聽毛主席的話，照毛主席的指示辦事，做毛主席的好戰士。」很快，中國所有的學生都把這些話背了下來。推出這個小人物式的英雄[39]是毛澤東的第一步棋。

第二步棋更令人意外，跟鬼怪事件有關。1961年和1962年，中國人民接受了大量宣傳，越來越喜歡讓人有夢想的傳統京劇，裏面有歷史名人、鬼神和妖怪。與鄧拓、吳晗一同主持《前線》「三家村札記」欄目的廖沫沙（1907–1991）在這個專欄寫了一篇文章〈有鬼無害論〉。毛澤東找到了靶心：1962年12月21日，他批評了京劇和鬼怪。1963年，毛澤東忠實的追隨者柯慶施在上海對文化工作者發表新年講話時再次提出：必須講新的事物，講當代的主題和自1949年以來整整13年的成就。他在張春橋和姚文元的支持下，批評資本主義和封建主義文化，倡導社會主義文化。然而，毛澤東的警衛汪東興也關注京劇，並知道毛澤東對傳統戲曲的愛好（毛澤東的矛盾之一），他在中南海懷仁堂組織了一次戲劇演出，這齣戲的名字叫《李慧娘》[40]，改編自明朝一齣著名的戲曲，廖沫沙對此劇大加讚賞。戲的背景被改到南宋時期的杭州西湖，那裏恰巧是毛澤東非常喜歡去的地方。丞相賈似道携帶眾姬妾遊西湖征逐歌舞，遊船途中遇到一個美貌少年，氣憤異常的賈似道殺死了寵妾李慧娘，只因為她思想上背叛了他。心有未甘的李慧娘化為鬼魂，向迫害她的劊子手報仇。毛澤東大怒，似乎認為這是在影射他反對他的機要員愛上了警衛，想要跟警衛結婚的事，他沒有跟演員們打招呼就離開了大廳。1963年5月6日，上海兩家主要報紙之一的《文匯報》刊登了一篇文

章，批評這齣戲[41]和廖沫沙的文章。毛澤東認為階級鬥爭也涉及美術界，有鬼無害論是錯誤的。1963年12月12日，他寫了一個關於文學和藝術的批示，這一批示秉承了延安文藝座談會的精神：

> 此件可一看，各種藝術形式——戲劇、曲藝、音樂、美術、舞蹈、電影、詩和文學等等，問題不少，人數很多，社會主義改造在許多部門中，至今收效甚微。許多部門至今還是「死人」統治着。不能低估電影、新詩、民歌、美術、小說的成績，但其中的問題也不少。至於戲劇等部門，問題就更大了。社會經濟基礎已經改變了，為這個基礎服務的上層建築之一的藝術部門，至今還是大問題。……許多共產黨人熱心提倡封建主義和資本主義的藝術，卻不熱心提倡社會主義的藝術，豈非咄咄怪事？[42]

毛澤東讓以前曾是演員的江青負責組織這個材料，1962年至1963年冬天，江青和康生一起處理了這個問題。從延安時代開始，江青就被束縛在權力的後台，她很高興能進入政治舞台。她的第一次公開亮相是在1962年9月29日。那時印度尼西亞總統蘇加諾和他的妻子訪華，《人民日報》頭版頭條刊登了他們的照片，江青站在毛澤東的旁邊，而周恩來和他的妻子鄧穎超站在第二排，劉少奇和他的夫人王光美的照片在報紙的第2頁上。到1976年10月倒台之前，江青一直是一條「忠實的狗」（審判時她自己的原話[43]）。

奇怪的是，江青在政治上扶搖直上的同時，在主席的私人生活中卻幾乎消失了。1963年12月26日，在慶祝70大壽的家宴上，毛澤東邀請了他的表兄王季範（從前是王帶毛澤東從韶山到了長沙）和

侄孫女王海容，歸附他的知識分子章士釗[44]及其女兒章含之（後來嫁給了外交部部長喬冠華），歸順的國民黨將領程潛，著名書法家葉恭綽，毛澤東和賀子珍的女兒李敏、與江青的女兒李訥。李訥曾露過幾次面，發來祝賀的電報，並參加了晚宴。1962年8月在長沙的一場舞會上，毛澤東愛上了他的專列服務員、18歲的張玉鳳。[45] 雖然他仍然和護士、部隊舞蹈演員保持短暫的關係，1964至1965年，張玉鳳幾乎是毛澤東正式的情婦。[46]

這個時期，主席的生活和普通中國人的生活完全不同。他經常在上海這個長江邊的大都市停留，住在西郊別墅裏。西郊別墅原是一位實業家在西郊一個大型公園內建造的花園式別墅，由柯慶施精心打理，有日式的小橋流水，有一個室內游泳池和一個舞廳。毛澤東在這裏睡到午後，然後去以前法租界的體育俱樂部錦江大酒店工作、讀書或放鬆一下，再乘坐黑色蘇制小汽車回到郊區。

然而，「反修—防修」運動越來越難以控制：毛澤東似乎已經無能為力，貧下中農協會很快無法勝任「反修—防修」工作。因此，鄧小平、譚震林和田家英召開了一次新的工作會議，召集省委書記和相關部長寫了一個新的通報，稱為「後十條」。1963年10月，毛澤東批准了這個文件，但是三年後，紅衛兵認為這是一個「黑文件」。劉少奇似乎沒有參與編寫，[47]但是在政治局的一次會議上對這個1963年11月14日發表的通報表示贊同。這個通報和上一個版本的「前十條」非常類似，不過它強調要確保運動不干擾生產，明確指出必須仔細區分真正的資本主義活動和合法貿易（例如販賣當地的手工業產品）。幹部必須「洗手洗澡」，參加大隊的生產勞動——縣負責人每年60天、公社幹部每年120天、大隊幹部每年180天，以去除所有的

雜質，尤其是意識形態上的雜質。行政工作的「替代公分」也從總數的4%降低至2%。但指令要求不得使用體罰，因為「95%的幹部」和「95%的群眾是好的」，只是「人民內部矛盾」。第10條稱運動將持續三年，為實現更大的繁榮提供新的動力。整個規定很少強調貧農團的作用。總之，這個文件強調幹部的決定性作用，更具有斯大林主義色彩而不是毛澤東思想的特色。1961年，毛澤東與共產黨領導層一部分領導人之間出現了裂痕，此時這一裂痕擴大了。

1964年，裂痕逐漸成為一個真正的裂口：「社會主義教育運動」開始轉變為「文革」。

在中蘇關係領域發生了一個重大轉變。1964年6月8日，當毛澤東指責「中國的赫魯曉夫」[48]時，將反對國內修正主義和反對國外修正主義緊密聯繫起來。在這個層面上，中蘇在1963年確認的分歧似乎已經解決。然而，中蘇之間的論戰因為10月14日赫魯曉夫在蘇共中央的一次會議上被推翻下台而中斷。11月上旬，一個高規格的中國共產黨代表團到莫斯科參加1917年十月革命的週年紀念慶典，由周恩來帶隊，賀龍和伍修權陪同。11月14日代表團回到北京時，毛澤東親自到機場迎接。因為代表團一無所獲，[49]11月21日，受到毛澤東的啟發而發表的社論認為蘇聯雖然沒有了赫魯曉夫，但仍然實行赫魯曉夫主義，於是爭議再起。至於毛澤東，他擔心有一天中國共產黨讓他經歷與「K先生」同樣的命運，因而帶着越來越多的懷疑觀察劉少奇、鄧小平，以及在七千人會議上敢於表達自己懷疑的所有高級領導人的行為。[50]

在同一時間，地緣牌也開始變化。1963年12月至1964年2月，周恩來在外交部部長陳毅的陪同下訪問了埃及、北非和非洲南部。

在此期間，他讚揚了非洲大陸的革命前景，並譴責蘇聯的新殖民主義：中國將支援建設坦桑尼亞—贊比亞鐵路，表明真正的國際主義者的態度。這是明朝鄭和下西洋以後中國第一次走出國門。從理論上講，此舉造就了「中間地帶」的概念。1964年1月21日，《人民日報》提出：毛澤東認為中間地帶處於美帝國主義和社會主義陣營之間，包括兩個部分：第一個地帶是非洲、拉丁美洲和亞洲的前殖民地國家或正在爭取獨立的國家。那裏的人民反對美帝國主義。第二個地帶包括西歐和北美以及日本和大洋洲國家。統治階級壓迫本國人民和第一地帶中的國家，但他們也是美國霸權的受害者。因此，他們和社會主義國家有共同之處。1964年1月27日，法國承認中華人民共和國，斷絕與台灣的關係，拉開了中國和蘇聯集團以外的一系列國家建立最高等級外交關係的序幕。在這種新形勢下，中國將11個亞洲共產主義政黨聚集在身邊，在第一地帶的國家中取代「修正主義」蘇聯，形成一個雅加達—河內—北京—平壤軸心，與南斯拉夫的鐵托、阿爾及利亞的本・貝拉、埃及的納賽爾、加納的恩克魯瑪這些不追隨蘇聯的領導人形成一個新的高峰集團。1956年的〈論十大關係〉注重「沿海」戰略，只考慮美國或台灣的攻擊。此時毛澤東開始用大陸戰略取而代之，認真考慮了蘇聯軍事打擊中國新疆羅布泊核軍事設施的風險。為了應對這種新的威脅，中國自1964年6月花費大代價在西部建立了第三條戰線——北廣線，形成一條連接貴州、甘肅、青海、四川的通路。[51] 1964年10月16日，赫魯曉夫倒台後短短兩天，中國第一顆原子彈成功爆炸，鞏固了這一新的戰略，儘管中國仍然缺乏一個反應堆形成真正的震懾。美國對越南的戰爭升級，8月越南的北部灣事件和美軍B52在越南北部的狂轟濫炸[52]

使得越南北部領導人接近蘇聯，因為他們需要蘇聯的軍事技術支持，這是中國不能為他們提供的。雖然1965年5月16日毛澤東和胡志明在長沙會談期間答應中國會給他們提供包括兵力和常規武器等在內的軍事援助。不過，1965年4月2日周恩來通過巴基斯坦轉告美國領導人，中國不會和之前在朝鮮一樣向越南派出「志願軍」，只要他們不攻擊中國的領土，中國便不會與美國打仗。早在1962年，在華沙的一次大使會議上，美國代表便向中國代表保證，美國反對台灣軍隊進攻中國大陸。因此，到了1965年，中美的遊戲規則確定了下來：毛澤東確信在最脆弱的海上沒有甚麼要擔心的了。反美言論是沒有風險的，隨着中蘇邊境的緊張，更好地發揮反美言論有助於造成被包圍的狂熱假象，毛澤東借此從中得利。

領導者在被包圍的地方有充分的權力：毛澤東的個人崇拜在1964年和1965年更上一層樓。解放軍的宣傳部門和機關報紙《解放軍報》起了決定性作用。1960年9月下旬，毛澤東主持召開中央軍委擴大會議，10月20日通過一項決議，加強軍隊政治思想工作。這項決議是林彪提出，毛澤東修改的。在這場運動中，政委們從四卷《毛澤東選集》中摘取了一些語錄，印在卡片上，鼓勵士兵和軍官背誦。1963年12月，解放軍政治部決定印一本小冊子。1964年1月5日，《毛主席語錄》出版，書中有200條語錄，分為23章。之後的其他版本有267條的，有355條的，1965年8月變成427條，分為33章。冊子大小為52開。這個小冊子有一個紅彤彤的塑料封面，封面頁後就是毛澤東畫像，用一張絲質的紙張保護[53]，題詞是馬克思和恩格斯的《共產黨宣言》中的句子：「全世界無產者，聯合起來！」打開這本書能看到林彪抄的雷鋒的三句話，從此這本宣傳冊成為學雷鋒運動的焦點。[54]

這本小冊子是一本紅色思想的入門手冊，[55]為毛澤東思想提供了一些現成的指示，這些指示脫離背景，因而造成了它們的形式化。毛澤東密切關注這本出版物的發展：他不僅是中華人民共和國的最高領導者，而且是新時代的聖人——孔子的弟子曾經收集整理孔子的言論，形成了《論語》。林彪在康生、田家英和解放軍理論家[56]的幫助下，出版了這本語錄，以之作為至高無上的真理。這本小冊子早期只發行了40萬份，此時導師的書只是一種提醒，是為了加強政委的作用。1963年，政委必須具有軍事方面的專業知識。直到1965年5月，其發行量才有一個質的飛躍，1967年達到七億二千萬份。[57]

事實上，在七千人會議失意後，毛澤東讓這本小冊子在政治戰略中起了關鍵作用。由於黨變成了一個有缺陷的工具，他決定用一段時間按照延安的模式將他的先鋒角色轉移到一支政治化的軍隊上，軍隊對他有完美的忠誠度。出於這一目的，他塑造了雷鋒的典型。紅寶書也是異曲同工：這是一個正確思想和行為的指南：解放軍戰士應該像雷鋒一樣具有五「好」：政治思想好、軍事技術好、三八作風好、完成任務好、鍛煉身體好。現在必須讓整個國家都學習解放軍。1963年12月16日，毛澤東寫信給林彪、賀龍、聶榮臻和肖華[58]：

國家工業各個部門現在有人提議從上至下（即從部到廠礦）都學解放軍，都設政治部、政治處和政治指導員，實行四個第一[59]和三八作風。[60]我並建議從解放軍調幾批好的幹部去工業部門那裏去做政治工作。……看來不這樣做是不行的，是不能振起整個工業部門（還有商業部門，農業部門）成百萬成

千萬的幹部和工人的革命精神的。……這個問題我考慮了幾年了。

1964年2月的每一期《人民日報》都呼籲「向解放軍學習」：「解放軍熱愛國家、熱愛人民、熱愛社會主義，對無產階級的事業無限忠誠。他們大公無私，為公忘私，專門利人，毫不利己，甚至把自己的青春和自己的生命貢獻給社會主義。」必須強化解放軍的利他主義和平等主義模範性。1963年12月，毛澤東評論一個文件時，要求刪除所有的職務稱呼，以「同志」一詞取代。1964年8月，他給賀龍的一封信中建議取消軍銜肩章。這個建議在獲得毛澤東的批准後實行。[61] 1965夏天，蘇式的軍官肩飾消失了。[62]

第一個學習解放軍精神的單位是石油部。石油部的典型很快在水利、電力、化工、運輸部門和鋼廠推廣。1963年12月16日，毛澤東指示林彪加強解放軍精神的學習活動。具體地說，這意味着認真研究「紅寶書」，將其熟記於心，在每個單位或車間建立一個黨支部或政治部，由軍隊提供顧問作為輔導員，或派幹部到軍事單位實習。1964年3月，工業部部長薄一波召開會議總結這個活動（譯註：原文有誤，薄一波實為國務院副總理兼國家經濟委員會主任，分管工業口），稱這個運動是「毛主席具有重要歷史意義的一項舉措」。1965年，發布了一份類似的通函。同時，加強了青年的軍事訓練，全國年輕男女學習正步走，練習使用木槍或扔長矛。這不僅是一個國家的軍事化，也是毛澤東正統理論的政治化。我們也可以看出林彪沒有拋頭露面（不久以後，他因為野心受到批判），在沒有毛澤東批准的情況下，不採取任何主動措施。林彪輝煌的戰略構想曾使他成為那個時代最偉大的將軍之一，也讓他能預見到毛澤東的決定。

「一分為二」

「四清」運動繼續進行，在兩方面尤其活躍。

首先是文化藝術。1964年2月3日，農曆新年之際毛澤東發布了一份通函：迄今為止，我們誤解了階級鬥爭在文學領域的作用。1964年6月27日，毛澤東在批示江青的報告[63]時批評文化人「做官當老爺」，差點「跌到了修正主義的邊緣」，並認為「必在將來的某一天，要變成像匈牙利裴多菲俱樂部那樣的團體」[64]。3月下旬，他開始對多個省的視察，4月下旬到杭州結束。在上海期間，他讓隨行的江青負責在長江下游大都市的知識界中進行鬥爭：江青得到了柯慶施、張春橋、姚文元以及幾十個年輕理論家的幫助，他們雄心勃勃，渴望打破黨的官僚豎在他們面前的壁壘。1963年12月至1964年1月春天，「上海幫」組織了一次當代戲劇節。其中的劇目《紅燈記》講述了日本侵華期間，東北一個鐵路工人家庭的女地下黨員的故事。[65]所有人都是無可挑剔的革命者，歌唱着走向悲慘的命運。[66]這些「高、大、全」的英雄總是遇到徹頭徹尾的壞蛋。儘管這樣的創作很貧乏，[67]但北京不能落後。1964年6月5日至7月31日，當時的北京市市長、政治局常委彭真與周恩來一起組織了自己的戲劇節，有三十多場演出、兩千多名演員、五千多名包括茅盾和郭沫若在內的知識分子和文化界知名人士。他說，我們必須讓京劇為社會主義服務，整個上層建築要為社會主義經濟基礎服務。他剛被觀看了大部分演出的毛澤東任命為「文化革命五人小組」的負責人，其餘四人為陸定一、康生、周揚和吳冷西。雖然他不滿江青介入他的領域，但是江青把茅盾、夏衍和其他一些文化前沿的名人排除在外，似乎加

強了他的權力，動搖了周揚的權力，讓他無話可說。事實上，毛澤東在幕後推動着他的走卒們。

同時，毛澤東也在文化戰線的另一個領域，即政治很少注意的哲學領域採取了行動。一段時間以來，各種文章都在攻擊經濟學家孫冶方和歷史學家翦伯贊，1957年他們被打為右派，下放到農村，因為二人都拒絕將他們的學科變成政治工具。哲學家楊獻珍是中國共產黨的中央委員會委員、中央高級黨校副校長，受到劉少奇的保護。艾思奇是官方理論家，受到康生和毛澤東的保護。楊獻珍成為艾思奇批評的對象。爭論的焦點是：從1957年開始，毛澤東認為矛盾的普遍性是「一分為二」[68]，肯定和否定相互演化，沒有止境；而楊獻珍在1964年4月3日的一次授課及其下屬在5月29日《光明日報》的一篇文章中提出相反的觀點，認為辯證法的基礎是合二為一。這次辯論不僅涉及馬克思列寧主義。1964年6月5日，毛澤東在一篇關於〈階級鬥爭辯證關係〉的文章中寫道：「一分為二」解釋了蘇聯和中國的決裂、社會主義教育運動和「不斷革命」的遠見，而楊獻珍的命題是一種妥協，對猖獗的修正主義有利。1964年8月18日，毛澤東在和康生、陳伯達等關於哲學問題的談話中就這個主題談了很久。[69]這篇會談紀要反映了毛澤東在當時的巨大影響力：他能毫無約束地表達自己的想法，因為他知道沒有人敢頂撞他。開始時思維是連貫的：他說，哲學不只在階級鬥爭中存在，哲學家不應該只關注書本，應該到實地去調查，到農村去，在那裏可以觀察到「一分為二」是怎麼回事。事實上，土地革命本身沒有甚麼了不起的，「分土地給農民，是把封建地主的所有制改變為農民個體所有制，這還是資產階級革命範疇的。分地並不奇怪，麥克阿瑟在日本分過地。拿破崙

也分過。土改不能消滅資本主義，不能到社會主義」。所以為了快速進入社會主義，不應該延長保留（新民主）資本主義的時間。資本主義復辟的危險一直存在，蘇聯就是如此。事實上，「現在我們的國家大約有三分之一的權力掌握在敵人或敵人的同情者手裏。我們搞了十五年，三分天下有其二，是可以復辟的。現在幾包紙烟就能收買一個黨支部書記，嫁個女兒就更不必說了」。毛澤東援引盧那察爾斯基和波格丹諾夫[70]的話批判楊獻珍，康生旁徵博引說了一大段。毛澤東繼續他的獨白，不斷說到題外話。這有甚麼關係：這是一個有無限權力的大師在發言。他談到了他的童年、他的教育、年少時秘密社團哥老會在村莊引起的騷亂。他回憶游擊隊的歲月，那時他是「綠林好漢」。他談到最喜歡的小說《紅樓夢》（讀了五遍），「胡適理解階級性質，和俞平伯、蔡元培不同」。再次被康生打斷後，他重申世界充滿矛盾，一切都不停地死亡和重生。他說到莊子在妻子去世時鼓盆而歌，因為這是舊的東西被消滅，是辯證法的勝利。他談到了進化論，並讚賞自然科學的研究。毛澤東把人定義為「製造工具的動物」，提到《史記》、《詩經》、孔子和《論語》，還有最近講唐代佛教的文章，並背了幾句屈原的《離騷》。他突然得出結論，說應該在《紅旗》上發表幾篇關於「一分為二」的文章。1965年3月，楊獻珍被打成「資產階級在黨內的代言人，是彭德懷，是個小赫魯曉夫」，後來被撤職、開除黨籍。很多合作者被勒令揭發他，如果拒絕就會被逮捕，最頑固的分子被送去勞改，還有人被迫自殺。顯然，這已不再是一個學術辯論。

遠離知識界的第二條戰線重新活躍起來：從1964年秋天開始，中國偏遠農村的幹部遭遇了一股真正可怕的浪潮。這其中毛澤東起

了一些作用：在不同的場合，包括1964年5月15日至6月17日在北京舉行的一個中央工作會議上[71]，他的發言重複對形勢的悲觀分析，認為「階級敵人」不斷得手。他顯然不太滿意「社會主義教育運動」的進展：在春天的視察中，他在湖南遇到忠實的支持者王任重（譯註：王任重當時在湖北任職而不是湖南，是中南局第二書記，他是從武漢陪毛澤東去長沙的）。毛澤東批評他遵守「前十條」，又遵循「後十條」（由鄧小平組織）：很明顯他不喜歡第二個指示減少了第一個指示中賦予貧農協會的作用。此外，他一再提醒運動是否成功要看六個標準：

第一，貧下中農是否真正發動起來了？

第二，「不乾淨」的幹部問題（曾經犯過錯誤的幹部），是否徹底解決了？

第三，幹部是否參加了勞動？

第四，一個好的領導核心是否建立起來了？

第五，發現有破壞活動的地、富、反、壞分子，是將矛盾上交，還是發動群眾，認真監督、批評，以至展開恰當的鬥爭，並留在那裏就地改造？

第六，是增產，還是減產？

這些標準揭示了兩方面內容。一方面，毛澤東仍然認為生產增加是動員運動的結果：革命必須是第一位的，然後是生產。另一方面，明確地強調群眾的先鋒作用，黨縮減為毛澤東主義的領導核心。顯然，「大躍進」的災難沒有讓他學到任何東西。

6月的工作會議上，毛澤東和劉少奇都很悲觀。他們都認為三分之一的生產小隊落入「封建勢力和階級敵人」的手中。劉少奇甚至

比毛澤東更嚴厲，不僅要清除基層中的壞幹部，還要把贊成資本主義「和平演變」的負責人剔除出去，或許在中共中央也有這種人存在。忠誠的與會者進行了熱烈的發言，要求「搬石頭」，在城市中重新進行階級劃分：所有人都害怕不夠「左」，害怕會受到可怕的右傾指控。在這種不真實的氛圍中，在國家受到饑荒和戰爭威脅的情況下，大家決定第三次修訂指示，稱為「第二個後十條」。譚震林負責制定貧下中農協會的組織條例，1964 年 6 月 25 日該條例出版[72]，附帶的說明指出對前兩個指示做出了哪些修訂。

劉少奇牽頭重新拋出這項不得人心的「左」派運動，也許是因為他認為幹部決定了一切：他們必須是完美的。6 月底至 8 月間，他先後在天津、濟南、合肥、南京、上海、鄭州、武漢、長沙、廣州和南寧進行視察，他對毛澤東說要對「階級敵人和他們的保護者」「進行殲滅戰」，沒有意識到自己把自己放到了靶心，而且非常有信心：1963 年 11 月下旬，他讓他的妻子王光美加入一個「社會主義教育運動」工作組，匿名住在唐山附近的桃園大隊（帶着五個警衞！）。「大躍進」期間，王光美曾經和丈夫在這裏住過。在當地人的幫助下，她花了五個月時間，採訪村民，核對賬戶，寫了一份讓主席很惱火的冗長報告。[73] 毛澤東看過這份文件，陳伯達建議劉少奇加一個引言，將這份報告發表。8 月 5 日，劉少奇接到中共中央書記處由他主持起草「第二個後十條」的任務。16 日，他建議毛澤東組建消滅階級敵人的「大兵團」，包括一萬名成員，每個工作組數百人，如同一場風暴席捲農村。8 月 18 日，毛澤東接受了這個建議。[74] 8 月 19 日，劉少奇寫信給毛澤東介紹他起草的新指示的大概內容。8 月 27 日，毛澤東批准。[75] 劉少奇修訂的「第二個後十條」由毛澤東、周恩來、鄧

小平和彭真審閱後，9月18日經中央委員會通過[76]，之後稱為「大四清」：工作組必須依靠貧下中農協會，有權力重新評估階級劃分，「不留情面」地批評懲罰受調查的基層幹部。經過3–6個月近乎恐怖的時期，2,500萬中國農村幹部中，5%–10%被解職。事實上，在「關鍵」的10%–15%的生產隊內，被解職的幹部達到三分之二。通常情況下，無數曾在黑暗歲月裏受害的人如今有充分的理由向負責的幹部討回公道，有自殺、逮捕、驅逐出境、私刑和處死的情況。中國農村蔓延着不須負責任的仇恨。劉少奇在1961年至1962年時的態度為他在農民中贏得了口碑，但這一運動成了他的污點。

推遲爆發（1964年12月–1965年12月）

毛澤東和劉少奇似乎達成了完美的一致，在極左陣營中，自「七千人大會」以來兩人難以掩飾的緊張關係似乎被遺忘了。其實，這是一種錯覺，因為毛澤東小心謹慎，而劉少奇的自信日益增長。月復一月，毛澤東耐心地設下一個陷阱，讓「中國的赫魯曉夫」[77]困在裏面。

1970年12月18日，埃德加・斯諾問毛澤東自1958年確認劉少奇為接班人後，是何時決定放棄劉少奇的，毛澤東毫不猶豫地回答是1965年1月：在一次政治局會議上，他呼籲在城市復興「社會主義教育運動」，發動一場「文化革命」，結果遭到了劉少奇的堅決反對，這讓他覺得需要打倒劉少奇。事實上，後者只是不同意指責「當權的人走資本主義的道路」。[78]

這是一個聰明的簡化故事的方法。1965年1月，中央政治局會

議上發生了這次戲劇性的事件，之前數月一直有秘密的爭論爆發。「文革」進入活躍期還要再等二十個月：從1962年夏天開始，毛澤東就開始規劃一場「爆炸」，引爆這場「爆炸」的導火線非常長。在此我們想詳細地再現這場耐心的醞釀，因為它可以幫助我們更好地了解毛澤東複雜的個性：記仇、狡猾、謹慎和源自游擊隊戰術的突然襲擊。毛澤東獨自帶領中國革命的神秘靈感讓他確信革命會將昔日的輝煌還給中國，使中國成為全世界的共產主義先驅。

1964年夏天，劉少奇不情願地同意負責社會主義教育運動，陷阱出現了。雖然他不喜歡周恩來，但他們倆都不相信毛澤東願意退出舞台，也知道和毛澤東起正面衝突可能招來殺身之禍。[79]但自1961年以來，他就有「右傾機會主義」的嫌疑，他贊同農戶再分配集體土地的態度讓他覺得不得不採取激進的立場，而且這種立場符合他對共產黨是道德主義和精英主義先鋒黨的看法，這個黨應該由真正忠於集體的人領導。毛澤東有意把他往這個方向推，使他放鬆了警惕。1964年8月，毛澤東指示劉少奇整頓基層幹部，避免派大型工作組下鄉，但劉少奇實施了完全相反的計劃，而毛澤東毫不猶豫地批准時，田家英覺得非常奇怪。[80]同樣，當劉少奇指責江蘇省書記「講空話」、教條主義時，毛澤東站在劉少奇一邊，[81]而這一攻擊間接針對的是主席最忠實的支持者之一——柯慶施。雖然毛澤東不欣賞劉少奇的妻子王光美在桃園調查中的角色，非常刻薄地評論她的報告，但仍然同意報告的流傳。同樣，十分忠誠於他的王任重向劉少奇彙報河南的「四清」運動時，他也沒有反應。他似乎甘心放手，但同時展開一項相反的活動。1964年12月21日至1965年1月4日舉行了全國人大三屆一次會議，周恩來作政府工作報告，毛澤東

對周恩來報告的評價[82]（編註：毛澤東並未在全國人大三屆一次會議上發表長篇講話），顯示了他的鬥志和信念：

> 我們不能走世界各國技術發展的老路，跟在別人後面一步一步地爬行。我們必須打破常規，儘量採用先進技術，在一個不太長的歷史時期內，把我國建設成為一個社會主義的現代化的強國。我們所說的大躍進，就是這個意思。難道這是做不到的嗎？是吹牛皮、放大炮嗎？不，是做得到的。既不是吹牛皮，也不是放大炮。只要看我們的歷史就可以知道了。我們不是在我們的國家裏把貌似強大的帝國主義、封建主義和資本主義從基本上打倒了嗎？我們不是從一個一窮二白的基地上經過十五年的努力，在社會主義革命和社會主義建設的各方面，也達到了可觀的水平嗎？我們不是也爆炸了一顆原子彈嗎？過去西方人加給我們的所謂東方病夫的稱號，現在不是拋掉了嗎？……中國大革命家，我們的先輩孫中山先生，在本世紀初期就說過，中國將要出現一個大躍進。[83]

毛澤東已經忘記了「三年困難時期」的災難，非常驕傲地將這件事丟給了某個被他認為是「右傾機會主義分子」的人。

1964年11月26日召開工作會議討論「三線」之際（編註：有誤，此時並未召開過這樣一個會議），發生了奇怪的一幕。[84]毛澤東轉身對劉少奇說：「還是少奇掛帥，四清、五反、經濟工作[85]統統交給你管，我是主席，你是第一副主席，天有不測風雲，[86]不然一旦我死了你接不上，現在就交班，你就做主席，做秦始皇。[87]我有我的弱點，我罵娘沒有用，不靈了，你厲害，你就掛個罵娘的帥，你抓小平、總理。」如何理解這段話？毛似乎把權力讓給劉少奇，同時也提

醒他，自己仍然是主席，建議他應該表現出前陣子沒有表現出來的堅定態度。鄧小平尤其對毛澤東的真實意圖提出質疑。鄧小平很冷靜，他勸毛澤東不要參加政治局召開的工作會議，這次會議是為了籌備第三屆全國人民代表大會並總結「社會主義教育運動」[88]：這是測試毛澤東退居二線真實性的一種方法。12月15日，劉少奇在這次會議上作開幕報告，會議分成小組進行討論，毛澤東缺席。但是20日，當劉少奇打開舉行全體會議的大廳的門時，驚訝地發現毛澤東已經先於大家到來，坐在主席台上。毛澤東說：「你先說，你是頭頭。如果你不說，我們宣布休會。」毛澤東借此次機會宣告了他的優勢，定下了會議的議程：從20日至28日討論「社會主義教育運動」中的主要矛盾，1月初討論接下來的行動方針。辯論氣氛熱烈。劉少奇在陶鑄的支持下堅持他負責起草的修改版的「後十條」，他認為最根本的矛盾是「四清」和「四不清」之間的問題，即勞動農民與土地革命中曾經被劃分為地主和富農或在最近的階級重新劃分中被「揭穿」的地主和富農之間的矛盾。除了這四類，曾經的貧下中農「在1950年和1960年已經反過來成為壓迫者」。必須讓所有這些剝削者退還贓物，以安撫憤怒的農民。然而，與劉少奇不同的是，毛澤東認為這樣的任務是不可能的，這將涉及20%的農民，即1.4億人。一半就夠了，他確信這是他們唯一可以做的。在這一點上，他有點右，劉少奇有點「左」。他補充說他在「四清運動」初期起草的第一個「十條」是唯一有效的指令。他立即得到工業部長薄一波的支持，薄一波很高興風暴轉移到黨內，可以保護「五反」運動中想要恢復勞動紀律，用獎金提高工作效率而受到衝擊的工程師。毛澤東對薄一波及財政部長李先念說：「先搞豺狼，後搞狐狸」，先搞高層幹部，再

搞基層幹部。在爭論中他冷笑着對劉少奇説：「一定要尋找完全忠誠的人，你要落空的！」。然而，12月23日，毛澤東付出很大代價才贏得了一場勝利，儘管會議的文件「農業十七條」中寫入了毛澤東講話中關鍵的句子，即「這次運動的重點，是整黨內那些走資本主義道路的當權派（包括貪污盜竊、投機倒把）」，但文件中保留了劉少奇提到的黨內外的矛盾交叉，而毛澤東的觀點雖然被認為「更加合適」，但只保留了「社會主義和資本主義的矛盾」。毛澤東很不滿意，特別是劉少奇的話跟他的話一樣有分量，劉少奇還偶爾打斷他講話。黨的其他領導人轉身躲避暴風雨，沒有完全服從他的意願。毛澤東比以往任何時候都更擔心在不久的將來經歷赫魯曉夫剛剛經歷的命運。

一個作弊者的升遷

因此，毛澤東不接受「農業十七條」中的折中。1964年12月26日，一反往常的慣例，他在人民大會堂組織了一個晚宴慶祝71歲大壽，邀請包括劉少奇在內的所有領導人、學者、知識分子和勞動模範。和主席一桌的有陶鑄的妻子、推廣大慶油田模式的余秋里[89]、彭真、羅瑞卿和一個陌生人，他一身農民的打扮，長着一張農民的臉，他出現在主席身邊讓客人們很不自在。這個人是陳永貴：山西省昔陽縣大寨村的黨支部書記[90]，他剛剛被指定為山西省參加第三屆全國人民代表大會的代表。據説1963年，他帶領貧瘠山丘上的三百名居民日夜不眠地奮戰，挽救了受到洪水威脅的玉米和高粱的收成。毛澤東的農業十二條計劃規定1950年每公頃糧食收成達到11公

擔，到1964年達到60公擔。為了達到國家提出的糧食產量目標，陳永貴提出「自力更生」的口號，農民們不照看自家的自留地而來支持他。然而，劉少奇派出的「四清」工作組調查認為這個模範大隊「有嚴重的問題」：陳永貴偽造統計數據，上報的可耕種面積小於實際面積，從而相應地提高了單產量。[91] 周恩來剛剛讚揚大寨經驗是農業戰線上自力更生、奮發圖強的一個典型。陳永貴同一天在大會主席台上講了話。他在餐桌上的出現是毛澤東提出的挑釁，證實了主席之前的言論。毛澤東不顧這種場合的氣氛，譴責「有些人用非馬克思主義的講法，甚麼『四清』『四不清』，可以在清朝的時候使用」，以及「有人搞獨立王國」。前者影射劉少奇，第二個指以鄧小平為首的中共中央書記處、李富春及其計劃部門。所有與會者都覺得這些不禮貌的言辭是一種宣戰：這不是以前毛澤東用來打倒高崗和饒漱石的話嗎？為了不讓人懷疑，主席轉向鄰桌的政治局其他成員，急切地說他擔心黨內出現「修正主義」危險。12月27日，陳伯達說：「（昨天）主席總結了我們每個人的意見：主要矛盾是社會主義與資本主義的矛盾。」毛澤東立即評論說：「我們這個黨，至少有兩派，一個社會主義派，一個資本主義派。」劉少奇處於守勢，他提出異議，說有資本主義派別是誇大分歧，造成對抗性矛盾，和實踐中出現的情況不同。[92] 毛澤東沒有堅持，他只是虛晃了幾槍。主持會議的彭真利用衝突的間歇，宣布「農業十七條」得到了批准。毛澤東對這次會議越來越不滿，12月28日，他令人驚訝地發表了講話。他講了一大段混淆不連貫的獨白，將「社會主義教育運動」和八屆十中全會時的階級鬥爭相提並論，然後突然揮舞黨章和憲法咆哮道，作為一個公民、黨組成員，他有說話的權利，指責鄧小平不讓他參加會

議，劉少奇不讓他講話。[93] 這樣的爆發並沒有阻止彭真通過以 811 號文件為名印發「農業十七條」的決定。這樣做，彭真的命運也注定了。

毛澤東的 一次出擊

　　1964 年 12 月 30 日，毛澤東因為無法強迫別人接受他的命令感到憤怒，以黨的主席的身份進行了一次出擊，用 814 號文件要求停止執行 811 號文件，並下了一個 815 號文件。陳伯達在「農業十七條」的基礎上增加了一句話，將最初的妥協變成了針對劉少奇的攻擊：事實上，這份文件批評「這些當權派有在幕前的、有在幕後的，有在下面的，有在上面的」。1965 年 1 月 3 日，全國人民代表大會確認劉少奇為國家主席的任命，同一天，毛澤東公開嘲笑劉少奇的想法「往一個二十八萬居民的縣城裏派一萬八千人的工作組」，並補充說：「從今以後，社會主義教育運動不再針對小偷和扒手，而是黨本身。」同一天晚些時候，劉少奇的妻子王光美作為賓客被邀請去人民大會堂 118 大廳，她當場經歷了毛澤東的語言暴力，毛澤東一進門就說：「你有甚麼了不起，我動一個小指頭就可以把你打倒！」[94] 劉少奇沒有回答：他知道毛澤東的威脅是有理由的：他知道毛澤東多麼喜歡魯迅經常引用的一句中國諺語：「必須痛打落水狗。」不過，他知道自己處在一個尷尬的境地：他堅定不移地支持毛澤東，使他樹敵頗多。他在發動大躍進中發揮了決定性作用。在內戰期間，劉少奇在白區培養地下黨，在最近的「五反」運動中他的這個基礎受到打擊：大家了解到許多老兵曾經在 1936 年至 1937 年被國民黨的警察逮捕，為了脫身簽署過一份聲明否認他們從事共產主義。這種行為

得到黨的書記處、後來領導國民黨統治區活動的劉少奇、薄一波和彭真的批准，甚至鼓勵；這樣才能重新開始抗擊日本侵略者。毛澤東沒甚麼可抱怨的。但這種態度很容易被稱為叛國。另一方面，在中蘇爭論達到頂峰時，他和毛澤東的總路線保持距離，可能被認為歸附蘇聯人：劉少奇已經被一些人稱為「中國的赫魯曉夫」，不能表現得像列昂尼德‧勃列日涅夫的代理人一樣！

1965年1月9日，毛澤東平靜地會見了埃德加‧斯諾：中國人民得知這次採訪是由於一張主席和美國記者[95]並肩拍攝的照片。後者被描述為《紅星照耀中國》的作者，這本書的內容在世界各地傳播——除了中國。毛澤東確定中國不出兵越南[96]，只要美國不越過中國邊境，中國就不會和美國打仗。他談到了很多話題，如他認為對他的個人崇拜是正常的、必要的[97]，最近班禪喇嘛[98]被撤銷了西藏自治區籌備委員會代理主任的職務，是因為他的「封建」顧問的不良影響，還提到了蘇聯的修正主義。毛澤東講到了戴高樂和他面對美國渴望獨立的願望。當被問及未來時，毛澤東回答說，有兩種可能性：要麼是不斷發展中國革命直到共產主義，要麼是革命被年輕人放棄。1964年7月5日，毛澤東遇到他的侄子毛遠新時，已經問過「革命接班人」這個問題[99]：他解釋說革命不僅僅是建立人民政權。「現在革命任務還沒有完成」：「蘇聯還不是赫魯曉夫當權？資產階級當權？我們也有資產階級把持政權的」，現在的年輕人「是吃蜜糖長大的」，他們的革命承諾是脆弱的。然後毛澤東詢問年輕的軍校學生知道多少馬克思主義知識，毛遠新回答這些知識都是純粹的書卷氣：他打不好槍，只會游泳，不騎馬，他不明白「一分為二」或「馬克思主義的本質是矛盾」的辯論，也不知道階級鬥爭，他甚至沒有注

意到哈爾濱軍事工程學院宿舍的鄰床是個反革命。[100]毛澤東總結說，培養「革命接班人」必須有五條標準。第一條，他們必須是真正的馬克思列寧主義者，而不是修正主義者。第二條，他們必須是全心全意為中國和世界的絕大多數人服務的革命者。第三條，他們必須是能夠團結絕大多數人一道工作的無產階級政治家。第四條，他們必須是黨的民主集中制的模範執行者。第五條，他們必須謙虛謹慎，戒驕戒躁。1965年，毛澤東通過一個又一個聲明多次提到這個問題：他決定擺脫劉少奇之後，找到一個不同於劉少奇的接班人，這個人必須認同他的政治理念。那樣他的生命走到盡頭時，他仍然能夠在死後繼續存在。

憑藉1964年12月下旬來之不易的成功，毛澤東在1965年1月14日的政治局擴大會議的最後一天任命了一個以周恩來為首的「小計劃委員會」（譯註：有誤，「小計委」是由當時任國家計委第一副主任兼秘書長的余秋里負責），負責剛剛啟動的第三個五年計劃和「三線」。李富春、薄一波、李先念和鄧小平被剝奪了控制經濟的權力：其實，毛澤東擔心他們背着他實施1961年的計劃。他對經濟問題的外行增強了他的不信任感。同日，在他的指導下制定的「二十三條」刪去了「前十條」以外的所有規定。文中明確指出根本的矛盾是社會主義與資本主義的矛盾，社會主義教育運動的重點，「是整黨內那些走資本主義道路的當權派，進一步地鞏固和發展城鄉社會主義的陣地。那些走資本主義道路的當權派，有在幕前的，有在幕後的……有在上面的，有在社、區、縣、地，甚至有在省和中央部門工作的一些反對搞社會主義的人」。周恩來為避免風暴做了最後的努力，在毛澤東原來的句子「省和中央部門」前添加了「社、區、縣、地」，以

減輕影響。因此「文化大革命」的理論範圍和目標在1965年1月就已經確定了。

然而，領導層長期堅決的抵制迫使毛澤東在一年多時間裏一步一步地在棋盤上推進他的棋子，直到他不再遇到態度明朗的對手，不過他仍缺少走卒。他必須整頓中央這個儀器和中國人民解放軍，並為清除劉少奇提供可接受的理由，自1962年以來就已經着手的規劃安排好了。同時，為了更長久地鞏固他在民眾中的威信，毛澤東在1964年2月普及大寨模式，把這個歷經困難建立起來的梯田變成學校孩子們的朝聖地。[101] 月復一月學習雷鋒的運動催生了其他的平民英雄：通常是軍隊裏的戰士，比如士兵王傑撲在不慎被引爆的地雷上不幸犧牲。學校的孩子們唱道：

> 大海航行靠舵手
>
> 萬物生長靠太陽
>
> 雨露滋潤禾苗壯
>
> 幹革命靠的是毛澤東思想
>
> 魚兒離不開水呀
>
> 瓜兒離不開秧
>
> 革命群眾離不開共產黨
>
> 毛澤東思想是不落的太陽[102]

1965年到1966年冬季，黨中央在將劉少奇變成「毛澤東最親密的戰友」[103] 中起了作用，同時推出河南蘭考書記這一典型，他以在因癌症去世前抗擊自然災害而出名。在災難面前，毛澤東過高的威望使得群眾認為最近災害的責任在於幹部。從1965年的農曆新年開

始，毛澤東使他的對手慢慢窒息、無力、癱瘓。下面整理了一個簡短的時間表，以再現這一段無法逃避的過程。

有計劃的攻擊

2月春節後，毛澤東離開北京去武漢。(譯註：毛澤東是3月14日離開北京前往武漢的)途中，他在專列上接見所到之處的當地負責人，不斷說明進行戰爭準備的必要性。

與此同時，江青在上海遇見了柯慶施介紹的理論家姚文元和張春橋。她要求姚文元寫一篇嚴厲的劇評，批判北京副市長、彭真的朋友吳晗的《海瑞罷官》：這是「一個黑材料」。姚文元縮在工會休息室中花了幾個月時間完成這篇文章。

3月至4月中國與越南北部軍事領導人的討論達成一致，中國對河內政權提供支持。4月19日，劉少奇會見了越南北部勞動黨的領導人黎筍。毛澤東給出了積極回應所有要求的指示[104]，但不親自與越南北部領導人進行會談，雖然他喜歡和路過的外國人士會面。[105]

4月9日柯慶施在肺癌手術後於成都(四川)逝世。這是毛澤東的重大損失。[106]而柯慶施的後繼者陳丕顯於1950年江青在無錫逗留期間認識她，他並沒有干擾她的活動，特別是他對文化節興趣不大。

4月14日中共中央決定加強戰爭準備工作。

4月22日毛澤東接見林彪，聽取其總結解放軍政治工作。[107]

4月28日賀龍、羅瑞卿和他的副手楊成武去武漢，在那裏他們向毛澤東彙報備戰計劃。毛澤東提倡有備無患，說：「準備好了，敵人反而不敢來。」[108]

4月底至5月毛澤東離開武漢赴長沙，然後通過公路前往湖南省東部的茶陵和江西省的茅坪。5月22日至29日，他登上了1929年離開的井岡山。期間，他寫了一首詞〈水調歌頭‧重上井岡山〉：

久有凌雲志，重上井岡山。

千里來尋故地，舊貌變新顏。

到處鶯歌燕舞，更有潺潺流水，高路入雲端。

過了黃洋界[109]，險處不須看。

風雷動，旌旗奮，是人寰。

三十八年過去，彈指一揮間。

可上九天攬月，可下五洋捉鱉，談笑凱歌還。

世上無難事，只要肯登攀。[110]

這首充滿激情的詞證實了毛澤東採取進攻的決定。毛澤東一反常態，提前幾天宣布了他的登山計劃。也許他想通過採取這一行動提醒中國的其他領導人他是他們政治生涯的起源，並鼓勵青年參與革命。也許他想借此提醒他們，他是一個反叛者，繼而威脅他們：1959年他不是宣布如果「修正主義」佔了上風，自己可能去山區發起游擊戰嗎？

6月1日解放軍取消了軍銜，16日中央軍委決定加快建設「三線」。

6月26日毛澤東給他認為其實是「城市衛生部或老爺衛生部，或城市老爺衛生部」的衛生部下指示。為了照顧五億被忽略的農民[111]，他的回答是縮短醫學學制，高小畢業生學三年就可以了，其餘的在

實踐中培養，認為「書讀得越多越蠢」。總比騙人的醫生與巫醫要好。「還有一件怪事，醫生檢查一定要戴口罩⋯⋯幹甚麼都戴，這首先造成醫生與病人之間的隔閡！」[112]問題不是不要，只是應該放少量的人力物力，過去的做法經常是為了科學界的虛榮。[113]毛澤東的講話中再次出現民粹主義，他提出一個真正的問題，然後給出一個蠱惑的答案，點綴着一些罵人的話。

7月毛澤東寫了一篇寓言詩(此詩創作的具體時間有爭議，還有人說是1965年5月或1965年9月)。一隻麻雀看到地球上的變化嚇壞了，要到「仙山瓊閣」去避難，鯤鵬問它哪裏有這種地方，它回答「不見前年[114]秋月朗，訂了三家條約。還有吃的，土豆燒熟了，再加牛肉」。[115]此時鯤鵬成了毛澤東的代言人：「不須放屁，試看天地翻覆。」[116]

8月3日他在上述背景下會見了安德烈・馬爾羅。當貝耶大使提到中國青年非常熱情時，毛澤東顯得更加保守。原因和他的詩中表達的一樣：對修正主義揮之不去的恐懼，他對馬爾羅說修正主義「相當廣泛，人數不多，但有影響」。

8月中旬毛澤東批示羅瑞卿關於備戰的報告時，提到「七千人大會」上的「1962年逆流」。顯然，他積怨已深，甚麼都無法原諒。

9月[117]，毛澤東在進攻的最後階段打了三槍：第一槍是林彪發表了一篇題為〈人民戰爭勝利萬歲〉的文章。這是4月22日他與主席會面的成果。表面上看，林彪支持第三世界的反抗，他介紹了非洲、亞洲和拉丁美洲革命的勝利，中國革命的普遍模式可以遵循，但是中國不可能出口它的革命。毛澤東和林彪從萬隆會議以來中國外交政策的失敗中吸取教訓：阿爾及爾首腦會議的結果已被無限期

推遲。布邁丁推翻了本‧貝拉，使北京失去了一位盟友。在撒哈拉以南，中國人刻板地反蘇，以及所謂「干涉內部事務」使一些年輕的國家感到不悅。1965年9月6日，中國的盟友巴基斯坦和蘇聯的盟友印度之間爆發了戰爭，巴基斯坦軍隊迅速潰敗，加強了蘇聯在印度次大陸的影響。中國在世界上的分量仍然過輕。第三世界的人民應該把握自己的革命命運，依靠自己的力量，而中國將繼續鞏固和發展自己的革命典範。不久之後，得益於對人民的革命動員，中國變得強大和繁榮，在世界上有舉足輕重的地位：我們可以發現這是毛澤東多次提到的主題。1965年，中國已經開始改變策略，其外交政策為象徵性的鼓動和驚人的豪言壯語。通過同時是中國和美國的盟友巴基斯坦向美國傳達信息，找到暫時解決美國軍事干預越南的方法，確定北京可接受的範圍。相反，與蘇聯的緊張局勢加強，並拒絕新的會面：毛澤東的賭注是美國打消了蘇聯可能對中國使用武力的念頭。他可以全身心投入國內的「戰鬥」。

9月18日至10月12日在北京舉行中央工作會議討論第三個五年計劃，毛澤東在會上的講話也許正透露出這樣的意味[118]：「如果中央出了修正主義，應該造反。」這句奇怪的話證實了5月份他登上井岡山背後隱藏的含義。1965年9月30日，中國共產黨的朋友印度尼西亞共產黨政變失敗，數百萬成員和支持者被殺，證實了中國在國際上的孤立和需要反省。

第一批領導被打倒

以總參謀長羅瑞卿為首的許多軍事將領更傾向於加強軍隊的戰備，[119]更好地準備現代化戰爭，不喜歡林彪枯燥的政治報告，以及面對戰爭的危險卻在內部實行協調政策。為了消除這些將領的憂慮，毛澤東採取了行動：9月11日，在人民大會堂，彭真告訴彭德懷，毛澤東想派彭德懷去四川，當李井泉的副手，負責建設「三線」。9月21日，彭德懷給毛澤東寫信，接受了這個提議。9月23日，毛澤東在頤年堂熱情地接見了彭德懷，歷時五個多小時：「早在等着，還沒有睡覺。昨天下午接到你的信，也高興得睡不着。你這個人有個強脾氣，幾年也不寫信，要寫信就寫八萬言。」劉少奇、鄧小平和彭德懷一起進了午餐，周恩來後來加入了他們。[120]毛澤東當着他們的面談到彭德懷的功績，包括1930年富田事變和長征張國燾事件中彭德懷對毛澤東的忠誠。他補充說，歷史會對他倆過去的衝突做出判斷，「也許真理在你那邊」[121]，對他來說，新的一頁翻開了。他強調給彭德懷的崗位很重要。彭德懷動了心，最終去了四川，在那裏沒有負責甚麼大事，直到1966年12月在成都被紅衛兵逮捕。同樣，1965年秋，廬山會議的另一位受害者黃克誠被派往山西任副省長。自1964年以來不太自在的劉少奇、鄧小平和彭真放鬆了警惕：不可預測的毛澤東會再次改變他的計劃嗎？

這只是一個計策，好處在於把政治危機中可能帶來麻煩的人都調離了北京。

1965年11月10日之後的事，大家都知道了：在林彪的文章之後，中南海的高牆內同時響起了這場悲劇的第二槍和第三槍。

　　第二槍只在執政的小圈子裏聽得見。那一天，中央書記處負責管理一般事務的楊尚昆[122]解職。10月29日，周恩來告訴他這一消息，毛澤東與他談了半個小時：他被調到廣州地區，必須單獨向毛澤東彙報中央的關鍵決策在當地實行的情況。兩三年後，他會得到另一項任務。1966年5月4日至26日，在北京的政治局擴大會議上，爆發了政治危機，他被指控替蘇聯人從事間諜活動，在主席的專列和住所的房間裏進行電話竊聽。[123]和1961年2月的情況一樣，這是一個藉口，把毛澤東不信任的人換成對他忠心耿耿的8341部隊首領汪東興。毛澤東往前推了一顆新的棋子。

　　第三槍更是響亮，即使需要20天才能聽到回聲。一個不起眼的上海蹩腳文人姚文元，在這個長江下游大都市的第二大報紙《文匯報》上用毛派新語發表了一篇批評《海瑞罷官》[124]的文章——《海瑞罷官》為北京市副市長、彭真的老朋友吳晗所寫，1961年1月在北京上演了很短的時間。批評文章由與毛澤東行動一致的江青授意。毛澤東將文章改了三遍，一切都非常機密[125]，因為此類文章的發表必須事先經過1964年7月成立的彭真領導的「文化革命五人小組」的批准。這次發表公然違反了這個程序和黨的紀律。此外，姚文元在文章的第四部分直接進行政治攻擊，認為吳晗的戲劇是一個階級「陰謀」，試圖攻擊「大躍進」和毛主席的「總路線」。彭真不在北京，於是北京市委負責宣傳的書記鄧拓[126]寫信給上海的同僚張春橋，詢問他毛澤東是否同意《文匯報》的做法。事實上，我們知道主席有特權不受到任何形式的任何限制。11月12日，毛澤東離開北京，在華東地區乘專列視察：鄧拓沒有收到回應。11月23日，在上海的毛澤東回北京後，聽了江青的回報，建議把文章以小冊子的形式印刷，但

上海的新華書店要求北京新華書店發行這篇引起爭議的誹謗文章時，11月24日遭到北京新華書店的拒絕。上海的《解放日報》和幾個省級日報發表了這篇文章。彭真回到北京後從周恩來處得知這次間接針對他的攻擊來自何方。彭真是一個聰明的戰術家，他決定在11月29日的《北京日報》上轉載這篇文章。30日，《人民日報》採取了同樣的態度，不過將其放在學術版面。一篇彭真和周恩來審閱過的社論解釋了為了做到「實事求是」[127]，自由的學術批評非常重要。

11月19日毛澤東離開上海去杭州的冬季寓所。他住在西湖邊一幢名叫劉莊的漂亮別墅裏（編註：應是汪莊）。這幢別墅由35公頃的公園環繞，曾是20世紀初一個大富商的產業。八個月後毛澤東才回到北京。李志綏明智地發現這一時期毛澤東不在漩渦的中心。[128]

12月8日至15日，中共中央政治局常委擴大會議在上海召開[129]：與會者61人，其中包括34名將領。令劉少奇、鄧小平和周恩來驚訝的是，林彪的妻子葉群受邀出席，分三次作了長達10小時的報告，反對當時正在雲南視察的羅瑞卿。[130]她羅織的罪名通常來源於閑話或出自已經去世的人之口。她得到了林彪、空軍司令吳法憲和海軍政委李作鵬的支持，這些人都是在彭德懷被撤職後升遷的。葉群努力證明羅瑞卿幾個月來陰謀代替林彪。這是純粹的污蔑，但毛澤東開了綠燈，因為他指責羅瑞卿和從前的彭德懷一樣是「修正主義者」：因為擔心美國人越來越多地介入越南，羅瑞卿想確保南部邊界安全，加強部隊的戰備而不是對他們進行政治教育。此外，一段時間來他經常和林彪起衝突。至於毛澤東，他在12月2日給林彪的信中解釋說：「那些不相信突出政治，對於突出政治表示陽奉陰違，而自己又另外散布一套折中主義的人們（即機會主義），大家應當有所

警惕。」同一天，他在林彪報送蘭州軍區黨委關於備戰的一份報告中說：「折中主義……不分敵我、不分階級、不分是非……實際上就是修正主義，不願意革命。」毛澤東再次顯得執着，15日通報此案，雖然彭真、劉少奇和鄧小平曾對這個如此羅織的文件有些疑惑。11日，羅瑞卿從昆明被緊急召回。他一到就受到周恩來和鄧小平的批評。15日，周恩來、鄧小平和彭真組成一個特別小組研究這個問題。隨後，羅瑞卿被解職，由林彪的親信楊成武擔任總參謀長，葉劍英任軍委秘書長。阻止毛澤東進攻的最後一次機會飛走了，毛澤東完全控制了解放軍。[131]

毛澤東的復仇（1965年12月21日–1966年5月）

1965年12月21日和22日在杭州舉行的一次非正式會議上，[132]為了迷惑對手，毛澤東再次談到海瑞事件。毛澤東同親信陳伯達、田家英和馬克思主義辯證法的專家艾思奇、關鋒[133]等人進行了談話，他滔滔不絕講了一個下午，把劍藏在修辭學的鮮花下面。談話的出發點是《哲學研究》最新一期中部分由「工人—農民—士兵」撰寫的文章，這是毛澤東式的政治話語中不可分割的鐵三角。他認為這些文章體現出實際哲學相對於書本式哲學的優越性。這種唯名論的主張在唯物主義者身上很正常。兩位歷史學家翦伯贊[134]、吳晗，特別是吳晗受到直接的攻擊。以前有其他學者在研究電影《清宮秘史》時認為能夠找到與剝削階級達成妥協的方法，這是錯誤的。毛澤東說戚本禹[135]關於義和團的文章寫得好，姚文元11月10日發表的關於海瑞的文章也寫得好。從概念領域轉到當時的政治鬥爭領域

時，毛澤東說了一句後果嚴重的話：「要害的問題是罷官，嘉靖罷了海瑞的官，1959年我們罷了彭德懷的官，彭德懷也是海瑞。」毛澤東應對這件不公平的事件負責任。而且他提到《清宮秘史》，開始重新考慮新中國成立初期他和劉少奇私底下的一次分歧。[136]他肯定了自己政治路線的連續性，同時清算了彭真和劉少奇。然後，主席的論述回到哲學的高度，談起辯證的對立統一和矛盾的普遍性規律，並回顧了最近關於「一分為二」的爭論，這其中也有政治內涵。他引用了黑格爾和他的揚棄概念：發揚積極因素，拋棄消極因素，「吃螃蟹，只吃肉，不吃殼」，「馬克思把黑格爾哲學的外殼去掉，吸取他的有價值的內核，把它改造成為唯物辯證法」。對費爾巴哈、法國的空想社會主義和英國的政治經濟學都是如此。因此，生活的體驗對哲學來說是必要的，應將高等教育從五年減少至三年，並增加兩年時間下工廠或下農村。他自己在二十年軍事生涯中，幸虧參加了農民運動、勞工運動、民族主義運動和學生運動才有了提高。所以應該讓吳晗、楊獻珍和張聞天下去，這樣才是真正幫助他們。像哲學家羅素那樣一個理想主義者，參加了反對修正主義和美帝國主義的運動後，不是在寄給毛澤東的一篇文章中加入了一些唯物主義的內容嗎？

這篇巧妙的演講掩蓋了殘酷的危機現實，在這場危機中毛澤東的固執造成了受害者：主席肯定了自己的高瞻遠矚，忘記了他的烏托邦式的政治遠見曾帶來的災難。他比以往任何時候都更加自信，變成了狂熱的共產主義革命者。值得注意的是，李志綏在這段時間（1965年11月底）回到他顯貴的病人身邊，並發現他需要10倍正常劑量的巴比妥酸劑。[137]他患的是一種真正的偏執病，在長期失眠中幻

覺中看到到處都是陰謀。1966年1月，他半夜離開南昌的別墅去武漢，因為他認為空氣被下了毒。[138]呂西安．畢仰高認為1960年代，毛澤東身體的不適加上他認為世界被永恒的衝突驅動的想法，促成了這種「失敗眩暈症」。

同時，彭真意識到危險，試圖以退為進，犧牲他的馬兵，以前他曾放棄過楊尚昆和羅瑞卿。12月22日，他在杭州見到毛澤東；後者繼續前一天的論調「海瑞是彭德懷」。彭真保證吳晗和彭德懷沒有任何聯繫。回到北京後，彭真告訴吳晗：「如果你錯了，做一個自我批評。如果你是對的，堅持。」[139]和周恩來相反，彭真與劉少奇一樣認為可以跟毛澤東較勁。1966年1月，他獲得了一次小成功：他設法阻止關鋒和戚本禹的兩篇文章發表，這兩篇文章譴責吳晗的行為的本質是「反黨、反社會主義」。1966年2月3日，他召集「文化革命五人小組」決定起草一份文件，將當前的辯論定義為純粹的學術辯論。這篇匆忙寫就的文章於5日由在北京的政治局常務委員（劉少奇、周恩來、鄧小平等）批准，7日電呈毛澤東，此時毛澤東住在武漢東湖客舍。2月8日上午，彭真與毛澤東進行了討論。他和康生、陸定一、吳冷西一起到武漢，後兩位負責宣傳和信息。彭真再次保證吳晗沒有陰謀，與彭德懷沒有任何關係，認為要堅持實事求是，在真理面前人人平等。毛澤東批准了這篇「二月提綱」，1966年2月12日中央「絕密」批轉。[140]吳晗被批評後，毛澤東同意維持吳晗的北京市副市長職位。彭真再次放了心，2月10日將「二月提綱」交給陳丕顯，讓他轉交給江青：他相信暴風雨已經改道了。

與此同時，1月21日江青和林彪在蘇州會面，2月2日至20日在上海組織了部隊文藝工作座談會，得到毛澤東的支持，她在周圍的

「左」派知識分子的幫助下，大談三十幾部電影和戲劇的思想素質。會談的結果是〈林彪同志委託江青同志召開的部隊文藝工作座談會紀要〉，這篇文章由陳伯達、張春橋和姚文元執筆，毛澤東三次審閱批改。[141] 紀要中包含了一個關鍵句子，即「一條與毛主席思想相對立的反黨反社會主義的黑線專了我們的政（這是指真正的革命者）」。

3月中旬，一切都變糟了。1966年3月17日至20日在杭州召開的政治局常委擴大會議上，[142] 毛澤東當着震驚的彭真、沉默的周恩來和劉少奇的面說吳晗「反社會主義，是國民黨」，要求宣傳部不要妨礙「革命青年作家」關鋒和戚本禹發表文章，批評彭真反對在北京上演一齣革命戲劇，這齣戲在上海演出獲得成功。[143] 3月28日至3月30日毛澤東在上海與起草文章批判「二月提綱」的康生、江青和張春橋會面。[144] 3月31日，康生去北京向周恩來和彭真轉告毛澤東的話。4月9日至12日康生當着鄧小平的面對彭真橫加責難，彭真擔保自己沒有反對毛澤東。周恩來和鄧小平回答他，他的錯誤在於對主席和他的思想提出異議。

4月16日，政治局常委在杭州開會，取消了「二月提綱」，解散「文化革命五人小組」。4月24日組成了成為「文革」核心的小組。4月19日，毛澤東拒絕單獨召見彭真，彭真下火車後就被警衛圍住，剝奪了行動自由。劉少奇沒有見證這些戲劇性的事件，他正在巴基斯坦、阿富汗和緬甸進行外交訪問，4月20日回到昆明，被緊急叫到杭州，他到達時恰好聽到毛澤東一句特別有威脅性的話：「出修正主義，[145] 不只是文化界出，黨政軍也要出，主要是黨、軍。」[146] 彭真缺席了5月1日的慶祝活動，從此被軟禁在家。

彭真下台

　　1966年5月4日至26日，劉少奇在北京主持了一次政治局擴大會議，確定4月在毛澤東的推動下作出的決定。此時毛澤東還在杭州。因此，在後者缺席的情況下，一場嚴厲的政治整肅開始了。1966年5月23日，撤銷了「四人反黨集團」彭真、羅瑞卿、楊尚昆、陸定一的職務。陸定一負責宣傳，幾週來因為宣傳工作受到毛澤東的批評，還捲入了莫名其妙的「502號專案」，成了受害者。他的妻子寄了一些匿名信件給葉群，信中指責葉群是一個放蕩的女人。4月28日，陸定一的妻子被捕，被打成「反革命」，連累了陸定一。不久，陸定一也被捕，被指控密謀反對林彪。[147]

　　5月5日和6日，康生在張春橋、陳伯達的幫助下宣讀了起訴書，時間長達八小時。5月21日，周恩來將「四人反革命集團」比作……國民黨「四大家族」，並確保通過揭露他們，已經清除了「炸彈」。在之後一些日子裏，他和劉少奇慶祝毛澤東思想的偉大勝利[148]，雖然他們知道對他們朋友的撤職是不合理的。

　　此外，除了撤銷「四人反黨集團」的職務，與會代表還一致通過了「五一六通知」——劉少奇給了不是政治局成員的受邀代表投票權。中共中央1981年6月27日的決議將這一通知認定為「文化大革命」開始的標誌。[149]這也是大多數歷史學家的看法。這一通知在毛澤東的掌控下完成，有六個附錄，其中包括康生提議起草的〈一九六五年九月到一九六六年五月文化戰線上兩條路線鬥爭大事記〉、一份對「二月提綱」的批判和一份關於國際關係中王明路線的文件。所有這些文件滿是錯別字，用詞猶豫（「文化革命」時而被稱為「社會主義

文化革命」，時而被稱為「無產階級文化革命」），沒有經過任何修改，在非常緊張的氣氛中被舉手表決通過。最重要的也許是文末毛澤東寫的一句話[150]：

> 混進黨裏、政府裏、軍隊裏和各種文化界的資產階級代表人物，是一批反革命的修正主義分子，一旦時機成熟，他們就會要奪取政權，由無產階級專政變為資產階級專政。這些人物，有些已被我們識破了，有些則還沒有被識破，有些正在受到我們信用，被培養為我們的接班人，例如赫魯曉夫那樣的人物，他們現正睡在我們的身旁，各級黨委必須充分注意這一點。

毛澤東唯恐重蹈赫魯曉夫的覆轍，也許這是最好的表述了。他從來沒有如此害怕最高級別的領導人。

4月24日「中央文革小組」成立，5月底正式形成，由陳伯達領導，成員包括康生、江青、張春橋、姚文元、關鋒、戚本禹、王力[151]和穆欣[152]。「中央文革小組」開始編寫一個關於目前「文化大革命」情況的指示，開始時為12條，後來變成23條，最後確定為16條，準備8月8日提交給中共中央八屆十一中全體會議討論。

5月份，參加政治局擴大會議的代表對林彪5月14日的行為，特別是5月18日的講話感到不適應。他誇張地描述毛澤東是天才——

> 是我們黨的最高領袖，他的話都是我們行動的準則。誰反對他，全黨共誅之……毛主席所經歷的事情，比馬克思、恩格斯都多得多……列寧……也沒有經歷過像毛主席那樣長期、那樣複雜、那樣激烈、那樣多方面的鬥爭。中國人口比

德國多十倍，比俄國多三倍，革命經驗之豐富，沒有那一個能超過。毛主席在全國、在全世界有最高的威望，是最卓越、最偉大的人物。

林彪還談論了政變。他一開始就引用了17世紀中國文學中如何識別叛徒的文章，得出「可以嗅到一點味道，火藥的味道」的結論。他細緻地描繪了中國和世界其他地方的軍事政變（「1960年以來……六年中間，每年平均十一次」）。他指出，為防止內部顛覆和反革命軍事政變，他按照毛主席的命令調兵遣將，控制北京的電台、軍事設施和安全部門。由於沒有任何真正的危險，這些措施事實上是政變預防。

5月26日，在這次關鍵會議結束的同一天，北京新的負責人葉劍英在楊成武和謝富治的幫助下設立了一個「首都工作組」：葉劍英在周恩來同意的情況下可以調動北京的駐軍。同時，在接下來的幾個月內，北京駐軍從一個師又一個團變成四個師又一個團，年底達到十萬人。

如此，毛澤東在幾個月之內控制了宣傳和信息，在北京黨和政府主要職位上安置了他所信任的人。現在復仇只需要一場全民動員就可以了。

5月25日下午，一張大字報貼在北大食堂的東牆上。大字報署名是哲學系的教師，其中包括哲學系黨總支書記聶元梓，雖然她已經45歲，但仍只是個助教。大字報譴責北大校長陸平走上了資本主義復辟的道路。「社會主義教育運動」是通過小型會議和小字報進行的，那麼反對「中國的赫魯曉夫」是不是應該動員群眾大集會？大字

報的結論是:「保衛中央!保衛毛澤東思想!保衛無產階級專政!」不久,一千五百張類似或敵對的大字報貼滿了校園。「文革」進入活躍期。[153]

第十六章

「文化大革命」（1966–1969）

1981年6月27日，中國共產黨中央委員會通過《關於建國以來黨的若干歷史問題的決議》，其中第19節到24節為一章，題為「文化大革命的十年」：「黨、國家和人民遭到建國以來最嚴重的挫折和損失。」中國各官方歷史學家把這可怕的十年稱為「十年動亂」。[1]這種觀點強調毛澤東對這段黑暗的歲月負有主要責任，雖然其確切的作用仍存在爭議。他不厭其煩地四處講話發起這項運動。在他看來這是烏托邦式的「大躍進」的延續，是社會主義和資本主義之間的鬥爭在中國國內和共產黨內部進行的體現。這是十年來唯一真正一致的東西。保羅·克洛岱爾認為「有兩件事情是無法忍受的：秩序和混亂」。這位法國劇作家的話反映了神秘主義者的痛苦，完全適用於解釋毛澤東的世界觀。事實上，毛澤東拒絕任何長期的政治穩定——按照他的說法，「秩序」導致致命的官僚主義，他要不斷呼籲廣大人民群眾製造「混亂」，但又不能陷入長期騷亂。因此，「文革」在兩個不可能之間不斷擺動。

這種近似於民粹主義的觀點將毛澤東變成一位「紅色先知」，獨

自帶領自發進行革命的人民，和他的副手們聲稱的列寧主義沒甚麼關係：對他們來說，革命由一支有覺悟的先鋒隊建成，這支隊伍將引導和組織人民。斯大林說：「幹部決定一切。」閱讀這二十年來出版的領導人年譜時，我們清楚地發現劉少奇、周恩來和鄧小平都難以理解毛澤東1965年冬至1966年的行為：抓緊船帆盲目航行。林彪的優勢之一至少在1970年之前，他預見到了這位領導者莫測的決定。後者發動群眾來攻擊自己的黨。

不過，比起漫長的「文革」的界定，我更傾向於短期的「文革」，即它僅限於1966年至1969年，因為它是毛澤東在「大躍進」失敗後，再次面對現實阻力之前，唯一能夠自由部署烏托邦的時期。比起1969年九屆一中全會到他去世這段穿插着妥協和宮廷鬥爭的時期，這一時期能讓我們更好地理解他複雜多變的人格。

短期「文革」分為三個階段：三個月校園暴動（1966年5月至7月），學生受到毛澤東的鼓勵起來「造反」，打倒學術權威和黨的領導班子。1966年夏天至1967年2月，動蕩日益嚴重，席捲了整個城市。紅衛兵是最初的參與者，後來加入了其他「造反派」，在上海和武漢主要是工人，他們「炮打司令部」，製造了數個月的恐怖，破壞了整個國家的政治結構。武鬥蔓延，經濟陷於癱瘓。1967年夏天武裝衝突進入高潮，毛澤東結束了這段激進的時期，重建「革命委員會」，1968年夏天解散紅衛兵，讓大批幹部重返政治生活。1968年秋天，為中國共產黨第九次代表大會做準備的八屆十二中全會最終確定了劉少奇的悲慘命運。在第三個階段，解放軍起到了重要作用。1968年夏天，到那時為止受到影響相對較小的農村發生了大量恐怖的暴力事件。在1969年4月黨的第九次代表大會上，林彪是這

次秩序重建的主要受益者。「文化大革命」初期結束。令人無法承受的混亂被不靠譜的秩序代替。

「造反」席捲了首都的校園（1966年5月–7月）

1966年5月，政治局勢日益緊張：彭真、楊尚昆、羅瑞卿和陸定一下台；陶鑄、陳伯達和康生等新領導人登上權力的巔峰；江青介入政治；5月16日發布令人震撼的通告；5月26日，林彪下令，葉劍英在北京執行軍事調動。很快，被恐慌抓住的知識分子擔心他們成為新的「反右運動」的目標。「反右運動」首先影響的是那些最接近中央政權的文人。有些人意識到自己無能為力而選擇自殺，這是文人的傳統：5月17日鄧拓自殺，5月23日田家英自殺。[2]6月，還有其他人步他們的後塵。權威機構的反應冷酷而迅速：鄧拓的孩子被學校開除，他的遺孀被遊街示眾、公開侮辱，並被趕出在北京市中心的漂亮的老房子。5月5日，《人民日報》轉載了謹慎的郭沫若在一次會議上的自我檢討：「我以前所寫的東西，嚴格地講，應該全部把它燒掉，沒有一點價值。」[3]聶元梓在北大校園的大字報可能讓一些人認為一場新的「百花運動」開始了，必須避免偏差，這些人中有清華大學[4]的校長蔣南翔，[5]清華與北大近在咫尺。北大黨委犯了類似的錯誤，5月26日至29日，超過四百張大字報譴責聶元梓是反革命。這種錯覺持續了很短的時間：事件一開始，毛澤東就從康生那裏了解到確切的情況。6月1日毛澤東批示必須傳播這篇文章，認為「北京大學這個反動堡壘，從此可以打破」。當天下午，他打電話給康生和陳伯達說聶元梓寫了「二十世紀六十年代的北京人民公社宣

言，意義超過巴黎公社」。[6]6月2日，《人民日報》登出了毛澤東的這一批示。同一日，這份報紙轉載了這張大字報，對其進行了頌揚。陳伯達帶領着由北京新黨委任命的強大的「工作組」剛剛接管了該報。接下來的日子裏，社論不斷重複下列話語：「橫掃一切牛鬼蛇神」，「無產階級文化大革命萬歲」，「我們是舊世界的批判者」。我們可以在這份官方報紙上讀到「文化大革命要砸爛舊思想，建立一個全新的文化、風俗、習慣」。不久，《人民日報》為所有人提供了指南：對毛澤東思想採取甚麼態度是馬克思列寧主義和修正主義的分界線。全國應該成為學習毛澤東思想的大學校。

校園一片混亂。「五一六通知」鼓勵學生揭發當權的「修正主義」分子和「滲透到黨內的資產階級分子」。有些人提到毛澤東1966年5月7日寫給林彪的信[7]中的內容。在信中他請林彪將軍隊建成「一個大學校」，「參加偉大的無產階級文化革命，資產階級知識分子統治我們學校的現象，再也不能繼續下去了」。在最負盛名的大學裏，野心勃勃的年輕人在毛澤東的號召下看到了取代老幹部、躋身一線的機會。「大躍進」的失敗造成經濟停滯，限制了他們在企業中的職業生涯發展。當地領導人受「大躍進」失敗的牽連，由於饑荒經常被指責不得人心。歷史開了個狡猾的玩笑，毛澤東的錯誤反而為他提供了武器，那些因為力求將損失降到最低而惹怒他的人——彭真、鄧小平和劉少奇倒了霉。

校園風暴

學生已經開始對涉嫌「右傾」或「修正主義」的教師進行言語攻

擊。課程中斷。很快，備戰高考的高中甚至小學也停了課。這些名校有很多高幹子弟，他們從父母的談話中得知政治危機開始了。

清華大學的局勢越來越緊張。[8]在失去彭真的保護後不久，1966年6月2日，第一張反對蔣南翔和學校黨委的大字報被粘貼在食堂的牆壁上。回應很激烈：上千張大字報為蔣和他的助手們辯護。6月3日停課。6月4日，劉少奇的女兒劉濤——清華大學的學生，貼了一張揭露蔣是「修正主義分子」的大字報。同一天，賀龍的兒子也有類似的行為。也許這些高級官員的子女已經得知因為毛澤東的控訴，[9]政治局常委拋棄了清華大學中這個強勢的人。6月5日，蔣南翔在許多興奮的學生面前做了自我批評。他們認為自己的暴動符合主席的意願。行為最激烈的學生當中有一個叫蒯大富，工程化學系三年級學生，1963年被列為模範。他出生於江蘇省濱海[10]一個貧苦的農民家庭，前一年夏天回到村裏，對地方領導「壓迫的農民」的態度感到震驚。6月9日，一個500名成員的工作組——其中包括劉少奇的夫人王光美，控制了清華：她結束了「蔣和其他牛鬼蛇神的獨裁」，讓高幹子弟和出身貧苦的同學暫時結盟組成的「造反派」很滿意。6月12日至16日，103名幹部和教師被當眾羞辱和毆打。工作組沒有反對。但是，「造反派」很快就失望了：工作組不允許以大字報的形式對教學制度、教育、工作分配或混合宿舍進行自由辯論，並以毛澤東的名義建立了自己的權威。6月16日，蒯大富貼大字報質疑工作組的合法性，認為只有「造反派」響應主席的號召。21日，他動員學生趕走「篡奪權力」的工作組。22日，王光美拒絕與他對話。26日，出現指責蒯大富的大字報。6月28日，他和許多支持者以反革命的名義被逮捕。同時，工作組審查了2,450名幹部的資料

（其中包括108名教授），在清華大學中找出112名幹部是「走資派」，16名教師是「反動學術權威」，50多人被當成「牛鬼蛇神」。這樣的分類讓他們受到羞辱和虐待：他們被「群眾」懲罰，在火辣辣的太陽下搬磚頭，挨皮帶抽打。此外，劉濤和大多數高幹子弟被提拔到領導崗位。「造反派」儘管剛剛受到壓制，但仍然保持着影響力。他們知道，在北京39所學校中，學生趕走了工作組。

這種情況在北京所有的校園都有，並開始在上海和其他有高校的大城市出現。事實上，1966年6月13日，整個中國幾乎所有的教學活動都中斷了，10,300萬小學生，1,400萬中學生及53.4萬名大學生被扔上大街。毛澤東密切關注校園事件，[11]他手中有軍隊，可以對隱藏着「修正主義和階級敵人」的機構進行攻擊。對於這些青少年來說，他們在家裏被嚴格管教，學校紀律也很嚴，被剝奪了自主的空間，毛澤東號召他們反抗權威，聽起來像一個追求自由的邀請。後來很多參加者回憶，運動的最初幾週完全是熱血沸騰的日子。[12]

被蒙在鼓裏的周恩來、鄧小平和劉少奇不知道毛澤東想要做甚麼。同時，根據中國共產黨領導的傳統，他們成立了工作組以恢復大學的秩序。「百花齊放」和幾週自由討論後毛澤東戲劇性的逆轉先例讓他們格外小心謹慎。而且，5月29日毛澤東與周恩來通電話，授權工作組入駐北大。6月3日，中央政治局常委擴大會議由劉少奇主持，儘管遭到陳伯達的反對，[13]仍然決定由北京新的領導班子派工作組入駐首都所有的大學和高等教育機構，不久，7,239名幹部進入動蕩的大學。我之前以及上面描述過這個決定對清華的影響。劉少奇給出了八條指示：第一，大字報要貼在校園內；第二，開會不要妨礙工作、教學；第三，遊行不要上街；第四，內外區別對待，

不准外國人參觀，外國留學生不參加運動；第五，不准到被揪鬥的
人家裏鬧；第六，不准打人、污蔑人；第七，注意保密；第八，積
極領導，堅守崗位。[14]李雪峰下達給工作組後，馬上發現這些要求
完全不適用。所有人都轉向不在北京的毛澤東尋求指示。

6月9日，劉少奇、周恩來、鄧小平、陶鑄和陳伯達飛往杭州，
在那裏一直待到12日。他們很快就見到了毛澤東。劉少奇問及如何
處理學校的問題，「批評當局的流氓分子已經開始奪權」。毛澤東含
糊地回答：「派工作組太快了並不好，沒有準備。不如讓它亂一下，
混戰一場，情況清楚了才派。」儘管陳伯達請求不派工作組，但毛澤
東並沒有明確不贊同派遣工作組。當劉少奇請毛回北京引領「文化
大革命」的方向，他笑着拒絕了。

回到北京後，周恩來於6月16日至7月1日對羅馬尼亞、阿爾巴
尼亞和巴基斯坦進行正式訪問。[15]劉少奇和他的同事們在沒有主席
指示的情況下於6月24日至28日召開政治局常務委員會議，研究日
益失去控制的形勢。從杭州返回後不久，暴力侵害幹部的現象出現
在校園。6月18日，數十位北大教師被聚集在一個房間裏，他們被
毆打，倒油墨，戴上寫着其「罪行」的尖紙帽。這是模仿起義農民鬥
土豪劣紳的方式，1927年3月毛澤東在他的〈湖南農民運動考察報
告〉中提到過。此時已經過分了：一個六年級學生在一次批鬥中制
服了一位女幹部，扒了她的褲子和內衣，摸她的生殖器。當他攻擊
另兩位婦女時，他被制止。6月20日，劉少奇寫了一個通知，痛斥
這些事件是流氓行為。[16]北大學生用大字報指責這個通知，表示校
園內的鬥爭是合法的，6月18日逮捕遊行示威者是反革命行為。7月
1日，政治局的新星陶鑄來到北大，認為這一運動是正確的，但是

「六月十八日少數壞分子打架」是不好的。就像在清華一樣，這種含糊的態度讓工作組成了擺設。

毛澤東製造麻煩

看到劉少奇和鄧小平越來越混亂，毛澤東很高興。1966年6月15日，他乘專列離開杭州[17]經過南昌[18]抵達長沙。他乘小汽車來到全新的住所「滴水洞」，這是陶鑄在毛澤東的故鄉韶山附近為他修建的。他花了10天時間思考形勢的演變。每天長沙來的汽車送來兩次學校「造反」運動的最新資料。6月26日，他到長沙、湘潭召見黨的負責人：他對他們宣布將帶領他們進入一個新的長征。6月28日的早晨，他離開長沙去武漢。他在武昌東湖客舍[19]裏寫信給劉少奇和鄧小平，告訴他們說：他們要求7月1日發表1962年1月30日在「七千人大會」上關於民主集中制的講話[20]是「不合時宜的」。7月2日，越來越困惑的劉少奇和鄧小平再次給毛澤東寫信，請求允許反對「文化大革命」蔓延到工廠，因為會阻礙實現新的五年計劃」。[21]毛澤東同意了：一切要講時間。因此，他讓劉少奇在約五十天時間裏因為學校的動亂焦頭爛額，而工作組每天都因為他們的暴力失去信譽。毛澤東最狂熱的追隨者，例如蒯大富成了青年學生眼中追求自由的勇士。但是毛澤東在排兵布陣中，留意將周恩來放在他這一邊：7月1日，康生去迎接從國外回來的總理，在從機場回來的車上告訴他危機的最新進展，以防止他和劉少奇、鄧小平、陳毅一樣，在與工作組的關係上犯同樣的錯誤。[22]因此周恩來參加了劉少奇主持的7月1日、2日、4日、5日和7日的政治局會議，但沒有參加11日的會

議：劉少奇在這次會議上介紹了北京322所高中有四分之一已經由工作組「指導群眾鬥爭」，當鄧小平大聲問工作組在「文革」中的確切作用時，劉少奇建議撤回「那些不懂政治的工作組」。正逢尼泊爾王太子來上海，周恩來去了上海，然後再返回到武漢，7月11日和12日與毛澤東進行了長時間的會談。毛澤東給他看了7月8日寫給江青的信，[23]要求他把信轉交給在上海的江青，然後把內容告訴在大連海邊的林彪。下面是信的全文，[24]因為它向我們清楚地展示了毛澤東在最後的戰鬥前夕的思想狀態，非常寶貴。

江青：

六月廿九日的信收到。你還是照魏、陳[25]二同志的意見在那裏住一會兒為好。我本月有兩次外賓接見[26]，見後行止再告訴你。自從六月十五日離開武林[27]以後，在西方的一個山洞裏住了十幾天，消息不大靈通。[28]廿八日來到白雲黃鶴的地方[29]，已有十天了。每天看材料，都是很有興味的。天下大亂，達到天下大治。過七八年又來一次。牛鬼蛇神自己跳出來。他們為自己的階級本性所決定，非跳出來不可。我的朋友的講話[30]，中央催着要發，我準備同意發下去，他是專講政變問題的。這個問題，像他這樣講法過去還沒有過。他的一些提法，我總感覺不安。我歷來不相信，我那幾本小書，有那樣大的神通。現在經他一吹，全黨全國都吹起來了，真是王婆賣瓜，自賣自誇。我是被他們迫上梁山的，看來不同意他們不行了。在重大問題上，違心地同意別人，在我一生還是第一次。叫做不以人的意志為轉移吧。晉朝人阮籍反對劉邦，他從洛陽走到成皋，嘆道：世無英雄，遂使豎子成

名。魯迅也曾對於他的雜文說過同樣的話。我跟魯迅的心是相通的。我喜歡他那樣坦率。他說，解剖自己，往往嚴於解剖別人。在跌了幾跤之後，我亦往往如此。可是同志們往往不信。我是自信而又有些不自信。我少年時曾經說過：自信人生二百年，會當水擊三千里。可見神氣十足了。但又不很自信，總覺得山中無老虎，猴子稱大王，我就變成這樣的大王了。但也不是折中主義，在我身上有些虎氣，是為主，也有些猴氣，是為次。我曾舉了後漢人李固寫給黃瓊信中的幾句話：嶢嶢者易折，皎皎者易污。陽春白雪，和者蓋寡。盛名之下，其實難副。這後兩句，正是指我。我曾在政治局常委會上讀過這幾句。人貴有自知之明。今年四月杭州會議，我表示了對於朋友們那樣提法的不同意見。可是有甚麼用呢？他到北京五月會議上還是那樣講，報刊上更加講得很凶，簡直吹得神乎其神。這樣，我就只好上梁山了。我猜他們的本意，為了打鬼，借助鍾馗。[31] 我就在二十世紀六十年代當了共產黨的鍾馗了。事物總是要走向反面的，吹得愈高，跌得愈重，我是準備跌得粉碎的。那也沒有甚麼要緊，物質不滅，不過粉碎罷了。全世界一百多個黨，大多數的黨不信馬列主義了，馬克思、列寧也被人們打得粉碎了，何況我們呢？我勸你也要注意這個問題，不要被勝利沖昏了頭腦，經常想一想自己的弱點、缺點和錯誤。這個問題我同你講過不知多少次，你還記得吧，四月在上海還講過。以上寫的，頗有點近乎黑話，有些反黨分子，不正是這樣說的嗎？但他們是要整個打倒我們的黨和我本人，我則只說對於我所起的作用，覺得有一些提法不妥當，這是我跟黑幫們的區

別。此事現在不能公開，整個左派和廣大群眾都是那樣說的，公開就潑了他們的冷水，幫助了右派，而現在的任務是要在全黨全國基本上（不可能全部）打倒右派。而且在七八年以後還要有一次橫掃牛鬼蛇神的運動，爾後還要有多次掃除，所以我的這些近乎黑話的話，現在不能公開，甚麼時候公開也說不定，因為左派和廣大群眾是不歡迎我這樣說的。也許在我死後的一個甚麼時機，右派當權之時，由他們來公開吧。他們會利用我的這種講法去企圖永遠高舉黑旗的，但是這樣一做，他們就要倒霉了。中國自從1911年皇帝被打倒以後，反動派當權總是不能長久的。[32] 最長的不過二十年（蔣介石），人民一造反，他也倒了。蔣介石利用了孫中山對他的信任，又開了一個黃埔學校，收羅了一大批反動派，由此起家。他一反共，幾乎整個地主資產階級都擁護他，那時共產黨又沒有經驗，所以他高興地暫時地得勢了。但這二十年中，他從來沒有統一過，國共兩黨的戰爭，國民黨和各派軍閥之間的戰爭，中日戰爭，最後是四年大內戰，他就滾到一群海島上去了。中國如發生反共的右派政變，我斷定他們也是不得安寧的，很可能是短命的，因為代表百分之九十以上人民利益的一切革命者是不會容忍的。那時右派可能利用我的話得勢於一時，左派則一定會利用我的另一些話組織起來，將右派打倒。這次文化大革命，就是一次認真的演習。有些地區（例如北京市），根深蒂固，一朝覆亡。有些機關（例如北大、清華），盤根錯節，頃刻瓦解。凡是右派愈囂張的地方，他們失敗就愈慘，左派就愈起勁。這是一次全國性的演習，左派、右派和動搖不定的中間派，都會得到各自的教訓。……

　　這封信體現出信心和決心。毛澤東顯然不相信他的權力受到威脅：和在游擊隊時一樣，他只有確定能贏的時候才發動攻擊。他不再需要像1962年以後那樣運用計謀，扮「猴子」了，他是可以大展拳腳的「老虎」。順便說一句，他享受對他的個人崇拜，同時假裝對過度崇拜感到遺憾。他對待江青有一種優越感：對他來說，她顯然只是一個工具。他與林彪的關係更加複雜：他依賴於林彪，為了團結，他不強調林彪有些話引起他的「擔憂」。但是，他讓周恩來負責告訴「他的朋友」（不久以前，劉少奇才是「他的最親密的戰友」），他給江青寫了一封密信，卻沒有透露確切內容。7月8日的這封信成了林彪一個潛在的威脅：毛澤東、江青甚至周恩來可以公開這封信反對他。林彪知道他受毛澤東的控制，如同之前的劉少奇和延安自我批評以來的周恩來。在毛澤東眼中，這些領導人只是劇情的主角，在大亂的時候不停地排練，大亂和大治交替進行：我們可以再次發現兩年前毛澤東在「一分為二」的爭論中提出的這個主題。

毛澤東回到北京

　　1966年7月16日，毛澤東完成了一項壯舉，證實他回歸到政治舞台：在武漢暢游長江。此時那裏正舉行亞非作家緊急會議和第十一屆橫渡長江游泳比賽。五千名運動員破浪前進，高呼革命口號，兩岸的人群揮舞着主席的肖像與他們呼應。毛澤東在王任重和六個身強力壯準備營救他的警衛的陪同下沿着江水往下游。此時正是漲潮的時候，他沿着水流的方向游了15公里。[33] 65分鐘後，毛澤東登上出發的小艇。這次游長江是73歲高齡的毛澤東展示自己身體健康

的方式。也許,他或多或少有意識地給他的壯舉賦予了一個寬廣的含義,這是一個所有政治概念都帶三點水偏旁的國家,傳說中的大禹就花了很長時間開鑿河道治水。毛澤東是群眾崇拜的活着的神祇,他的舉動符合這一形象。

7月18日,毛澤東回到北京。具有象徵意義的是,他沒有住進中南海的公寓,而是住在釣魚台,即「中央文革小組」辦公的地方。[34]他拒絕接見急匆匆趕來彙報的劉少奇,在這50天裏,劉沒有得到過命令。[35]理由是主席旅途疲勞需要休息。但是這並沒有阻礙他在同一天接見了陳伯達和康生,後者向他彙報北大、清華和北師大的情況。毛澤東重申「聶元梓大字報是二十世紀六十年代中國的巴黎公社宣言書」,並讓陳伯達轉告這些小朋友:「大字報寫得好!」「青年是文化革命的大軍,要把他們充分發動起來。」「我們相信群眾,做群眾的學生,才能當群眾的先生。」7月22日和23日晚,陳伯達和江青在北大校園裏見了聶元梓。「中央文革小組」成員王力和關鋒去看望了被清華工作組扣押的蒯大富。24日,毛澤東終於在釣魚台12號樓一個開放的房間裏見了劉少奇。毛澤東穿着一件白色的舊睡衣,突然對劉説他不滿意過去50天來工作組的行為。[36]他要求劉少奇8月1日召開八屆十一中全會,自1962年9月以來中央沒有再舉行過全會。期間,毛澤東召集中央政治局常委和「中央文革小組」,講話的內容大致相同。他説:[37]

回到北京後,感到很難過,冷冷清清,有些學校大門都關起來了。甚至有些學校鎮壓學生運動。誰去鎮壓學生運動?只有北洋軍閥![38]

大字報貼出來又蓋起來，這種情況不能允許，這是方向性錯誤，趕快扭轉，把一切框框打個稀巴爛！

給群眾定框框不行。北京大學看到學生起來，定框框，美其名曰「納入正軌」，其實是「納入邪軌」！

有的學校給學生戴反革命帽子。凡是鎮壓學生運動的人，都沒有好下場！

不要搞工作組，不要發號施令，可以搞點觀察員進行調查研究。由學生、老師的左派組成革命委員會自己來搞。只有讓他們自己搞，才能搞好。我們都不行，我也不行。現在不只是一個北大的問題，而是一個全國的問題。如果照原來那樣搞下去，是搞不出甚麼名堂來的。

現在這次文化大革命是個驚天動地的大事情。能不能，敢不敢過社會主義這一關？這一關是最後消滅階級，縮短三大差別。

反對，特別是資產階級「權威」思想，這就是破。如果沒有這個破，社會主義的立，就立不起來；要做到一鬥、二批、三改，也是不可能的。

準備革命革到自己頭上來⋯⋯靠你們 [39] 引火燒身，煽風點火，敢不敢？

結果，7 月 28 日北京市委下令工作組撤出所有學校。學校的權力委託給「文化大革命」新的群眾組織，接受「中央文革小組」的指

示。聶元梓得到了康生、江青的支持，北大校園裏來了幾十名海軍士兵充當保安員，她對學生自發革命的信心是有限度的。

同一天，清華大學附屬中學的學生寄了兩張大字報和一封信給毛澤東，要求他回應。大字報上有幾個大字：「無產階級的革命造反精神萬歲！」毛澤東立刻回覆他們說：「你們說得對，對反動派造反有理，我向你們表示熱烈的支持。在這裏，我要說，我和我的革命戰友，都是採用同樣態度的。」7月29日，「造反派」決定稱自己為「紅衞兵」，以紀念國內革命戰爭期間為紅軍提供幫助的青年組織。

7月27日至31日，173名中央委員和141名候補中央委員在中南海分成小組開始討論，準備8月1日召開八屆十一中全會。29日，神奇的一幕在距離中南海幾百米遠的地方[40]發生了，反映出當時的氣氛。人民大會堂裏，北京市委第一書記李雪峰[41]站在一個講壇上，當着萬名喧鬧的大學生、中學生和教師的面宣布撤出工作組的決定。他面對着人群，身邊站着劉少奇、周恩來和鄧小平。毛澤東藏在一塊幕布後面，仔細聽着廣播，除了身邊的醫生李志綏，沒有人知道他在那裏。在此我借用李志綏的一些回憶，他的回憶後來被各種其他資料證實了。[42]之後鄧小平講話：這個決定符合毛澤東思想。是人民群眾創造了世界，只有依靠95%的群眾，才能反對修正主義。不久後，劉少奇提出自我批評，就像毛澤東在1962年一樣，劉少奇不承認有任何不當行為，而是和「朋友們」分擔責任，像他一樣，他們是「老革命遇到了新問題」，經驗不足，「他們還沒有找到一種開展文化大革命的方法」。隱身在幕後的毛澤東聽了嗤之以鼻地說：「甚麼老革命，是老反革命。」據麥克法夸爾和沈邁克[43]所引用的文件，劉少奇應該還說了這樣的話：「怎樣進行無產階級文化大革

命？你們不大清楚，不大知道，你們問我們怎麼革，我老實回答你們，我也不曉得。我想黨中央其他許多同志，工作組的成員也不曉得。我們指望你們鬧這個革命。」因此，有必要「保護少數」：最後進行總結，懲罰有罪的人。[44] 周恩來接着解釋「文化大革命」的意義和目標。毛澤東打算走回118廳休息。李志綏的描述如下：

> 他突然停住，說：「要支持革命群眾嘛。」待到周恩來一講完，幾個隨從人員把幕拉開，毛澤東像變魔術一樣，從幕後走到台前。全場學生歡騰不已。毛舉手向台下的學生們打招呼。學生們着魔似的狂呼「毛主席萬歲！」「毛主席萬歲！」毛在台上左右行走，面如石蠟。歡聲雷動中，毛以勝利者的姿態走回118廳。周恩來尾隨毛後。毛從頭到尾沒有正眼看劉或鄧一眼。劉、鄧呆立台上。毛的這一行動，最明確不過地在群眾眼前表現他與劉、鄧的分歧。

主席像耶穌一樣現身，宣布了紅衛兵新悲劇的開始。在兩年中，這些紅衛兵積極響應他的號召。

混亂時期（1966年8月–1967年2月）

1966年8月1日，141名中共中央政治局委員和候補委員，加上包括聶元梓和「中央文革小組」成員在內的47名受邀人員一起舉行了八屆十一中全會。毛澤東非常活躍，在討論開始時便擔任了擾亂者的角色：他打斷包括劉少奇的報告[45]在內的發言，譴責「領導人走資產階級道路」，工作組在北京的校園內「鎮壓革命群眾」，並散發了7

月29日給清華附中「造反派」的信。他覺得會議太溫和,將會議日期從5號延長到12號。8月4日,他發表了一段激烈的講話,他譴責中共中央的成員聲稱自己是馬克思列寧主義,行使「獨裁」。陳伯達結結巴巴地攻擊曾經阻礙他的領導人,發泄自己的怨恨。劉少奇在言語侮辱的風暴面前表現得很莊重,勇敢地承擔起50天來自己的失誤,他認為自己有責任恢復首都的秩序。毛澤東大怒,說:「你在北京專政嘛,專得好」[46]全會在暴風雨中退讓。5日,毛澤東下令撤銷劉少奇譴責6月18日北大縱火事件的通知,同時印發一份讚揚聶元梓等大字報的通報。[47]第二天早晨,他在會議室門上貼了一張自己的大字報,題為「炮打司令部」。[48]他譴責過去50天裏中央領導人「長資產階級的威風」,「實行白色恐怖」,延續了「一九六二年的右傾和一九六四年形『左』實右的錯誤傾向」。當天晚上,毛澤東打電話給劉少奇要求他停止履行共和國主席的職責。為了鞏固他的勝利,毛澤東還把在大連養病的林彪召回,提醒忘記他的人解放軍選擇哪個陣營。

在休會之前,中央通過了一項決議,有16條內容,是6月以來「中央文革小組」起草的。這個決議是該文本的第31個版本。它體現了全會面對猛烈進攻既不能也不願意反抗的遲疑和膽怯。[49]這份文件是「文化大革命」的章程。第1條毫無疑問是「鬥垮走資本主義道路的當權派」。第10條要求不輕饒學術權威,開展徹底的教育改革,結束智力和體力勞動之間的分工,學制縮短一年。「文革」將在藝術和文學領域改變上層建築,不能僅僅局限於學校,而要擴展到整個中國,「工礦企業、街道、農村」。第16條明確指出最終目標是確保毛澤東思想的領導……並補充了一些主席的著作。至於實施的

手段，第2條到第9條建議黨支持「群眾所創造的文化革命小組、文化革命委員會等組織形式，就是一種有偉大歷史意義的新事物」。很明顯這裏指的是「紅衛兵」。自從7月28日出現後，直到8月18日才獲得這個正式名稱。必須「發展和壯大左派」「爭取中間派」，「徹底孤立最反動的右派」（第5條），在黨的領導下，創建「文化革命委員會」（第9條）。它們要像「巴黎公社那樣，必須實行全面的選舉制」。[50]最後，該決議反對出現在校園和首都街頭的暴力和無政府狀態。這場鬥爭，要文鬥，不要武鬥，禁止毆打和虐待。另外，這場運動對科學研究界採取「團結—批評—團結」的方法（第12條）：因此研發中國第一顆氫彈的科學家和技術人員在這些動蕩歲月裏，在解放軍的保護下，在一座科學城內過着平靜和舒適的生活。他們是不相關的（第15條），因為他們是榜樣。至於農村，仍堅持1965年1月的「二十三條」（第13條）：「三年困難時期」饑荒的陰影仍籠罩着每個人的心靈，人們不想糧食生產受到影響。不過，儘管這篇文章中處處提醒謹慎小心，但它為各種冒險打開了一扇大門。「革命不是請客吃飯」，從一開始，毛澤東這句話就被用來為所有過分的事情作擔保。12日，毛澤東感到全會成員漸漸不適應，便在致閉幕詞時安慰與會者。他宣布黨的第九次代表大會將經過充分準備，在一年後舉行，九大的舉行意味着回歸秩序。但幾天後，他印發了林彪13日做的一個聲明，取消所有這些謹慎的措施。元帥說實際上「主席有很多想法我們是不了解的。我們對主席的指示要堅決執行，理解的要執行，不理解的也要執行。要相信主席的天才，相信主席的英明，相信主席的智慧。一切請示主席，一切照主席指示辦事。大事不干擾，小事不麻煩」。毛澤東批准了這篇狂熱的發言稿，因為他要重塑

全體人民，建設他夢想的社會主義。困難時期以後劉、鄧等務實領導人一再提醒重視現實，一旦擺脱了這個障礙，烏托邦就又一次成了殺手。他需要一個軍事化的中國，臣服於他的意志，熱情而團結。「文化大革命」被部分青年作為自由的號角，實際上屬極權主義的幻想。

在中共中央本屆會議期間任命了新的領導層：林彪自此佔據了二把手的位置，僅次於毛澤東。然而，劉少奇和鄧小平仍是政治局成員，雖然分別列第8位和第6位，毛澤東很高興政治局填補了1959年「清洗」以來所造成的漏洞：他希望讓憂慮的與會者安心。所以8月12日致閉幕詞時，他宣布在大約一年內舉行第九次黨的代表大會，由中央政治局負責。[51]事實上，這屆政治局被剝奪了所有的發揮職能的權力，被分解為五個辦公室。真正的權力被轉移到「中央文革小組」，由江青、陳伯達、康生組成的三駕馬車領導，帶領着十幾個激進的知識分子，包括王力和戚本禹在內。然而，這個組織很快因為內部衝突而癱瘓：1966年5月28日成立，1967年1月，17名成員被淘汰或受到排斥。因此主持召開大部分政治局會議的周恩來建立了「中央碰頭會」，與大多數政治局成員(除毛澤東和林彪)一同為一個行踪分散的機關起草重要文件。忠實的副官[52]——奴僕？——讓「偉大舵手」在沒有羅盤和指北針導航的情況下仍然航行了一陣子。

紅衛兵

在這次全會期間，因為學校關門無事可做的大學生和中學生加入了首都的「造反派」。「中央文革小組」擔心如何養活成千上萬的新社會

人，1966年8月12日，毛澤東回應他們説不需要擔心，因為「太少人看見列寧本人，所以蘇聯放棄了列寧主義」。讓一些年輕人仰望他們的偶像，承擔一定的風險也值得。8月18日早上5點，太陽開始在東方出現，天安門廣場上喇叭裏播放着《東方紅》的音樂，毛澤東出現在紅色的城樓上，林彪在他的身邊。一百萬「造反派」從凌晨1點鐘開始聚集。8點，毛澤東走入歡呼的人群，有人在分發紅色的袖章，上面都印着三個黑色的字「紅衛兵」。毛澤東從一個年輕的姑娘手中接過一個紅袖章，她叫宋彬彬，是東北局第一書記宋任窮的女兒。

自此「造反派」被稱為「紅衛兵」，毛澤東説他是第一個紅衛兵，而林彪在簡短的發言中請年輕人消滅過時的東西。毛澤東和宋彬彬[53]（名字取自「彬彬有禮」）談話，建議她把名字改為「要武」。他是不是不知道8月5日，這個年輕女孩子帶領北京師範大學附屬女子中學的「造反派」打死了這所學校的副校長？毛澤東沒有掩飾自己對林彪在事態轉變時的表現很滿意：「這個運動規模很大。確實把群眾發動起來了，對全國人民的思想革命化有很大的意義。」[54]類似的集合[55]在天安門還進行了7次，直到11月。[56]8月19日之後，上海也是同樣的情況。當時北京來了300萬年輕人，而常住人口只有770萬。[57]來首都分享經驗的年輕人達到1,200萬：這是免費旅行，政府為他們安排了專門的火車，他們懷着熱情在遼闊的國土上「串聯」，逃開家庭、社會和學校沉重的權威，用身體感受生活，很多人遇到自己的初戀。但同時，他們成了被陰謀操縱的對象，許多人成為愚蠢的野獸甚至殺人犯。

事實上，這群政治上天真的年輕人因為毛澤東的話語[58]變得狂

熱，使得北京及國內各大城市很快陷入恐怖的氣氛，而他們自己卻認為完成了一項革命任務。他們襲擊的第一個目標是被貼上右派標籤和出身不好的教師和幹部。然後，他們在學校周圍的小區四處抄家，毆打居民，摧毀「封建殘餘」和「四舊」。毛澤東不是寫過在中國以死人壓活人嗎？有些人重溫了毛澤東在他的〈湖南農民運動考察報告〉中描述的場景：他們讓受害者頭戴以前地主劣紳戴的帽子，一頓拳打腳踢。高幹子女們作為第一批「紅衛兵」出現在首都的最高學府內，要證明自己的革命決心。這是一個經典的青少年和父輩之間的衝突，青年人通過羞辱父輩的朋友反抗上一輩人。職業生涯受阻的助教、很快就要畢業但擔心因為「大躍進」失敗就業機會稀少的大學生，都在這場喧嘩中找到有利時機，掃除前輩以取代他們的位置。這樣一場運動也或多或少表現出暴徒和流氓殘忍的特徵。每個人，無論他們的真實動機是甚麼，都高呼毛澤東的口號消滅敵人，這是一場你死我活的戰爭，不是「請客吃飯」。任何「造反」都是合法的，在這種氣氛下，沒有任何東西反對極端暴力，第三次世界大戰似乎勢在必行，中國隻身反對帝國主義和修正主義。校園的混亂迅速蔓延到整個城市：8月初，「紅衛兵」開始在蘇聯大使館前日夜示威，通往大使館的道路被改名為「反修街」。天津市黨委第一書記萬曉塘[59]被綁在一根柱子上曝曬過久而去世。潘復生作為「保守右派」從湖南調到黑龍江任省委第一書記，被「造反派」關押在哈爾濱辦公室四天後住院：暴力開始波及高級黨政官員。

9月下旬，這兩個月的恐怖已經造成非常沉重的代價：在北京，33,695個家庭被洗劫一空。在上海，84,222戶「資產階級家庭」被抄家。1966年10月的一份官方報告說，65噸黃金被扣押或被盜。

北京6,843處景點中的4,922處被破壞，周恩來提出一份迫切需要得到保護的地方的名單，遭到毛澤東的反對：總理最大的困難是防止紫禁城的獅子和獨角獸的青銅雕像被作為封建餘毒，替換成毛澤東像。北京師範大學的紅衛兵，一群出身良好家庭的女孩子在譚厚蘭[60]的帶領下，在當地貧農的幫助下砸毀了山東的孔廟[61]。8月至9月，北京趕走了77,000名「黑五類」居民，佔北京居民總數的1.7%。全中國有397,000名「黑五類」家長。人們讓高官當眾掛牌子接受批鬥：彭真遭批鬥多次。彭德懷也一樣。8月22日，毛澤東下令禁止公安人員進入校園。23日，毛澤東肯定應該允許北京繼續亂三四個月，禁止工人、農民和士兵干擾學生運動：不要像派工作組進校園那樣草率行事，讓學生上街遊行，寫大字報。[62]在這種失控的情況下，被私刑處死的人數在增加。8月和9月，北京有1,772例死亡事件，9月1日最多有228例，而在上海，有534例死亡事件，另外還有704例自殺。8月24日，偉大的作家老舍[63]在前一夜被「紅衛兵」公開羞辱和毆打後被發現淹死在一個池塘裏。8月26日，公安部部長謝富治[64]對公安幹部的講話透露了基調[65]。他說：

> 我們需要保護和幫助紅衛兵。近日，死亡數量增加了：群眾打死人，我不贊成，要勸他們遵守十六條綱領，[66]但群眾對壞人恨之入骨，我們勸阻不住，就不要勉強。紅衛兵打了壞人，不能說不對。打死了也就算了。如果我們說，這是不公平的，就是幫助了壞人。畢竟，壞人是壞的，如果打死了，這沒甚麼！

在北京附近的村莊，公安負責人向北京西南的大興縣[67]和北部

昌平縣的公社和大隊傳達了這段講話。謠言在農村流傳:「階級敵人」在某地屠殺「貧下中農」。某些基層村幹部因為強烈的恐懼感建議「拔掉反革命的根」,消滅1964年「四清」運動中被虐待的「黑五類」和他們的家人。8月27日至9月1日,大興區48個生產大隊中發生了真正的大規模屠殺,貧苦農民和生活在社會邊緣的人打死了325人,其中包括22個家庭,手段通常很殘忍[68]。9月1日,趕到現場的兩個縣代表被嚇壞了,艱難地制止了屠殺。昌平也發生了類似的事件。[69]

　　這些流血事件毫無疑問是北京校園中的暴力事件觸發的。校園暴力震驚了所有的人,證實了最瘋狂的傳言。一起來看看清華大學一連串無法改變的事件發生後的後續情況:工作組被毛澤東否認,必須在8月下旬撤出,留下一個臨時機構取代大學領導層。此次改組「造反派」得利。高幹子弟對他們無可挑剔的階級出身感到驕傲,組成首都「紅衞兵」第一司令部(簡稱「紅一司」)一直掌握着這個機構直到9月29日。然而,毛澤東批評「中央領導人搞資本主義復辟」,破壞了他們和類似的「嫡系」「紅衞兵」組織的權威。敵視他們方針的「造反派」認為他們過於保守,很快在「中央文革小組」和周恩來的支持下組成了「紅二司」,招收的成員更加廣泛,但仍關注成員的階級出身清白:8月8日,清華大學成立了「八八派」,即後來的「毛澤東思想紅衞兵」。第二天高幹紅衞兵建立了「八九派」,後來改名為「清華紅衞兵」。蒯大富和他的朋友們9月下旬正式恢復權力,10月3日被毛澤東舉例提到,他們認為前兩個紅衞兵司令部過於靠右,建立了「紅三司」,以地質學院為中心,成立了極左的「井崗山兵團」。他們招募的方式更加廣泛,並很快接受出身較貧窮的大學生

和中學生。在一次會議上，他們集合了十萬青年，給毛澤東留下了深刻印象。這三組互相競爭的紅衞兵佔據了整個政治空間，即使他們僅集中了15%至35%的年輕人。他們對「打倒」的幹部和教師進行批鬥、街頭示威和抄家，比誰更加殘酷：使用極端暴力是革命精神的一種證明。[70]因此，從初秋開始，宗派主義出現在北京、上海、武漢和廣東的校園裏。[71]

大火燒到上海

在日益混亂的背景下，毛澤東於1966年10月9日召開工作會議，與會的有中央委員會成員、「中央文革小組」的成員和各省市負責人。[72]周恩來宣布會議開幕。會議安排了三天。毛澤東不出席，但每天都讓人做詳細的討論報告。省委書記反映不理解當前運動的目的，對紅衞兵的行動感到擔憂，毛澤東對他們的言論不滿意，決定會議延長兩週。16日，陳伯達做了一次長時間的講話，全文事先得到毛澤東的批准：中心主題是「無產階級和資產階級兩條線之間的鬥爭就存在於文化大革命中」。這聽起來像一個警告，使得已經非常敏感的緊張局勢更加緊張。10月23日，劉少奇和鄧小平先後做自我批評，前一天自我批評的文稿已經傳達給毛澤東，毛澤東做了批示。[73]劉少奇承認犯了「資產階級性質的錯誤」——相對於毛澤東的指責，這樣的表述是有限的，毛澤東認為劉少奇犯了一個政治路線的錯誤——在1966年派工作組的五十多天裏，以及在1962年和1964年都犯過這樣的錯誤。但劉反對修正主義的指控。鄧小平甚至承認「走了資產階級反動路線」，犯了「調整林彪同志指導方針」的錯

誤。10月24日下午，毛澤東多次中斷介紹前一天討論的彙報。[74] 很明顯毛澤東非常惱火，他指責不同地區的當權者，例如中國西南地區的掌權者李清泉一直害怕紅衛兵，躲在軍營裏而不是面對他們。第二天即25日，毛澤東親自參加討論[75]：「把劉、鄧的大字報貼到大街上去不好，要允許人家犯錯誤，要允許人家革命，允許改嘛。」他想要消除疑慮：對於目前的混亂狀況，他也有責任。通過退居二線不關心時事將領導團隊分裂成兩條鬥爭路線的不正是他嗎？「我太信任一線的同志」，因此他必須重新控制北京這個「修正主義」猖獗的地方。毛澤東證實他退居二線是因為健康狀況不佳，特別是蘇聯在斯大林去世後的反面教訓：「馬林科夫不成熟，斯大林死前沒有當權，每次會議都只敬酒，吹吹捧捧。」[76] 相反，「我想在我沒死之前樹立他們的威信」。[77] 陶鑄插話：「大權旁落。」[78] 毛澤東回答說：「這是我故意大權旁落。現在倒鬧獨立王國 (指中央領導人走資本主義道路，也許還有掌權的地區書記)，鄧小平從來不找我，從一九五九年到現在，甚麼事情不找我……我不承認的是被當作一個死了的祖先。」[79] 此外，四個月內一切都發生得非常快，毛澤東理解那些被紅衛兵「沖了個不亦樂乎」的領導人。很快，一切都比較順了。然後像往常一樣，毛澤東發起反攻：黨的許多領導人像「封建老爺」，他們拒絕接受紅衛兵解釋，操縱紅衛兵，讓一派紅衛兵對立，讓另一派紅衛兵保駕來維持現狀。顯然毛澤東對校園猖獗的黨派之爭很惱火，諷刺「北京有三四個紅一司」。[80] 然後，他說要恢復秩序 (「我也是不想打倒你們，我看紅衛兵也不想打倒你們」)：「他們聲討，你們就承認錯誤。回去打通省市同志的思想，把會議開好，學生就讓他們鬧去。」然後林彪作了發言：[81] 演講很沉悶，引用了許多毛澤東思

想，確認形勢一片大好，因為經濟良好、解放軍情況良好。不要害怕混亂。他的結論是群眾鬥爭中培養了很多「毛主席的接班人」。周恩來在工作會議致閉幕詞時繼續這樣的分析，指出「文革」才剛剛開始。11月9日，在介紹17天會議上通過的決定的宣傳冊中，有一條是毛澤東寫的「劉鄧的自我批評太膚淺，因為他們迴避資產階級反動路線和無產階級革命鬥爭這個核心問題」。毛澤東沒有撲滅大火，而是準備點燃新的火種。

信號又一次來自上海。張春橋既是北京「中央文革小組」的副組長，又是上海市委高層，以他的雙重身份在兩個城市之間往返。1964年春天，江青、柯慶施、張春橋和姚文元成立了「文革小組」，[82]主要靠張春橋和姚文元在當地準備。我們看到張春橋1965年秋季批判吳晗時起了先鋒作用。1966年8月26日，第一批北京紅衛兵抵達上海（上百個），隨後的幾批在9月10日和10月初到達。上海「對重要的學術權威修正主義」的批判比北京發展得慢。10月底十萬名大學生和五萬名中學生建立了紅衛兵的「造反派」組織，與北京來的紅衛兵組建的聯絡委員會建立了聯繫。同時，上海的工廠開始騷亂：1964至1965年期間「四清」運動一直很活躍，1966年6月底，劉少奇和鄧小平請求毛澤東在剛剛發動的「文革」中延長「四清」運動，7月2日毛澤東表示同意。在這種情況下，6月12日，有一個叫王洪文的人貼了一張大字報，與整體論調形成對照。王洪文參過軍，復員後在上海國棉十七廠擔任機械工，後來當上保衛科幹部。他的大字報顯然是回應北大的聶元梓，批評工廠管理人員和工程師專制。因為上海在「大躍進」期間受災程度低於全國其他地區，1966年生產已經恢復到1957年的水平。這次進攻成了笑話，沒有被仿傚。9月2日，

來自北京的紅衛兵鼓動工人反抗政府，然而不受待見。但是有少數人去了紅衛兵設在上海的聯絡處。王洪文發表了熱情洋溢的講話。追隨他的少數人來自17家工廠，立即組成一個「上海工人革命造反總司令部」，王洪文任司令。11月9日，上海市市長曹荻秋[83]拒絕承認這個組織，並重申任何官方工會以外的地方或國家工人組織都是禁止的。而且這個新的組織沒有怎麼吸引人。王洪文感到很惱火，召集了上千個支持者乘坐兩列火車到北京尋求被上海拒絕的權力。11月10日清晨，代表團離開北站。8點過後，[84]周恩來和陶鑄達成一致，讓人在安亭附近攔住了火車：王洪文的態度明顯違反了政治做法。於是「造反派」決定阻斷鐵路。一百輛貨運和客運列車被耽擱了31個小時。11日，張春橋從北京趕來，與王洪文一直討論到半夜。後者同意第二天結束封鎖。11月13日，公開了一個五點協議：「造反」司令部得到認可，「安亭事件」被認為是革命事件，曹荻秋被撤職。張春橋的此次「政變」得到了毛澤東的支持。11月14日，主席在中共中央政治局説：組織自由是憲法規定的權利。[85]對學生失望的毛澤東很高興看到工人們投入鬥爭，擴展了這個他自1919年以來夢想的「民眾大聯合」。支持曹荻秋的陶鑄12月下旬被撤職。從11月中旬開始，一群年輕人喊着口號好幾次沖進周恩來在中南海住處的院子裏，外面牆壁上貼滿了大字報批評他在「安亭事件」中的態度。有一天，這樣的示威持續了22小時，造成總理心臟病發作。11月17日到21日，[86]冶金、電力、鐵路各部委召開會議，要求不要使工人和學生之間有聯繫，可能會影響生產，毛澤東不同意。1967年1月9日，毛澤東補充説進行革命不需要部長。但是我們注意到沒有任何人挑戰發展氫彈的強大的軍事工業複合體。1966年12月9日，

中央的指示「工業十條」賦予職工參加「文革」、建立自己的組織的權利。12月15日發布了一個類似的「農村十條」，認為「文革」必須依靠貧下中農協會。同時，紅衛兵進一步施壓：劉少奇和鄧小平在大字報上被批判為「中國的赫魯曉夫」。1967年1月1日，劉少奇在中南海的住處被衝擊，3日，一群紅衛兵抓住坐在餐桌邊的劉少奇和他的妻子，押着他們到院子裏聽起訴書。12日，產生了同樣的場景，有攝影機錄製。1月13日，毛澤東接見劉少奇，後者徒勞地要求辭去職務，和子女去延安或老家種地，以便儘早結束「文化大革命」，使國家少受損失。其他高級領導人，包括朱德也受到紅衛兵的暴力襲擊。許多人被遊街，脖子上掛着沉重的牌子，寫着他們的名字和「犯的罪」。年輕人經常強迫他們「坐飛機」。[87]毛澤東對此聽之任之，汪東興安置在中南海門口的警衛讓示威者進入。1967年2月19日《人民日報》發表了「偉大舵手」的一份聲明：在游泳中學會游泳，在鬥爭中學會鬥爭。

毛澤東顯然很滿意這種混亂，這讓他想起游擊年代時紅軍領導農民鬥「地主劣紳」的情景。1966年12月26日，他與江青、陳伯達、張春橋、姚文元、王力、關鋒和戚本禹[88]在他游泳池附近的住處慶祝他的73歲生日，吃飯時毛澤東舉杯祝酒，説：「為了全國全面的階級鬥爭」。[89]

他打開了「潘多拉的盒子」。

短暫的上海公社

在上海[90]，1966年11月中旬以來的政治危機正蓄勢待發。與北京不同的是，工人們發揮了關鍵作用，而紅衛兵逐漸退居第二位。在這個國家的經濟中心，工人分為兩組。一組是大約八十萬熟練或半熟練的正式工（長期工人），單位監督他們生產，為他們提供住房、醫療保險、退休工資和職業安全。另一組是人數更多的短期工人，即苦力、學徒、壯工、臨時工，他們享受不了這些好處，工資低於正式職工工資的50%。這些被排除在外的人（六十萬人）是在1957年之前被僱用的。「大躍進」失敗後劉少奇採取了應急措施，他們被辭退。儘管他們在這個城市工作了幾年，但他們仍然是農村戶口。經濟復蘇的時候，他們往往重新被僱用，因為他們有一些技能，但他們的地位一直是低一等的農民。然而，最初跟着王洪文「造反」的工人在社會學上與「赤衛隊」沒有區別。11月中旬工會在「安亭事件」後為了抗衡「工總司」成立了「赤衛隊」。事實上，第一批「造反派」通常也是正式工，但他們更年輕（平均30歲），不了解1949年以前的中國。他們的頭頭經常與單位的監工或負責人有各種各樣的糾紛。王洪文被單位派到崇明島參加抗洪，他在那裏發現農民生活困苦，曾批評當地政府：「我們村莊中的人甚麼吃的也沒有，在安徽，幾十萬農民死於饑餓。我相信自然災害大多是人為造成的災難！」其他「造反派」和他一樣感到失望，往往傾向於批評領導者，而「赤衛隊」捍衛「前17年」的成就，同時揭露了一些「走資本主義道路」或腐敗的顯要人物的錯誤。「赤衛隊」的行列裏有很多勞動模範或「五德工人」，還有黨員和共產主義青年團成員。因為接近權力，

他們動員廣大正式工和工人階層中的傑出人物——在危機最嚴重的時候，大約有八十萬成員。「工總司」的「造反派」要少得多——11月底約有十萬人——他們吸引失去社會地位的人，這些人顯得粗暴和缺乏教養。很快，臨時工加入他們的隊伍。因為不是工會的成員，所以臨時工住在宿舍裏。他們中的大部分是女孩，通常來自長江以北。這些工人一直受到長江以南地區人們的歧視，而且聽不懂吳方言，所以他們因為地域因素團結起來。在開會的時候，他們因為衣服破爛很容易識別，而且不參與辯論，隔一段時間就喊口號：「我們需要正式工的地位！我們要更多的工資！」他們得到了江青和張春橋的支持，[91]因為有一定的理由譴責劉少奇的「資本主義」方式。他們的加入大大地充實了「造反派」的力量。[92]

然而，「安亭事件」帶來嚴重的後果。被中央撤銷權力的中共上海市委和設法維持生產的大企業領導因為缺乏官方支持，故而無法繼續抵制工人的要求。在一個月內，正式工的工資漲了25%，獲得了各種津貼，臨時工大批獲得固定職位。後來這被稱為「經濟主義風」。當時工人們建立了354個勞動組織，捍衛特定的要求，不過都很短暫。1967年1月1日至14日，百貨公司裏掀起了購買狂潮。上海市中心出現打群架、街頭抗議和罷工，稱為「上海一月風暴」。港口、公共交通、水電服務遭到嚴重干擾。10%的紡織工人不再上班，六萬「赤衛隊」隊員和十萬「造反派」放棄了他們的工作。

上海「文化大革命」的初始階段是大中學生運動，之後的第二階段為無產者運動，發生了幾起重要事件。1966年11月30日，六千名紅衛兵佔領了黨報《解放日報》報社。在上海市委的號召下，一百萬人連續幾天聚集在周圍的街道舉行聲勢浩大的示威遊行驅趕他們。

12月2日，守軍呼籲王洪文提供幫助。12月3日，王洪文派了打手前來增援。不久毛澤東評價這一事件說：「好人打好人誤會，不打不相識」，[93] 狼狽的曹荻秋幫助「赤衛隊」重新組織起來，住在外灘附近的上海總工會，幾天內從十二萬五千人增加到四十萬。他們在建立了「造反」組織的企業裏尤其活躍。他們的行為是防禦性的反應，沒有戰略。當時黨的一位主要領導人於11月至12月從北京到上海參加經濟部和工業部的會議，知道毛澤東支持「造反派」之後，他改變了立場，[94] 並分發小冊子告知。12月23日，「赤衛隊」在人民廣場組織集會，三十萬人批評「黨委的反動路線」，並獲得了曹荻秋的承諾：只承認「赤衛隊」。但是12月25日陳丕顯否認曹的承諾，並轉而支持「工總司」的「造反派」。「赤衛隊」的忠誠無法抵擋當地政府的分裂，他們的沒落和發展一樣迅速。12月26日，曹荻秋在文化宮面對「革命群眾」進行自我批評，並被實況廣播。然後，傳出12月28日計劃總罷工的傳聞：三萬「赤衛隊」隊員聚集在昌平路的市委門前，要求談判，被十萬「造反派」攻擊。30日，「赤衛隊」退去，99人在襲擊中受傷。全城都在逮捕「赤衛隊」首領，其中8人被關押，96人被掛着牌子當眾批鬥。兩萬「赤衛隊」隊員乘火車去北京申訴，在昆山被一萬「造反派」阻攔，造成26列客車和38列貨車停運。周恩來下令陳丕顯[95]代替曹荻秋，重新執掌上海黨委，結束港口癱瘓和總罷工的威脅。1967年1月3日，發表了陳丕顯與王洪文和「紅衛兵聯絡站」的談判聲明：〈抓革命、促生產、徹底粉碎資產階級反動路線的新反撲〉。1月4日由於上海的兩家主要報紙《文匯報》和《解放日報》被「左派奪權」，刊登了一封有陳丕顯與12個「造反派」和紅衛兵組簽名的公開信，印了數十萬份。1月9日恢復秩序，隨着情況的突然轉變，

「赤衞隊」亂了陣腳，被認為是麻煩製造者。1月11日，中央批評了他們的「經濟主義」，14日，上海「造反派」將數百名幹部遊街，脖子上掛着經濟犯罪的牌子，因為他們曾經對工人的訴求讓步。奇怪的是「造反派」譴責接受工人的要求是破壞活動，請工人僅在工作時間以外鬧革命，並誇耀粉碎了一場既沒有領導也沒有目標的罷工。

他們自始至終得到了毛澤東的支持。從1月2日開始，張春橋和姚文元穿着嶄新的解放軍軍裝輪流從北京乘軍用飛機抵達上海。他們以「中央文革小組」的名義唆使「造反派」和紅衞兵奪權，並得到了駐軍、報紙、廣播和電視的秘密支持。1月6日，十萬「造反派」聚集在人民廣場——從前的跑馬場——打倒了上海市委。市委的雜技表演和多次改變立場都未能奏效：陳丕顯必須做自我批評，曹荻秋作為「修正主義分子」被交給革命群眾，56個市委成員中有55個被撤職，市長和他的7個副手被罷免。一切都通過電視轉播。[96]毛澤東在電視上看到這些場景，絲毫不掩飾自己的喜悅。8日，他通過周恩來以政治局的名義祝賀「造反派」。1月10日，人們可以在報紙上看到主席的聲明：「號召全國黨、政、軍、民學習上海的經驗，一致行動起來。」[97]1月12日，「赤衞隊」張貼了一張大字報，結束其短暫的存在：「我們請毛主席原諒。我們錯了。」

16日，毛澤東讓張春橋當上海市黨委第一書記和市長，姚文元做他的副手。1月19日，以王洪文為首的10萬紅衞兵集會並宣布將在1月27日以巴黎公社為藍本建立上海公社。[98]2月5日，張春橋在人民廣場主持了大型集會，大會宣稱：「打倒上海市委、市政府後，上海人民公社成立了。」

但是2月12日，似乎已接受參照巴黎公社模式的毛澤東在北京

召見了張春橋和姚文元，並告訴他們，他改變主意了。[99]在2月12日和18日之間，毛澤東三次接見他們。他首先詢問「紅衛兵第二兵團」的事情。1月中旬以來，有一個叫耿金章[100]的人帶領一些「造反派」反對張春橋，拒絕妥協。然後毛澤東對這兩個上海人談到他認為有必要將軍隊、革命群眾和幹部組成聯盟，但這是一個令人頭痛的問題。他解釋說，第二兵團提出的「懷疑一切，打倒一切」的口號是反動的，體現出最極端的無政府主義：我們需要領導。然後毛澤東談到上海公社的問題：「人民公社成立以來，一系列問題你們考慮過沒有？如果全國成立公社，那中華人民共和國要不要改名？」蘇聯就可能不承認中華人民共和國，「英、法倒可能承認」。最重要的是，毛澤東說：「公社太弱了，不能鎮壓反革命。」一些講到上海公社的中國作者曾解釋，事實上，巴黎的革命者建立了通過大會舉手的方式直接選舉或撤職的體制，這顯然不受毛澤東的待見。上海還是改一下，改成革命委員會。2月24日，張春橋在上海一次集會上報告與主席的會面時補充說，毛澤東曾說過：「隨着公社的建立，我們還需要一個黨嗎？我認為我們需要，因為我們需要一個堅強的核心，不管它被稱為共產黨還是社會民主黨。總之，我們需要一個黨」。我們理解這樣的話是「不被記錄的」，但這些句子對了解毛澤東對當時情況的分析是非常重要的。

1967年「二月逆流」

1967年1月下旬至2月10日，毛澤東察覺到如果任由已經發展到郊區村莊的騷亂繼續下去可能會有危險：此時是春季播種的時

期，農田裏的勞作節奏不應該被運動打擾，大家還記得可怕的三年饑荒。在城市裏，「民眾大聯合」被政治或社會群體之間日益嚴重的暴力衝突代替。內陸駐軍很熱衷於支持地方當局，而守衞邊界的軍隊有更好的裝備和訓練，則服從林彪的指示。如果想鞏固運動最初的成果，避免一場全面武鬥，有必要恢復秩序。1月底，毛澤東開始轉變，同時保持他的指示存在一定的模糊性。因此，1月22日，《紅旗》的一篇社論呼籲革命群眾驅逐「篡奪」了權力的「修正主義者」，得到毛澤東的贊同。1月23日，中央、中央軍委和「中央文革小組」重申了這個號召，「文化大革命」變成「一個階級（資產階級）被另一個階級（無產階級）推翻的偉大革命」。同一天，解放軍被命令停止為「走資派幹部提供空襲庇護」（把他們安排到軍營），「派兵支左」，鎮壓「反革命」。[101]因此，二百八十萬軍官和士兵在奪權中發揮了決定性的作用。

但從1月28日開始，除了這些語氣非常好戰的號召之外，毛澤東對林彪下達給解放軍的「八條命令」給予了非常積極的評價（「所定八條，很好，照發」[102]）：禁止革命群眾組織衝擊軍事機關，不允許抄軍官的家、將他們當作敵人對待。毛澤東在「三合一本」——群眾組織、解放軍和幹部聯盟中越來越多提到「大聯盟」[103]的需要。在2月1日寫給周恩來的一封信中，毛澤東明確反對「給走資本主義道路當權派和牛鬼蛇神戴高帽子，打花臉遊街」，「我認為這種做法是武鬥的一種形式……在鬥爭中一定要堅持文鬥……擺事實，講道理，以理服人」。誠如1962年廖沫沙、吳晗和鄧拓在他們「叛逆」的《三家村札記》中寫的那樣，毛澤東無疑患有失憶症。2月10日，他批評了陳伯達未詢問他的意見主動攻擊黨的高級幹部。[104]然後質問江青：

「你這個江青，眼高手低，志大才疏。打倒陶鑄，別人都沒有事，就是你們兩個人幹的。」

然而，自從開始對黨員幹部進行暴力攻擊，連老幹部都不能倖免，黨的元老和將軍們越來越多地表現出不耐煩的跡象。[105]他們相信從毛澤東的話裏聽出了信號。在2月11日周恩來組織的一次關於「革命和生產」的會議上，他們和「中央文革小組」的成員起了衝突。[106]雙方發生了激烈的口角，一方是陳伯達、康生和王力，另一方是李富春、譚震林、李先念、葉劍英、陳毅和徐向前。元老們提出了三個問題：一是搞「上海公社」，要不要黨的領導？[107]二是應不應該把老幹部都打倒？三是要不要保持軍隊的穩定？葉劍英質問陳伯達是否要「把黨搞亂了，把政府搞亂了，把工廠、農村搞亂了！還嫌不夠，還一定要把軍隊搞亂！」徐向前指出：「軍隊是無產階級專政的支柱」，難道要刪大富這類人來指揮軍隊嗎？陳伯達感到困惑，嘟嘟囔囔，周恩來宣布「這些問題不是今天的議程」。16日，討論繼續，譚震林為他的朋友陳丕顯辯護，並說張春橋是「形而上學」，以群眾為藉口整陳丕顯。他為元老們辯護，譴責「因為反動的血統理論」對高幹子弟進行迫害。陳毅更加尖銳，他說他在延安整風運動過程中因為反對毛澤東而被批評，而劉少奇、薄一波和安子文擁護「毛澤東思想」最起勁，現在都被打倒了。他提到斯大林把班交給了赫魯曉夫，赫魯曉夫從此搞修正主義，以此來打擊主席面前「新的紅人」。19點，周恩來宣布失去控制的會議散會，對江青、姚文元和王力做出讓步。22點，四位領導人受到毛澤東的接見，直到午夜才結束。主席聽取他們的報告後，因為陳毅的話顯得特別惱火。然而，2月18日，他同意周恩來在這一週的《紅旗》上發表題為〈必須正確對待

幹部〉的社論。[108] 但19日早上，他在床邊召集了周恩來、葉群（林彪的妻子）、康生、李富春、葉劍英、李先念和謝富治，大發雷霆：

> 中央文革小組執行十一中全會精神，錯誤百分之一、二、三，百分之九十七都是正確的。誰反對中央文革小組，我就堅持反對誰！你們要否定文化大革命，辦不到！葉群同志你告訴林彪（葉群是代表林彪出席會議的），他的地位也不穩當啊，有人要奪他的權哩，讓他做好準備，這次文化大革命失敗了，我和他就撤出北京，再上井崗山打游擊。你們說江青、陳伯達不行，那就讓陳毅來當中央文革小組組長吧，把陳伯達、江青逮捕、槍斃！讓康生去充軍！我也下台，你們把王明請回來當主席吆！[109]

周恩來因為未能掌控好16日的會議做了自我批評，好不容易讓場面安靜下來。恢復平靜的毛澤東以勝利的姿態要求譚震林、陳毅和徐向前休假，並準備他們的自我批評。2月25日至3月18日，周恩來召開七次會議的「中央政治局生活會」，耐心引導[110] 三人進行了口頭自我批評，有人把2月11日和16日的發言整理成一個緩和的官方版本。5月1日，毛澤東邀請周恩來、陳毅、葉劍英、聶榮臻、徐向前、李富春、譚震林、李先念和經濟學家余秋里、谷牧在天安門城樓上觀看慶祝五一的煙火。這樣他們的名字會出現在報刊上，有助於整體環境的緩和。

武鬥和農村的白色恐怖（1967年春–1968年夏）

這是一種很快就會消失的錯覺，就像1959年彭德懷在廬山給毛澤東寫了那封着名的信之後，毛澤東決定不再繼續之前選擇的適度的道路，然後反而重新引發「文化大革命」所有的暴力。事實上，他想明白地承認錯誤，但只有他自己才能這樣做。外界的批評對他來說是大逆不道，作為反抗，也因為擔心他的絕對權力受到侵蝕，他讓前不久已經開始糾正的錯誤進一步發展。因此他把這極少數沒有真正權力的元老發泄不安的方式定為「二月逆流」：就像傳說中的九頭蛇，修正主義和機會主義不斷地伸出頭，需要他斬斷。

1967年從春天到夏天，「文革」幾乎造成了一場全面的武鬥，就像1970年12月18日毛澤東自己有些誇張地對埃德加・斯諾説的[111]：「到處打，分兩派，每一個工廠分兩派，每一個學校分兩派，每一個省分兩派，每一個縣分兩派，每一個部也是這樣，外交部就是兩派。」「一九六七年七月和八月兩個月不行了，天下大亂了。」[112]一場真正的武鬥涉及兩大陣營，首領和目標都對立。而中國在這關鍵的幾個月中完全不是這樣，雙方都借着毛澤東的名義，打着同一面紅旗。但這些兄弟之間的街頭武鬥越來越頻繁地使用戰爭物資，在中國大部分地區造成類似內戰的情況。同時，1967年是對「偉大舵手」的崇拜達到頂峰的時候：1968年，出版了1.5億套四卷的《毛澤東選集》、7.4億本「紅寶書」和9,600萬冊詩集。不隨身携帶一本紅寶書，隨時揮舞，朗誦這句或那句語錄會引起嫌疑。

撕掉紅寶書開頭保護毛澤東相片[113]的塑料皮會被判監禁，因為這樣領袖的臉就暴露在外面了。人們製作了2.2億個紅色的毛澤東像

章，在小區甚至部分列車上跳模仿秧歌的「忠字舞」。秧歌是一種播種舞，在延安時被政治化用來宣傳毛澤東思想。

每天早上，在大城市的居民區裏，門衛和積極分子把所有居民召集起來，注視着毛澤東的巨幅畫像隨着日出懸掛在牆壁上。參與者高呼各種語錄，唱革命歌曲，其中的一些人當眾懺悔自己沒有聽「最高統帥」的命令。[114]如果你具有強大的幽默感，可以經歷着這些既可笑又可恨的場景而不造成太大的損失，但春天時一些地方的好戰分子組成各種團隊為了搜查「二月逆流的黑幫同夥」互相指責，升級為暴力，這種情況恐怕更難避免。

1967年4月6日，林彪提出了新的指示十條命令，取代其先前的指令八條命令，[115]使局勢更加惡化：自此禁止軍隊對「造反派」開火或進行任意逮捕。4月1日，毛澤東在批示一份有關安徽省騷亂的正式文件時為這個決定做了鋪墊[116]：「許多外地學生幾次衝擊中南海，一些軍事院校衝進國防部，中央和軍委並沒有斥責他們，更沒有叫他們請罪、悔過或者寫檢討。講清問題，勸他們回去就行了。而各地把衝擊軍事機關一事，卻看得太嚴重了。」迷失了方向的解放軍發生了動搖：在《解放軍報》擔任實習生的李訥與其他七名記者奪取了報紙的領導權，這起嚴重違反集體紀律的事件獲得了林彪的批准，這樣肯定不會得罪她的父親。[117]江青被毛澤東任命為解放軍政治部參謀長徐向前元帥的顧問。「中央文革小組」似乎凌駕於中央軍事委員會之上：黨不是應該指揮槍嗎？

毛澤東此次恢復積極性的後果很快就在各地出現。然而不論是十條命令還是幾條命令，當「造反派」受黨報社論的鼓動圍攻軍隊總部的時候，指揮省級駐軍的將軍們下令向「造反派」開槍並集體拘捕

他們。這是發生在成都(四川)的事件。成都軍區主將在總部辦公室被十萬名「造反派」圍攻六天七夜後,下令軍隊逮捕了數萬人。4月20日,當他釋放27,865名「造反派」的時候,毛澤東說:「四川捉人太多,把大量群眾組織宣布為反動組織,這些是錯了,但他們改正也快。」[118]從此死的人越來越多,當幾個士兵面對幾十個紅衛兵的時候,最糟糕的情況就可能發生。毛澤東沒有退縮:革命青年必須經歷這些,他們會清楚地知道革命不是請客吃飯。

在校園裏,學生們繼續無休止地分裂成敵對集團。在清華大學,蒯大富從4月14日起受到「學生聯盟」的抵制,5月29日聯合的企圖破滅。他們用殘酷手段虐待落入他們手中的領導者來證明自己的革命性,劉少奇的妻子王光美在4月的一次批鬥大會上[119]被蒯大富羞辱。1966年10月上旬,從國外召回的學生擔心被指責為被「階級敵人」或「修正主義者」收買,可悲地用衝擊在北京的外交官的排外行為證明自己的立場,因此一二月份,蘇聯大使館日夜被高喊口號的人群圍攻。最嚴重的事件發生在8月23日。紅衛兵抗議外交部長陳毅是「投降派」,於8月初接管了外交部。23日,「造反派」闖入駐北京的英國代辦處,放火並毆打了臨時代辦處工作人員霍布森和其他人員。領頭的是一個叫姚登山的二級外交官,1967年4月22日,他因為印度尼西亞的反華浪潮被驅逐。

工人階級也處於動蕩之中。上個冬天提出訴求的抗議迅速降溫,企業的勞動紀律也崩潰了:許多工人厭煩了車間的集會和鬥毆,既然可以繼續領工資,他們就留在家中。積極分子逐漸成為煽動者,荒廢了工作。上海以王洪文為首的「工總司」仍然樹立着「造反委員會」和制度化的「造反派」的權威。與海軍關係密切的柴油機

廠是大型企業，有一萬名工人，自春季以來接待了反對工人「造反派」的各路人馬，建立了「聯司」。1967年8月4日，王洪文號召幾十萬工人進攻被張春橋斥責為保守據點的柴油機廠。武鬥從10點持續到18點。1,000名「聯司」的支持者被抓。983人受傷住院，其中121人被打至終生殘疾。不久，其中的18人死亡。該工廠兩個月內停止了所有生產。[120]

武漢的恥辱

與此同時，在武漢爆發了已經醞釀了幾個月的危機。這一次，至今仍留在北京、遠程監控各省份事件的毛澤東直接參與了一幕戲劇性的表演。事實上，1967年7月6日、7日和9日，毛澤東說他將到南方視察，並計劃在著名的長江之游近一年後再次在長江中游泳。陶醉在個人崇拜中的毛澤東認為他能夠在激發事端之後平息這場風波。他向身邊的人保證他不害怕面對混亂：「混亂愈多愈久愈好：情況就會清楚，必然會得出甚麼。」7月13日，毛澤東召集周恩來和肖華[121]、楊成武等人開會，他說：「一年開張；二年看眉目，定下基礎；明年結束。這就是文化大革命。」[122]14日臨行前，他對汪東興和陪他視察的楊成武說他將去了解在南昌、廬山和贛州發生的嚴重騷亂。然後，他補充說：「我看解放軍不會垮，如果他們垮了，我們靠甚麼？」[123]事實上，他認為這是一個偉大的階段，人民內部矛盾已經再次組織起來成為一個廣泛的民眾聯合。7月14日3時，毛澤東乘專列離開北京，同一天21時秘密到達武漢。周恩來擔憂他的安全，提前乘飛機去了武漢。[124]

　　在這座有着二百五十萬居民的城市裏，形勢非常複雜。[125] 紅衞兵在武昌的武漢大學建立了一個總部，干擾秩序。武漢軍區負責人陳再道是土生土長的湖北人，比較粗魯，他在 1967 年春天逮捕了兩至三千名紅衞兵，恢復了秩序。他受到了由黨員、市委工作人員、工會會員和鋼鐵廠工人組成的「百萬雄師」[126] 的支持。軍區的兩個團、空軍和一萬五千名武警站在他們一邊。林彪的「十條命令」讓人們對一切都產生懷疑：兩個與北京「中央文革小組」有聯繫的鋼鐵工人總工在城市裏組織了幾萬人的遊行，打着反對「武漢的譚震林」陳再道的標語。6 月 24 日，「百萬雄師」猛攻「造反派」的總部，25 人被打死。6 月 26 日，北京的「中央文革小組」擔心這些事件的負面影響，採取了某種形式的休戰。暴力變成長期對抗：在一個月內 7 萬人參加鬥毆，1,060 人受重傷，其中包括 262 名士兵，158 人死亡。

　　7 月 15 日，「中央文革小組」的成員王力和謝富治趕到武漢，作為「毛澤東同志派來的友好代表團」受到遊行歡迎。遊行者企圖佔領「百萬雄師」的總部，結果損失了 10 個人。7 月 15 日至 18 日，周恩來讓陳再道、「造反派」頭頭和「百萬雄師」的頭頭坐在同一張桌子上談判，試圖孤立「百萬雄師」的首領，因為他收到了北京的通知，無果。他在王力和謝富治警惕的眼神注視下進行這一切，他們將向毛澤東報告。他們和周恩來是少數知道毛澤東住在武昌東湖客舍的人。7 月 18 日 22 時，筋疲力盡的周恩來帶這些不能和解的敵對者去見毛澤東，他們都依仗毛澤東思想：陳再道聽到主席肯定地説「百萬雄師是反動組織」時非常震驚，他鼓起勇氣表明自己不相信，同時接受做自我批評。談話中毛澤東威脅説：「我們為甚麼不能武裝工人和農民？我說得武裝他們！」這樣「百萬雄師」是武漢唯一有軍事支持

的優勢就可能失去，其領導人認為審慎的做法是承認錯誤。看到他們豎起白旗，周恩來在23點乘飛機返回北京。北京少不了他：如果沒有他，整個大廈就可能倒塌。

19日，王力和謝富治在「造反派」的總部慶祝他們的勝利。這些人在城裏遊行。午後，陳再道按照約定在軍區的一個總部做了自我批評，在這裏他是安全的。16點，王力當着三百名將領和高級軍官的面講話。因為習慣了紅衛兵的多語症，他一直說到23點。他無聊的演講介紹了「文革」的來龍去脈，讓與會者很不滿。他的一句話引起了一場敵對運動：王力保證説「文化大革命當前的主要矛盾是由黨內一小撮資本主義擁護者和反對無產階級道路的武裝力量形成的」。這明顯影射「百萬雄師」，在一個軍區這樣説非常不適合，被譴責的將領們[127]都有很多朋友。發言剛剛結束，大門就被衝開，大廳被憤怒的士兵佔領，他們認為陳再道是「投降派」，強烈要求王力和謝富治為攻擊解放軍付出代價。混亂中，倆人悄悄溜走去找毛澤東。幾萬士兵和「百萬雄師」的成員聚集在總部前，要求王力到他們面前解釋，被他拒絕。

7月20日上午，數百名「百萬雄師」的成員衝進東湖客舍，謝富治和陳再道正在談話，他們擔心毛澤東的安全，走到草坪上攔住擅自闖入者，闖入的人很快答應撤退。王力放了心，也趕過來。糟糕的是，一隊更激進的示威者突然衝進來：這些士兵打了陳再道，抓住王力，要帶他去軍區總部。王力被打斷了一條腿。

事變剛開始的時候，楊成武就通知了周恩來。總理立即飛了回去。傍晚他降落在山坡軍用機場，距離武漢市60公里，因為他懷疑當地空軍的忠誠。同時，毛澤東收到林彪的一封信，並得到了江青

的證實：他們要求毛澤東儘快離開武漢到上海去，因為他們認為陳再道準備對他實施類似1936年「西安事變」的政變。[128] 毛澤東趁夜秘密離開住處，7月21日凌晨2點在山坡機場乘上一架飛機：[129] 他在一支北京飛行小隊的護送下飛抵上海。21日，周恩來花了一天時間商討如何將王力運到山坡機場。22日清晨，王力到達山坡機場。同一天17點，王力和謝富治在北京機場受到江青、陳伯達和康生的歡迎。當天晚上，林彪召集這些領導人：他們在一份公報中將「七二〇事件」定性為「反革命暴亂」。江青在一次集會上拋出了一句煽動性的口號——「文攻武衞」。

7月23日凌晨3點，陳再道和武漢軍區的12位將領被召到北京。抵達後他們就被軟禁了。7月25日，上萬人聚集在天安門廣場上，在毛澤東留在上海的情況下，林彪主持集會，慶祝王力和謝富治「勝利」。7月26日，周恩來領導的中央政治局詢問了陳再道和他的下屬。謝富治激烈地控訴這位受了傷、筋疲力盡的將軍。吳法憲[130]打了陳再道一記耳光。陳毅、徐向前和譚震林憤怒地起身離開大廳：他們反過來被警衞毆打，被迫坐下來。然後，吳法憲的警衞拳打腳踢強迫陳再道和12位其他將領跪下，並採取了一種不舒服的被稱為「噴氣式」的姿勢。這令人難以置信的一幕發生在紫禁城心臟地帶的中南海，在中央政治局的會議上。27日，陳再道和武漢軍區政委被撤職。從25日開始，空降兵十五軍、邊防部隊二十九師還有一支炮艦部隊被派到武漢。武漢軍區的士兵被解除武裝，領導人被送去勞改。「百萬雄師」馬上崩潰和被處罰，這造成大量的人死亡：18萬4千人被捕，其中6萬6千人受傷，6百人在勞改營被殺。10月1日，武漢慶祝「第二次解放」。

　　毛澤東剛剛受到了嚴重的羞辱。他不聽親信的意見，證明了自己的自以為是，超凡的魅力受到影響：他來了，他看到了，他沒有贏，而是不得不在夜裏逃離。很快，他堅持要燃起內戰之火：8月4日，毛澤東告訴江青：75%的軍區和駐軍支持右派，應大量武裝「左」派。掌握武器不是一個嚴肅的問題。[131] 8月初，毛澤東給江西、湖南和廣東的「左」派（也就是「造反派」和其他紅衛兵）配備了武裝。他在上海停留兩個月期間，和張春橋一起建立了一支配備小型武器的民兵隊伍。結果8月份全國的武裝衝突大大增加。最嚴重的發生在重慶（四川），那裏的碼頭區自抗日戰爭起有許多兵工廠。敵對的武裝團體之間的戰鬥是如此嚴重，以致軍隊開出了坦克，打了一萬發炮彈，導致1,000人死亡，18萬人驚恐地逃到大街上。在廣東，軍區司令黃永勝在校園內被譴責為「珠江的譚震林」。如年初一樣，毛澤東聽到這些消息，[132] 開始知道局勢可能不受他的控制：他想要的不是一場持久的混亂，而是一場受群眾和經受考驗的幹部掌控的風暴。周恩來與林彪持相同的看法。此外，毛澤東對王力的無能和笨拙很惱火：在與幾位軍事負責人會面的時候[133]，他指責王力讓他「落入陷阱」，「行為粗暴」。[134] 然而，他在上海時看到一個當地的電視節目轉播的紅衛兵當眾批鬥陳丕顯和曹荻秋的場面，他要求再看一次，因為他注意到「戰術不當」的口號——「揪出黨內一小撮」。8月1日，這句話被《紅旗》的社論引用，署名為林傑，得到主編關鋒的批准。[135] 關鋒與戚本禹、穆欣和王力組成「中央文革小組」的側翼。毛澤東更加惱怒。8月7日，王力在外交部走廊裏對「造反派」說他們的「奪權」失敗了，「因為他們在鬧革命的時候太文明」。[136] 與此同時，「中央文革小組」的關鋒、戚本禹和姚登山繼續大肆囂張。8月

23日火燒英國駐北京代辦處讓周恩來憤怒到極點。[137]而且周恩來還很擔心：攻擊陳毅的大字報還寫着要批判劉少奇背後的「另一個劉少奇」。8月25日，總理讓解放軍代總參謀長楊成武乘軍用飛機將一個「緊急消息」帶給毛澤東。周恩來向毛澤東報告他認為當時的形勢「可怕」，並請求主席干預。26日凌晨兩三點，毛澤東得知情況後口授楊成武一段簡短的文字：「王、關、戚是破壞文化大革命的，不是好人，你只向總理一人報告，把他們抓起來。要總理負責處理。」毛澤東改變主意把戚本禹的名字劃掉：他想從中劃分出極少數激進的知識分子。[138]8月26日中午，楊成武回到北京，立刻去見了周恩來。總理在遵從毛澤東的命令之前去見了林彪。當時林彪害怕社會動蕩，躲到北戴河安全的別墅去了。這令人驚訝的猶豫既反映了周恩來的審慎，也反映出林彪和解放軍新勢力的強大。8月28日，王力感到處境受到威脅。30日，他和關鋒在周恩來主持的政治局會議上受到11小時的質問，由康生和陳伯達主導。王力的「黑材料」表明他在抗日戰爭中加入了國民黨（他1921年出生），甚至把他打成「蘇聯修正主義分子」，因為他當聯絡部負責人時，負責與其他國家共產黨的關係，見過克格勃的負責人安德羅波夫幾次——欲加之罪，何患無辭。王力和關鋒做了自我批評，馬上被逮捕。不再擔心的毛澤東[139]繼續他在武漢意外中斷的視察，恢復他的權威：9月16日，他乘火車離開上海，經過杭州、南昌、長沙，19日抵達武漢。他在這個城市停留了三天，消除7月的羞辱，提拔忠於他的軍官重組武漢軍區。22日，他啟程回北京，路上經過鄭州。9月23日，他在離開70天後回到北京。他提出一個新的計劃，推卸掉他在災難中的責任，而這些災難是由於他的政策引發的。和1959年的「彭德懷事件」一樣，所謂的「二月逆流」中，他是陰謀的受害者。

農村的恐怖情況

「五一六兵團」是康生的作品。[140]毛澤東1966年5月16日的通報讓他認為解放軍走資派背後可能隱藏着支持者。當這篇通報1967年5月17日被印在《人民日報》上時，北京外國語學院和北京鋼鐵學院有十幾名學生組成「首都五一六紅衞兵團」。7月和8月，這一小群人散發傳單，抨擊周恩來是隱藏在參與「二月逆流」的元帥們背後的頭目。之後這個團體就消失了。1967年9月5日，中共中央、「中央文革小組」（除了王力和他的三個同黨）、中央軍委發出聯合通知，命令紅衞兵和其他「造反派」交出手中的武器，授權解放軍（小心！）使用武力反擊抵制恢復秩序的群眾組織。同一天的一次會議上，江青做了一次類似自我批評的發言，譴責在政治衝突中使用的武器，並譴責前一天還是她的朋友的人是「抓住群眾運動攻擊解放軍，導致國家陷入混亂的左派」。高深莫測的毛澤東評論説：「犯些錯誤有益，可以引起深思，改正錯誤。」[141]這個崇高的辯證法不相稱地伴隨着大規模的逮捕。9月20日，楊成武[142]譴責有「八個秘密軍隊網」（原文如此），每個部都有分支機構：外交部兩千名官員中有一千人被撤職。人們在江西發現十三萬「五一六兵團」分子，六千人在審訊過程中死亡或致殘。在河南、西藏、遼寧和江西，情況相同。10月18日，王力和關鋒被正式監禁。自1966年8月以來，毛澤東第一次打擊極左分子。

他繼續轉變立場，1967年9月14日的《人民日報》社論與年初他在上海「一月風暴」時寫的東西互相矛盾：「在工人階級內部，沒有根本的利害衝突。在無產階級專政下的工人階級內部更沒有理由一

定要分裂成為勢不兩立的兩大派組織。」此外，他還在1967年10月19日的《人民日報》上莊嚴呼籲所有革命組織建立大聯合[143]，成立「革命委員會」，開始為第九次黨代會做準備。先奪取政權，然後進入黨的重建階段。然而他很快意識到這將是困難的。誠然，經過最初的猶豫，「革命委員會」在冬天多了起來（1967年10月7日只有七個「革命委員會」）：1968年3月30日有18個，1968年9月，29個省、自治區和直轄市（上海、天津、北京）裏排在最後的是新疆。但是，「大聯盟」難以實現：這些委員會的負責人中53%是軍人，25%是幹部，21%是號稱代表廣大人民群眾的前「造反派」。20個省的省長中有9個是將軍，還有9個是政委。更糟糕的是基層：縣級「革命委員會」中81%-98%的領導人是軍人。在天津，康生保證不迷信選舉，用他自己的話説，「不對選舉的迷信讓步」，因為「在某些情況下，選舉不如協商民主」，民主協商是上級指派的委婉説法。這樣造成的結果是主席是駐軍政委，副主席是駐軍司令、公安局局長和一個陸軍上校。毛澤東説：「很好，照辦。」12月初，一個25萬人的集會喊着革命口號慶祝這樣一個團隊的建立。

　　軍隊對運動的控制在一定時期內給參與者一種錯覺，讓他們認為自己可以無法無天。1968年春夏之交，出現了新的暴力高峰：美國對越南北部的侵略不斷升級，不斷有傳聞説蘇聯會轟炸中國在新疆羅布泊的核中心。在廣西，紅衛兵試圖搶奪運往越南的武器，遭紅衛兵痛恨的政委韋國清鎮壓了他們：7月16日和17日，南寧市遭到解放軍的炮轟，上千名「造反派」被抓獲處決。據説武鬥的這幾個月內，廣州軍區有十萬受害者。[144]在內蒙古也是如此，當局襲擊了一個主張自治區獨立的所謂的蒙古地下黨。根據官方報告，1967年

11月至1969年5月，逮捕了346,220人，造成16,222人死亡，87,188人在審訊過程中遭受酷刑受重傷或致殘。這個恐怖階段的高潮出現在1968年8月和12月。

需要強調的是，研究者們花了一些時間才確定：1968年的夏天，恐怖的第二次浪潮比1966年夏天第一次浪潮的代價更大。認為只有紅衛兵才採取極端暴力行為是錯誤的，相反，他們在同一時間消失在政治舞台上。很難解釋這次新的、可怕的災難：它可能由幾個因素共同造成，其中一個因素是「文化大革命」頭兩年，暴力行為被等同於革命行動而普及化。另一個加重災難的因素是「清理階級隊伍」，這是1967年11月21日江青在一次首都紅衛兵集會上講話的主題。毛澤東一反他的習慣，在運動中不發揮主導作用，由周恩來和江青推動，但他是鼓動者和擔保人。事實上，他認為恢復秩序是必需的。他最信任的秘書胡喬木這樣說：「通過清理社會垃圾清理階級隊伍。」1968年3月周恩來對吉林省「革命委員會」說：「在特殊情況下（此時正是！），當幕後藏着壞人的時候，你們很容易弄錯。你們應該自己驅逐他們，因為這樣做不僅不損害自己的組織，而且會讓組織變得更好。」因此，他給一種「最終解決方案」開了綠燈，自1949年以來出現一波又一波的革命棄兒：舊的剝削階級或被懷疑是剝削階級的人、1957年和1959年的「右派」、「資本主義走狗」和其他「黑五類」成員。目標是眾所周知的：這些不幸的人和他們的家人在群眾運動中多次被拖走批鬥，被大字報譴責，在公共場合被毆打和羞辱。1968年5月19日，毛澤東在姚文元的請示上批了這樣一句話：「文元同志：建議此件批發全國。在我看過的同類材料中，此件是寫得最好的。」後者要求在上海「清理階級隊伍」，「繼續之前的運

動，打倒1949年以前和國民黨勾結的人和黑五類分子」。然而，這份文件指出：我們不能滿足於「在反對敵人的群眾集會上」只要坦白得好就可以沒事了，要「進一步挖掘埋藏得更深的特務分子，不能寬大無邊，該殺頭的判刑，該判刑的當眾批鬥就算了」。上海進行了169,000次調查，對象是80%的幹部，5%至10%的工人和職工。[145]上海所有1949年以前的地下黨員因此被調查（3,675人），受到殘酷的審訊。5,000名被調查的人遭到虐待或自殺。在黑龍江省的大慶油田，1968年1月到4月自殺15人，5月到6月自殺36人。在河北東部，逮捕了84,000人，死亡2,955人，致殘763人。在雲南，調查448,000人，逮捕15,000人，自殺6,979人。在北京，1968年1月至1969年5月有嫌疑人3,731人，其中94%自殺。在浙江起訴100,000人，死亡9,198人。之後，這項運動在城市裏迅速消失，一如它的突然出現。

到此時為止，農村在「文化大革命」中受到的損失相對較少，然而農村的「清理階級隊伍」運動特別漫長而可怕。最近一位中國歷史學家研究了廣西、廣東、湖北235個縣中187個縣的縣誌[146]，這些資料顯示，1968年夏天在幾個村莊發生了真正的大規模屠殺，包括年幼孩子在內的整個家族被滅絕。[147]在中國南方特別盛行的跨村械鬥也在這場暴力的釋放中發揮了作用。[148]1968年8月，廣西賓陽縣恐怖達到了頂峰，一個村莊在10天內死了3,681人，殺人者還吃了其中幾十個人。[149]除了幾十萬新增的受害者，還要加上武裝紅衛兵派系之間、「造反派」和趕往當地的解放軍之間為了奪取「革命委員會」的權力而造成的傷亡。因此，中國的學者蘇陽和宋永毅重新評估了文革的死亡人數，不是一百萬，而介於一百五十萬和三百萬之間，佔總人口的0.3%到0.5%。

　　毛澤東看着鮮血橫流，在收到報告的時候有些掩飾自己，帶着冷漠重複必須看到「群眾專政」的效果是「好的」、「必不可少」的。[150]根據他的民粹主義邏輯，他甚至贊同私刑：「這種專政，是人民專政，依靠政府關人不是一個好方法。……政府和左派不希望逮捕人，而是鼓勵革命群眾組織自己來解決出現在他們面前的問題」。然而，在1968年的秋天，毛澤東開始糾正他的判斷，即使「革命委員會」已經牢固地建立，也必須把權力交給大多數有能力的幹部，使得大聯合不變成軍事獨裁。12月，他明確地說：「在犯過『走資派』錯誤的人們中，死不改悔的是少數，可以接受教育改正錯誤的是多數，不要一提起『走資派』，就認為都是壞人。」[151]

　　為了讓對國家的運作至關重要的幹部回到正確的道路上來 —— 他們往往是知識分子，不過毛澤東喜歡説「臭老九」—— 解放軍建立了五七幹校，這個名字參考了毛澤東1966年5月7日寫給林彪的一封信，信中他要求林彪將解放軍建成全國的學校。五七幹校有時是學生自己建的，非常簡陋。1968年10月開始，幹部們在這些學校中組織學習，平均學習期為六個月。學習者可以繼續領工資，但要在田裏勞動，因為他們必須自力更生。他們得忍受幾個小時的政策教育，研究毛澤東著作，其中穿插着批評和自我批評。有的勞動是侮辱性的，知識分子負責沖洗豬圈，有時上了年紀的人因為營養不良、與家人失散、生活條件差而痛苦不適。有時在那裏的境遇也可能是可以承受的，因為花錢可以提高待遇。從1968年到1978年，大約有兩千萬人參加過這種奇怪的學校，在那裏軍事教官和半文盲的農民[152]幫助他們做到政治上正確。[153]一旦通過考驗 —— 有些人必須重讀 —— 這些幹部就被認為適合再次參加國家的行政工作，在廣東省有十萬例這樣的情況。

紅衞兵的落幕

這次邏輯逆轉的同時，毛澤東做了一個關鍵的決定：取消紅衞兵運動。這是恢復秩序的充分必要條件。像往常一樣，毛澤東密切關注校園事態的發展，特別是自1967年10月27日後他結束了1966年夏天後學校持續的放假。這在初中和高中引起了新的衝突和一些悲劇，沒有人知道誰教、教甚麼或怎麼教，最基本的紀律已經在學校裏消失。大學裏根本不可能復課，因為校園通常成為戰場，學生組織的規模越來越小，為了控制行政大樓和奪取印章[154]互相鬥爭。北京兩大派系分為「天派」和「地派」。「天派」指航空學院、清華、北大，「地派」是地質學院、北京師範大學和幾所大的中學。而且每個學校又至少有兩個對立的紅衞兵組織——一分為二無處不在，這是毛澤東先提出的。1968年3月聶元梓在北大建立的「革命委員會」受到質疑，於是她提倡使用武力。清華蒯大富的「井崗山兵團」用投擲石塊的方法打擊「四一四」派。這個派別成立於4月14日，較為溫和。蒯大富利用「偉大舵手」毛澤東1968年4月的一篇社論，聲稱「面對階級敵人，不應該後退」。但此時毛澤東擔心的是當他想妥協以結束此起彼伏的騷亂時，諸如蒯大富手下一類的極左派會無法控制。在他的家鄉湖南，1967年10月在長沙成立了「省無聯」，1968年1月出了一本題為《中國向何處去？》的小冊子，警告年輕人正在進行中的民主運動有流產的風險。裏面不是寫着「紅色資本家」竊取了人民的勝利果實嗎？不是討論自1967年2月以來毛澤東不再想聽到巴黎公社的模式嗎？於是，毛澤東決定使用這種情況下中國共產黨傳統方法，也是他批評劉少奇在1966年7月使用的方法——推出校園「工作組」以恢復秩序。

於是，北京從六十個工廠中精心挑選了三萬名工人組成「工宣隊」，受汪東興的8341部隊管理。1968年7月27日，這股力量出現在清華大學校園時，被忠於蒯大富的手下用竹槍、自製手榴彈和一些步槍打退。5名工人被打死，721人受傷。蒯大富不相信毛澤東態度的轉變，立刻給他發了一份電報：「7月27日在黑手晝夜策劃下，假借宣傳7‧3布告，挑動三萬不明真相的工人，攜帶凶器，突然包圍、洗劫清華園。我井崗山戰士全部撤出清華，衣食無着，生命安全無保證，清華井崗山生命垂危，形勢萬分危急。」毛澤東立即做出反應。7月28日3時30分，他在人民大會堂召見了「北京紅衞兵五大領袖」：北京「革命委員會」副主任聶元梓，來自北京師範大學的譚厚蘭，北京「革命委員會」常委、「天派」的韓愛晶以及「地派」的王大賓，蒯大富因為前一天發生的流血事件遲到了。毛澤東請了周恩來、林彪、康生、陳伯達、江青、葉群、謝富治、吳德和黃永勝等，即整個領導班子。[155]

毛澤東首先說：

蒯大富要抓黑手，這麼多工人「鎮壓」「壓迫」紅衞兵，黑手是甚麼？現在抓不出來。黑手就是我嘛！他又不來，抓我就好，來抓我嘛！本來新華印刷廠、針織總廠、中央警衞團是我派去的。我說大學武鬥怎麼解決？你們去做工作看看，結果去了三萬人。

你們看大學武鬥怎麼辦？……問題總要解決嘛！你們搞了兩年文化大革命了。鬥批改，現在是一不鬥、二不批、三不改。鬥是鬥，你們是搞武鬥，人民不高興，工人不高興，農

民不高興，居民不高興，多數學校學生不高興，你們學校多數學生也不高興。就連擁護你的一派，也有人不高興。就這樣統一天下？（轉向聶元梓）你新北大[156]，老佛爺是多數，是哲學家。新北大公社、校文革裏就沒有反對你的人了？[157]我才不信呢！

就是關鍵在於兩派，忙於武鬥，心都到武鬥上去了。現在不搞鬥、批、改，就搞鬥批走。學生不講了嘛，鬥批走，鬥批散。現在逍遙派那麼多。現在社會上說聶元梓、蒯大富的壞話多起來了。聶元梓的炮灰不多，蒯大富的炮灰也不多，有時三百人，有時候一百五十人……這回我一出就是三萬多。

林彪接着發言，説了幾句毛澤東關於分合週期的話，林彪要求「小將們」把武鬥工事統統拆掉，所有的熱武器、冷武器要刀槍入庫。討論到紅衞兵虐待囚犯時，江青插話，然後指責譚厚蘭，並説聶元梓威脅她，説聶缺乏寬容。此時蒯大富來了。他大哭着撲到韓愛晶的懷裏。康生和謝富治指責韓愛晶給蒯大富運送了兩卡車槍支，遭到韓的否認，並為蒯大富辯護説：「他的命運是和全國紅衞兵的命運聯繫在一起的。」這種驕傲的態度激怒了陳伯達和江青。後者認為韓缺乏自我批評精神。這句話引起了毛澤東尖銳的評價：「不要説他。你們專門責備人家，不責備自己。」毛澤東顯得出乎意料地寬容：「年輕人聽不得批評，他的性格有點像我年輕的時候。孩子們就是主觀主義強……」韓愛晶仍然保持着戰鬥的態度，問道：「如果幾十年以後，一百年以後中國打起內戰來，你也説是毛澤東思想，我也説是毛澤東思想，出現了割據混戰的局面，怎麼辦？」毛澤東再次

發言：「出了也沒啥大事嘛！一百多年來，中國清朝打二十年，[158] 跟蔣介石打了幾十年，中國黨內出了陳獨秀、李立三、王明、博古、張國燾，甚麼高崗，甚麼劉少奇，多了。有了這些經驗比馬克思還好。」「不能保證這次文化大革命以後就不搞文化革命了，還是會有波折的……一次文化革命可能不夠。」陳伯達、江青和姚文元説毛澤東思想能避免修正主義，「前途是光明的」。周恩來説：「林彪同志主席著作學得好，包括蘇聯在內對馬列著作都沒掌握好，林副主席掌握了。」這暗示毛澤東有一個偉大的繼任者。江青説韓愛晶「脱離實際」，「總説幾十年以後的事」。毛澤東再次反駁她：「想得遠好。這個人好啊！這個人好啊！我們有幾種死法，一是炸彈炸死，二是病死，被細菌鑽死，三是被火車、飛機砸死，四是我又愛游泳，被水淹死，無非如此。」這種對死亡的擔憂在其他一些當代文獻中也能發現，無疑為理解毛澤東的行為提供了關鍵線索，即使此時病魔還沒有纏上他。「文革」也許是他為了不朽的一種嘗試，像中華帝國的創始人秦始皇一樣，他喜歡拿自己和秦始皇做比較。為了獲得永恒的生命，必須讓他的功績刻在大理石上，確保他的繼任者不會刪除碑文的內容。[159] 可以指出的是，討論結束時毛澤東再次談到學生們犯的錯誤：「你們脱離了工人、農民、戰士，脱離無產階級。」[160] 毛澤東在尋找革命接班人，繼續烏托邦式的設想，學生們讓他失望了。

「文化大革命」第一階段結束（1968年秋–1969年春）

毛澤東需要在短期內儘快重新建立起必不可少的「領導核心」——中國共產黨。1968年8月30日，姚文元在《紅旗》雜誌上撰文：

「工人階級（在共產主義語言中，就是共產黨）必須發揮領導作用。」

7月28日，毛澤東接見紅衛兵的同一天，「小將們」注意到所有校園都在流傳毛澤東的一份通告，命令馬上停止所有武鬥。他們返回學校後積極上繳武器並與長期駐紮在學校裏的軍事分隊合作。「工宣隊」在解放軍的幫助下，於7月29日至8月5日期間控制了全國所有的大學。毛澤東用戲劇性的方式承認「工宣隊」的功績。8月5日，他把巴基斯坦代表團送給他的七個芒果中的一個送給了清華的「工宣隊」。其他六個芒果被送給另外六個「工宣隊」。很快人們用蠟做成芒果，各個城市抬着毛澤東的畫像和雕像遊行，表達對毛主席的忠心。[161]例如1968年10月14日，哈爾濱數萬群眾夾道歡迎首都工人轉贈的芒果。一段時間以內，主要的學生領袖表面上保留了領導的職位：8月17日蒯大富成為「清華大聯合」的頭頭，1969年1月仍然是清華大學「革命委員會」成員。聶元梓1969年4月被選為中共中央候補委員。他們享受着一種受監視的自由，因為他們沒有軍隊，紅衛兵組織被解散，他們的同學已被送往新疆和內蒙古的農村接受再教育。[162]8月19日開始，大學生和高中畢業生或即將高中畢業的中學生——人們發明了一個奇怪的詞「知識青年」，簡稱「知青」——被送到鄉下接受貧下中農的教育。[163]五百四十萬紅衛兵在隨後幾週內離開城市下放。後來，1966年至1968年間畢業或應該畢業的中學生被稱為「老三屆」。1968年12月21日，毛澤東的評論明確指出這個運動必須將知青的思想變成革命思想，培養成無產階級革命事業的接班人。人們結束了對「臭老九」（資產階級出身的知識分子）和幹部的奪權，五七幹校將或多或少有些「右傾」的幹部改造成了革命戰士。因此，紅衛兵不光彩地消失了，淹沒在大批從都市被下放到偏

遠農村的青年當中。在十幾年內，城市中減少了一千七百萬名青少年，佔城市人口的 10% 至 18%。[164]

第九次黨代會和中國共產黨的重建

然而，除了解散紅衛兵，重新使用被再教育的幹部，對於毛澤東而言，重建共產黨還有一個重要的任務：結束 1966 年 8 月八屆十一中全會以來對「走資派」高級幹部的迫害。[165] 1968 年 10 月 13 日至31 日，毛澤東主持召開中共八屆擴大的十二中全會，[166] 這是全會的主要任務。

與會人數難以達到法定人數，這説明了兩年內共產黨領導層受到了多麼嚴重的破壞：87 名中共中央委員中，只到會 40 人，1958 年選出的 96 名候補委員，到會 19 人，不得不從中選出 10 人轉正來湊齊人數。這個組織的其他成員或者死了，或者被下放，或者被監禁。大會也邀請了「中央文革小組」、中央軍委和其他革命組織的 74 名成員參加，但是他們沒有投票權。這是一次奇怪的會議，只有少數人有決定權。無論如何，這只是一個錄音室：毛澤東在開幕致詞[167]中定下了基調，他在講話中列舉喪失權力的領導名單，就像佛教裏地獄的判官一樣。1966 年 7 月，曾和毛澤東一起在長江裏游過泳的王任重在幾個月後成為「隱藏的叛徒，國民黨員」，陶鑄「也有歷史遺留問題，不是好人」。他補充説：「我們不能繼續保護」一部分幹部，包括老元帥賀龍。但有一次，他拉了鄧小平一把：「鄧小平還沒有發現他歷史上有甚麼問題，就是發現他在七軍開小差那回事[168]」。在他講話之後，其他大會發言者都競相表現自己的奉承或卑劣：10 月 26

日，林彪講了四小時，內容是「二月逆流差點破壞文化大革命」。周恩來批評參與這個偽陰謀的徐向前、聶榮臻和葉劍英。[169] 他補充說，「陳毅一直反對毛主席」，「李富春並不總是忠於主席」，李先念「支持張國燾」，陳雲「青睞經濟領域存在特權」，鄧子恢「傳播他的右傾毒藥」，朱德「沒有任何軍事才能」。毛澤東在 10 月 31 日最後的講話中對這些受到譴責的對象表現出克制和忍耐，他說，這些人的優點是直率，進一步推動了黨內討論，所以他希望指定他們中的大多數為九大的代表。[170] 他也談到鄧小平，說：「鄧小平，大家要開除他，我對這一點還有一點保留。我覺得這個人嘛，總要使他跟劉少奇有點區別，事實上是有些區別。」因此鄧小平被剝奪了權力但沒有開除出黨，與他的妻子一起被放逐到江西一個公社，他被分配維護拖拉機。他寫了兩萬五千字的自我批評，希望通過學習毛澤東思想進行改造。

不過毛澤東對劉少奇特別殘忍。劉少奇不像鄧小平，不能為他服務，敢於大膽地批評毛澤東。劉少奇被幾乎全票通過[171]「永久」開除黨籍，剝奪所有的頭銜。由「中央專案審查小組」[172] 起草的起訴書沒有任何 1939 年後的材料，反映了一定的尷尬，把劉少奇這位從前最親密的戰友打成「埋在黨內的叛徒、內奸、工賊，是罪惡纍纍的帝國主義、現代修正主義和國民黨反動派的走狗。」同樣被毛澤東遺棄的賀龍於 1969 年 6 月 9 日在極端困境中去世。同時，彭德懷繼續着八年的受難，必須接受二百六十次艱難的審訊，直到 1974 年 11 月 29 日因癌症死去。當然，惹怒了偉大的舵手，這不是甚麼好事。[173]

九大的準備很倉促：黨的機構已經錯位，代表 22 萬黨員的 1,512 名代表總結了中央和革命委員會的意見。毛澤東直接參與，他

認為對他的忠誠是至關重要的標準：因此他否決了武漢的六個紅衛兵，而選擇了上海的造反派。周恩來主持召開籌備會議。1969年4月1日到24日，毛澤東主持召開九大。[174]會議的氣氛緊張，三分之二的代表穿着橄欖綠的軍裝，儘管只有28%的代表是解放軍。這次大會在封閉的狀態下召開，代表們晚上到達，沒有任何告示，沒有邀請任何外國客人。

事實上，自1968年12月以來中國和蘇聯關係緊張，1969年3月升級為更嚴重的武裝衝突事件，均發生在烏蘇里江的一個小島附近，蘇聯稱為達曼斯基島，中國稱為珍寶島。[175]1969年3月2日，中國邊防軍伏擊了每天同一時間上島巡邏的一支蘇聯小分隊，兩名蘇聯士兵被刺傷。可以肯定的是，毛澤東認可此次行動，因為他密切關注國際關係。1968年8月，蘇聯入侵捷克斯洛伐克，勃列日涅夫以無產階級國際主義的名稱干預「有限主權」的社會主義陣營國家，而且一直有傳言蘇聯將打擊中國的核設施基地。毛澤東在打倒了國內的修正主義者之後，想給「外國修正主義者」一個教訓。他知道不必擔心美國或西歐對捷克事件的反應。但他必須儘快醒悟：3月15日，蘇聯派了一個營，中國反攻失敗。[176]此次反攻由陳錫聯將軍[177]在北京電話指揮。1月7日，蘇聯對中國的駐軍進行猛烈攻擊，並派出兩個裝甲營越過了中國的邊境線，造成中方損失慘重，[178]然後才返回自己的領地。因此，受到教訓的是毛澤東，就像他曾經在喜馬拉雅山脈教訓印度一樣。3月14日，他譴責「新沙皇」和「蘇聯社會法西斯主義」；九大開幕式上，有一個「烏蘇里江英雄」代表團。毛澤東和林彪要求中國人民準備好迎接侵略戰爭。這種愛國的熱情讓人無法面對實際，國家的經濟在四年騷亂中受到重創，解放軍對戰

爭毫無準備。九大變成了一個幹部晉升或任命新幹部的大會，完全沒有討論關鍵事務。大會預期結束文化大革命的第一階段，但只將這次此前所未有的群眾運動變成一次平常的關於繼承問題的論戰。

在開幕演說中，毛澤東講述了中國共產黨48年的歷史。他提到12個創始成員的命運，這12個人中只剩下他自己和董必武兩人，5人為革命獻出了自己的生命，4人叛黨或逃往國外。他不加評論地補充說：「還有一個叫李達，在早兩年去世了[179]。」毛澤東說1945年七大的時候，他提議選了一些人，「結果，就有幾個不好了，王明跑到國外反對我們，李立三也是不好的，張聞天、李維漢、王稼祥犯了錯誤」，還有劉少奇、彭真和薄一波等。現在搞清楚了，可以「開成一個團結的大會，勝利的大會」。

林彪代表中央作政治報告。這篇政治報告的寫作表明這個領導團隊因為野心已經出現內部矛盾。第一稿是姚文元和張春橋寫的，陳伯達不喜歡他們倆。於是，他寫了自己的計劃發給毛澤東。3月初，毛澤東拒絕了陳伯達的報告，可能因為其中過分強調生產力的重要性，讓毛澤東看到了「經濟主義」。康生修改了張、姚的報告。陳伯達指責這個新版本強調運動，而不是它的目的：按照他的說法，這是「伯恩斯坦的改革主義」。事實上，他不想看到自己被兩個上海人取代。毛澤東與周恩來敲定了最後的版本，林彪沒有參與起草，甚至在大會開幕前都不知道，儘管毛澤東堅持讓林彪閱讀。[180]

林彪表面上的勝利

林彪的行為可能看起來有些奇怪。如果看一下這篇報告在變成

「林彪的報告」的最後階段，毛澤東傳達給他的17條信息，也許能找到解釋：毛澤東執意在報告中加入林彪希望避免的內容。事實上，我和泰偉斯[181]的意見相反，林彪不是被動或對政治漠不關心，而是謹慎：他知道自己可能和劉少奇遭到同樣的命運。「文革」結束後解放軍在中國政治生活中相當重要，如果他太急切接替比自己年長14歲的「偉大舵手」，則會不可避免地被人懷疑為「紅色波拿巴主義者」。不過，他只要耐心等待「馬克思召喚毛澤東的那一天」，避免和主席發生衝突，就能到達權力的頂端，尤其是後者的偏執越來越明顯。因此他必須留在毛澤東的陰影裏，不斷表明他永恒的忠誠，即使毛澤東批評他過分吹捧，他也堅信毛澤東很享受。[182]這是他唯一的風險。

林彪讀的這篇政策報告沒有任何新的內容。「文革」有理，劉少奇為一切問題負責，倡導「三聯盟」，重建黨的體系需要受到毛澤東思想光輝照耀的廣大人民群眾的共同努力。在外交政策方面，該報告描述了世界革命不可阻擋地邁向勝利的步伐，對壓迫人民解放的美國帝國主義和「克里姆林宮社會法西斯主義新沙皇」這兩個敵對的對手表現出同樣的敵意。大會修改了黨章，將毛澤東思想作為「行動指南」[183]重新寫入黨章：毛澤東思想被描述為「是在帝國主義走向全面崩潰、社會主義走向全世界勝利的時代的馬克思列寧主義」。黨章也包括了證明「文化大革命」合法的不同表述，並允許「文革」的重複。因此，「無產階級文化大革命」就是「無產階級反對資產階級和一切剝削階級的政治大革命」。同樣，第4條明確規定「叛徒、特務、死不改悔的走資本主義道路的當權派、蛻化變質分子、階級異己分子應清除出黨」，第3條認為黨內眾多的「惡人」受到「群眾」和

「中心」的雙重控制。另外，黨章還規定林彪是第二號人物，毛澤東指定的接班人。周恩來也再次做出了效忠行動，在紀念8月1日1927年南昌起義時對歷史進行了回顧：與毛澤東並肩，真正建立紅軍的不是朱德，而是林彪。這種説法得到了毛澤東的肯定。

170名中共中央委員和109名候補委員是通過無記名投票方式選舉產生的，選票上的候選人和委員人數相同，代表們只能劃掉一些名字，獲得至少51%選票的候選人才能當選，而這是意料之中的事情。只有七位候選人最終經過「民主協商」當選，也就是説由毛澤東親自任命。19%的當選者參加過八大。婦女的人數上升，部分原因是由於高幹妻子的升遷（陳伯達除外）。新的中央委員會有45%的軍官，八大時只有19%。幹部佔當選委員的三分之一，「群眾代表」（工人、農民和少數紅衛兵）佔19%。毛澤東獲得了全票（1,510票），之後是周恩來（1,509票）和林彪（1,508票）。江青只有1,502票，不知道誰膽敢將她的姓名劃去。在毛澤東的堅持下，十幾個被打倒的領導組成的「反對派」當選，得票數在808到886之間：洛甫、王稼祥（譯註：張聞天、王稼祥在九大均未被選為中央委員）、朱德、陳毅、鄧子恢、陳雲、葉劍英、李復生、徐向前、聶榮臻、李先念。

新一屆中央委員會的第一次會議選舉產生了中央政治局21名成員和4名候補成員。它包括一部分原來的成員，但在「中央文革小組」消失後，真正的權力再次集中在政治局常委手中，而常委中的大部分都缺席。1969年至1973年，政治局常委每年在周恩來的主持下召開40次會議。毛澤東很少露面。

事實上，新的領導團隊包括兩個集團，日常在首都兩個不同的地方出現。一個是平民毛派分子的釣魚台，陳伯達是主要人物，他

在官方排序中排在第四位，僅次於毛澤東、林彪、周恩來。但他因為九大的報告草案被拒絕受到羞辱，與平民毛派分子保持着距離，與另一個集團軍隊的毛派分子更密切。康生和謝富治因為生病從1970年年底開始退出。事實上，平民毛派受反覆無常的江青的指揮，加上張春橋、姚文元和王洪文三個上海人。王洪文是一個變得規矩了的「造反派」，毛澤東點名讓他進入中央委員會。此時這四人被稱為「上海幫」，後來成為「四人幫」。

軍隊的毛派經常聚集在林彪在北京的住所毛家灣。[184]林彪是很少出現的。他更喜歡海濱度假勝地北戴河堡壘般的別墅或者是蘇州寬敞的房屋，他喜歡那裏的氣候。戰爭留下的創傷讓他很是遭罪：他要求平均溫度必須達到23℃，害怕穿堂風，不停地出汗，經常失眠，晚上乘坐蘇制的黑色大轎車返回北京。他似乎依賴嗎啡，每天僅僅工作兩次，每次半小時。每天早上，他的秘書處為他報送國際和國內形勢，他在紙片上寫各種批示，在辦公室裏踱來踱去的時候把紙條弄得到處都是。他的秘書收拾這些條子並整理成連貫的文本，他看過之後簽字。領導這個秘書處的是他的妻子葉群，此外得到總參謀部黃永勝和吳法憲、李作鵬、邱會作的協助，他們分別負責空軍、海軍和解放軍的後勤。所有人都在九大中進入中央政治局。同樣受林彪提拔進入政治局的將軍許世友和陳錫聯與他們保持一定的距離。周恩來同這些人迂迴打交道，並確保行政管理的順利運作，而李先念仍然留在政治局內，是被「文革」打倒的務實派領導者中少數的倖存者之一。

第十七章

失敗無法避免（1969–1976）

　　毛澤東在九大上肯定「文化大革命」的勝利，黨的最高領導集團重新達成團結，其實這更多是一種願望，而不是現實。毛澤東把中華人民共和國的歷史看作一連串的風暴和間歇性的晴朗，認為經過三年的「鬥」和「批」，將會出現較為平靜的「改」的階段。然而，從1969年春天直到他1976年9月去世，危機一個接着一個，沒有間斷過：1969年至1971年的林彪事件；1972年至1973年，因為1972年2月美國總統理查德·尼克松訪問北京造成的戰略動盪；1973年至1975年，第十次黨代會上務實派和「四人幫」之間兩條路線的鬥爭；鄧小平恢復權力；毛澤東最終拒絕持續地否定「文化大革命」。毛澤東執着地引領着這艘船駛向烏托邦，一段時間來能夠航行，是因為得到了對未來充滿迷惘的年輕人和飽受三年饑荒之苦的人民的支持：「偉大舵手」讓他們有機會攻擊被認為對他們的困境負有責任的幹部們。之後這股潮流逐漸消退，而中南海內不斷上演各種巨變。下一次群眾運動發生在1976年4月5日，擺脫了毛澤東主義的死亡航道。毛澤東因為與林彪的衝突，身體受影響，病情越來越嚴重，

猶豫着選擇哪條道路。在他生命的最後幾個月裏，被動搖的偶像一直進行着錯誤的選擇。

很顯然，在他死後，這一次的「文化大革命」成了唯一一次「文革」：毛澤東期望的變種民粹主義——蘇聯式的中央集權以失敗告終。

毛澤東和林彪之間的決裂

1969年秋天，毛澤東和九大被正式指定為接班人的林彪之間的關係開始惡化，因為主席越來越偏執。[1]以戰略構想能力著稱的林彪雖然生病，濫用藥物，不贊同活力四射的葉群[2]，卻也無法忽視毛澤東對他的越來越不信任：對主席而言，黨必須指揮槍，而不是反過來。但是他知道，九大決定的黨的重建將不可避免地在解放軍的控制下自上而下完成，解放軍是這個政權穩固的構架：1970年11月，全國的2,185個縣只有45個重建了黨委。1970年12月首先在湖南建立省委，1971年8月所有的省份都建立了省級黨委，29個第一書記中有22個是軍人。而且在五七幹校中改造幹部的教導員也是軍官，可以隨意延遲幹部恢復平民生活的時間。因此，林彪只要耐心等待毛澤東去世即可，不需要採取措施應對這日益嚴重的不信任。根據一本葉群的傳記[3]，林彪在處理與毛澤東的關係時規定「三件事情不能做（不反駁，不批評，不傳遞壞消息），三件事情要做（總是做好準備，誇獎好消息，傳達好消息）」。據同一消息來源，林彪曾在他的家人面前表達過對「大躍進」的懷疑，1958年，他對女兒豆豆[4]説：「這是完全理想主義。」他可能還説過彭德懷的錯誤在於在廬山選擇了錯誤的時間大聲説出每個人在心裏悄悄想的話。1967年，他將「文

化大革命」説成是一場沒有文化的大革命（無化大革命）。他討厭江青，蔑視王洪文。但他知道，就像他對他的家人説的那樣，「誰在大躍進中不騙毛澤東，誰就會失去權力」，並得出結論：「關鍵是跟隨毛主席。如果主席批准一份文件（在簽名上畫一個圓圈），我也畫一個圈。這樣做的好處是讓主席自己承擔這些決定的責任。」[5]

但是1969年中國的情況使林彪這種謹慎的態度很快就失效了。1967年工業總產值下降13.8%，到1968年又比上年下降5%。中國的鋼鐵年產量只有九百萬噸。[6]車間的罷工、騷亂、大規模曠工、紀律缺失使工廠和運輸陷入癱瘓。我們可以從1968年某日的《人民日報》上讀到一個老礦工和一個年輕人的一段有意義的對話：「八個小時工作制是工人經過長期的鬥爭獲得的權利之一。原則上，你要求提前升井是對舊體制的造反，但為甚麼你不推遲升井呢？你勞動時間越長，你為國家開採的煤炭越多。我看你已經被無政府主義者的想法污染了。」《人民日報》某篇文章斥責工人的「8260反革命集團」：「每天8點鐘上班，中午2點休息，6點下班，政治活動為零。」

1966年到1967年，農業生產增長了1.6%。到1968年糧食產量下降2.5%，下降到2.09億噸。即使饑荒後人口恢復，即使放寬對性行為的控制以及年輕人不知道如何避孕，1962年至1974年人口自然增長率也只有2.6%，而1950年至1959年期間是2.2%[7]，但糧食安全的空間已經再次縮小，饑荒的幽靈重新困擾四川、山西、甘肅和安徽的農村。而且1968年夏天的高峰期後，農村的動盪並沒有消失，經常有土匪出沒。「知青」在貧窮的農村不受歡迎，他們的到來增加了一些無用的吃飯的嘴巴，分配給他們的微薄收入不足以糊口，有時他們也成為不受法律保護的人。

　　1969年5月，毛澤東乘專列離開北京去武漢[8]，5月31日至6月26日他住在武昌東湖客舍的梅嶺一號。他在那裏跟當地官員解釋經濟形勢，跟他們保證他到那裏是為了休養放鬆，參加關於修繕堤壩的會議，因為1968年的洪水損壞了堤防。6月底在長沙停留了一段時間後，6月30日他來到杭州，在夏季最熱的月份裏留在杭州，9月23日才回到北京。10月1日，他出現在天安門城樓上，檢閱百萬人大遊行，他們揮舞着他的畫像，他可以看到隊伍以他巨大的白色雕像開道。

　　事實上，此時引起他全部關注的是蘇聯的戰爭威脅。1969年8月13日，新疆的邊防又發生了一次嚴重的衝突。蘇聯紅軍在坦克的支持下進入到中國邊境內幾十公里。和春天的烏蘇里江珍寶島事件一樣，解放軍在技術和戰術上都被蘇軍壓制。蘇聯對中國核設施進行「外科手術式」打擊的風險也越來越大：在維克多‧路易斯的影響下，記者們的文章似乎為此做着輿論準備。雖然9月23日中國在地下成功地進行了氫彈試驗，但仍然不可能進行第二次打擊來確立核威懾，因為缺少能夠命中侵略者的小型反應堆。所以，當1969年7月25日，尼克松總統提出他的「關島主義」，考慮逐步撤出美國在亞洲的兵力時，毛澤東擔心美國會放棄。但是，基辛格急切地通過中國和美國的盟友巴基斯坦告訴毛澤東蘇聯對中國的任何攻擊都將被美國視為嚴重破壞和平。

　　因此，柯西金飛往河內參加胡志明的葬禮並提議中國和蘇聯恢復接觸時，中國領導人雖然正面回應了他，但仍然不無憂慮。9月11日，柯西金與周恩來在北京機場的客廳裏見了面：這次會面緩和了兩國之間的緊張局勢，宣布10月20日在北京召開會議，協商中蘇

邊境爭議問題。然而，中國領導人擔心這是一個陷阱，要記住日本偷襲珍珠港前幾天還在和美國人進行會談：蘇聯會不會也來這一招？柯西金的訪問是不是一種掩飾？9月8日，為慶祝中華人民共和國成立20週年，毛澤東向全世界的人鄭重聲明，要求：「全世界人民團結起來，反對任何帝國主義、社會帝國主義發動的侵略戰爭，特別要反對以原子彈為武器的侵略戰爭」。1969年9月18日至22日，中央政治局召開會議，決定疏散中國軍隊，減少他們受到蘇聯攻擊時的損失。[9]

第一起事件

25日，林彪在中央軍委傳達了這個決定。27日，毛澤東會見軍方領導人，為了使這個決定付諸實施。數月來，數以百萬計的中國城市居民挖了巨大的防空洞，農民造起假山阻攔蘇聯坦克的前進。6月，毛澤東和陳毅、徐向前、葉劍英、聶榮臻這些老帥們（1967年2月所謂的「陰謀家們」）組成「第二軍事指揮小組」，對國際形勢進行評估。這四位專家從6月到9月召開了16次會議，合計50小時。9月17日，他們向毛澤東提交的報告認為戰爭的風險是較低的，因為北約和華約之間的緊張關係仍然以歐洲為中心。陳毅甚至提議恢復美國和中國在華沙美國大使館因為「文革」中斷的會談。他認為，事實上，美國人對中國的危險比蘇聯要小得多。毛澤東拒絕了「第二小組」的結論，並決定1969年的軍事預算增加三分之一，投入更多的借款強化「三線」，重提1956年1月烏托邦式的「農業四十條」計劃中關於自力更生的用詞。他是來真的嗎？特別是他知道這個國家不太

可能打仗，難道是因為他從備戰的運動中看到一種維持全民動員的好方法，而這是防止資本主義和平演變所必不可少的？10月中旬，中蘇會談開始前夕，威脅已經降低，但備戰幾乎達到歇斯底里的狀態。元帥們被分散到各省，雖然他們不樂意離開正在接受治療或護理的醫院。事實上，除了周恩來去香山玉泉的最高地下司令部，這個決定要求所有領導人離開北京。10月14日毛澤東啟程去武漢，15日抵達。17日，林彪到蘇州。在這種尖銳危機的背景下，毛澤東和林彪之間第一次發生了不快。

1969年10月18日，林彪發布「林副主席指示（第一個號令）」[10]，即〈關於加強戰備，防止敵人突然襲擊的緊急指示〉。當日晚，總參謀長黃永勝將「緊急指示」正式下達給11個軍區，包括空軍和海軍，這條命令似乎是一系列命令中的第一個，立即調動了94萬士兵，以及數以千計的坦克和火炮、4,100架飛機和600艘軍艦。自1949年以來，即使在朝鮮戰爭最艱難的時候，也從來沒有這樣慌亂。

毛澤東大怒。沒有他這個中央軍委主席的批准，林彪沒有權力發布這樣的命令。也許林彪認為既然主席肯定會批准，就能越過這個禁令，像在國內革命戰爭時期一樣。但是他這樣做犯了「大逆不道」之罪。雖然泰偉斯努力證明林彪沒有政治上的企圖，堅持認為林彪立即屈服了（他有別的選擇嗎？），以儘量減少這一事件的影響，但在我看來，李志綏[11]關於主席發怒的回憶值得我們思考：11月初，毛澤東不滿意怕冷的副主席天氣一涼就在中南海鋪滿暖氣片，反對「林彪和葉群的皇帝思想」。除了「第一個號令」本身，其實我們可以認為毛澤東憤怒的主要原因是林彪以一個人的「皇帝般」的決定，就有了這次大規模的武力炫耀：也許他會自問這個軍事政變

的理論家會不會重複這類軍事演習，有一天就會很快推翻自己。這種毫無根據的懷疑再也沒有離開過他，並從此越來越堅定。[12]

不過，1969年12月，在華沙和美國人的第一次恢復接觸讓毛澤東非常滿意，與蘇聯的談判也在北京平靜地舉行，雖然沒有成果——毛澤東樂意看到戰爭的危險降低之後，林彪和解放軍在政治中的影響力下降了，但他一直維持緊張的氣氛。因此他再次關注國內的情況：1970年1月31日在農曆新年之際，他簽署了周恩來起草的3號文件，即〈關於打擊反革命破壞活動的指示〉。這個指示開始了「一打三反」運動，後來2月5日的5號和6號文件做了補充，即「反對貪污盜竊、投機倒把」，「反對鋪張浪費」。[13]各地領導人以完全「文革」的作風掀起「紅色龍捲風」，反對鬧事者、「青年幫」、暴徒和其他反革命者。

王洪文在上海讓他的民兵到社區和大型工廠巡邏，揭發「叛徒和壞分子」。一些年輕工人犯的「罪」是上廁所時聽中國台灣電台裏鄧麗君甜膩的情歌。北京抓捕了5,757名「犯罪嫌疑人」，發現3,138份「黑色文件」，處理6,200件非法盈利的案子，如工人上班前在工廠門口賣自己做的煎餅：這些是潛在的資本主義者。1970年至1972年，在河北保定舉行了7次集會，有1,325人被批鬥，其中17人被執行槍決。在1970年2月至11月運動激烈的10個月裏，284,000人作為「反革命」被逮捕。恢復極左的機器仍然存在。但是，戰線過長，離合器開始打滑。

1970年4月27日，毛澤東回到北京。5月1日晚登上天安門。其間，他會見了不同的外國客人。蘇聯代表團正在附近討論邊界問題。7月22日毛澤東離開北京南下，並於27日到達杭州。這幾個月

內，毛澤東與林彪之間的危機慢慢醞釀成熟，套上了一個驚人的關於「天才理論」辯論的外套，以及在修改憲法時不設共和國主席的建議。

關於第一點，討論開始於九大時修改黨章的時候。起草修改草案的人引用了「紅寶書」序言中林彪評價「毛澤東思想」的三個副詞：[14]「毛澤東同志天才地、創造性地、全面地繼承、捍衛和發展了馬克思列寧主義」，毛澤東下令將其刪去。不過在「文革」時期發展起來的個人崇拜，讓包括周恩來在內的不同領導人相信這是主席的假意謙虛，他們在不同的場合使用這三個副詞評價毛澤東思想的特徵——事已至此。

然而很快第二件事就開始了：1970年3月7日，汪東興在武漢見毛澤東，後者委託他準備召開第四屆全國人民代表大會，修改中國的憲法。在毛澤東的指示中，他提議取消國家主席的職位，其職務轉交給全國人民代表大會常務委員會。從第二屆全國人民代表大會開始，這個職位由劉少奇擔任，直到他被開除出黨。從此由八十多歲的董必武擔任代國家主席。其實，毛澤東似乎不想要這個職位，他痛恨各種禮儀，傾向於取消，但他的優柔寡斷造成了混亂。3月8日，他提出一個令人驚訝的可能藏着陷阱的建議：如果林彪堅持有一個主席，他自己當。自從他懷疑最親密的副手以來，毛澤東多次向林彪提一些如果拒絕則對林彪有利的建議，以測試他的忠誠：國家主席的問題提供了這樣的機會。1970年4月11日林彪從蘇州住所打電話找在長沙的毛澤東秘書處，強調設國家主席的必要性，並補充副主席可有可無：這是一個巧妙的回答。第二天，以周恩來為首的政治局成員對此表示同意。毛澤東煩躁地笑了，然後在

通知他這項決定的電報上寫道:「我不再作此事,此議不妥。」[15]同時,汪東興準備了兩個憲法草案,一個設國家主席,另一個不設。5月中旬,林彪再次讓他的親信、起草新憲法委員會的成員李作鵬和吳法憲在憲法中寫入恢復設立共和國主席。7月,毛澤東第五次拒絕這個中央政治局的大多數成員同意的要求。7月底,毛澤東打電話給林彪:「關於國家主席,我不當,你不當,讓董老當吧,任命一個年輕的副主席。」這個人無疑是張春橋,他當時53歲,對這個位置的中國領導者來說,是非常年輕的。對毛澤東而言,這是一種挑釁[16],反映了他對林彪不尋常的固執非常不滿,林彪未能通過忠誠測試。

8月11日,葉群向吳法憲保證林彪堅持自己的立場。8月13日,新憲法起草委員會在得知毛澤東堅決拒絕再次擔任共和國主席後,探討如何表達對他的崇拜。吳法憲建議在草案序言中加入毛澤東思想的主要作用,用那三個著名的副詞來解釋他是一個天才:這樣,天才理論和國家主席的問題重合了。8月14日,中共中央政治局沒有同意。吳法憲重申前一天的建議,進攻更加凌厲:毛澤東拒絕再次成為國家主席,是他的謙遜,「有人」利用毛主席的偉大謙虛妄圖貶低「毛澤東思想」。吳法憲顯然針對從一開始就明白毛澤東意圖的張春橋。相反,陳伯達、吳法憲、李作鵬、葉群和黃永勝顯示出他們更忠誠於林彪。至於毛澤東,他對狡猾的林彪隱藏的意圖不再有任何疑惑:國家主席和天才理論寫入「根本大法」是給他一個名譽主席的角色,受人尊敬,但退居二線,從而為林彪騰出更多的政治空間。然而,他上一次在「大躍進」期間退居二線的經歷是痛苦的,他不願重來。到此時為止一直比別人都更迅速地揣摩到主席意

圖的林彪，因為要求親信們不屈服而犯了嚴重的分析錯誤。吳法憲打算打擊在將軍們當中不受歡迎的張春橋以佔得上風，因為張春橋和他在「中央文革小組」的朋友們煽動紅衛兵批鬥老幹部，大家都恨他。但是這種攻擊「中央文革小組」主要成員的行為，間接批評了這項運動，這是毛澤東無法容忍的。吳法憲無意中越過了一條紅線：毛澤東和林彪之間的裂痕正在轉化為衝突。兩個派別在一次鬥爭中針鋒相對，賭注是毛澤東的青睞，也就是說權力的分配：一派是江青、張春橋、康生和姚文元，另一派是林彪、陳伯達、吳法憲、黃永勝和邱會作。這一點在九屆二中全會上得到了肯定。自1949年以來，黨中央第三次在雲海縹緲、山峰奇特的廬山開會。

重上廬山

1970年8月18日，毛澤東在江青的陪同下乘專列離開杭州，第二天傍晚到達廬山。天氣炎熱，他不顧警衛們的勸阻，衝進水庫游了一小時泳。他的精神和身體都非常好：在整個全會期間，他每天工作12至13小時。8月20日，中國的政治頭面人物先後抵達。周恩來仍然留在北京處理日常事務，發了一封信給毛澤東和林彪，確定會議的三點議程：修改憲法、五年計劃和備戰問題。[17]255名中央委員和候補委員先後上山。8月22日下午，毛澤東主持政治局常委會議，關於設國家主席的問題沒有達成一致。毛澤東明顯被激怒了，他重申拒絕擔任自己建議取消的職位，同時請領導們確保他們的分歧不會導致即將召開的全會失敗：必須討論五年計劃和戰爭風險。23日下午，毛澤東主持九屆二中全會第一次全體會議。周恩來簡要

介紹了議程後，林彪要求發言。在一個多小時內，他稱讚毛澤東的天才和他非凡的才能，建議大家承認毛澤東是「國家元首」。他是認為用一招文字遊戲就能過關，還是借此告訴高高在上的毛澤東不要再管人間的瑣事？毛澤東呈現出不耐煩的跡象，但與會者們似乎被征服了。晚上吳法憲建議中央政治局常委放棄議程，討論林彪的講話。周恩來同意把它打印出來分發。毛澤東抱怨說：「我沒有意見，你就印發吧！」。當天晚上，陳伯達在吳法憲的幫助下完成了一本小冊子，收集了歷史上恩格斯和列寧關於「天才」的語錄，第二天印發。這種狂熱的活動和協調一致，讓毛澤東越來越懷疑有陰謀。

8月24日，中央委員會成員按地區分六個工作組討論天才問題。在華東組，王洪文同意這一主題。周恩來也讓東北組討論。華東組即使有上海代表，也對張春橋的專制表示批評，陳毅尤其尖銳。在華北組，陳伯達譴責「劉少奇之後潛入黨內的陰謀家」拒絕承認毛澤東的天才。他保持了「文化大革命」的獨特風格。他得到了汪東興意想不到的支持，汪對毛的完全忠誠讓他毫不猶豫地相信這個運動已經得到主席的批准。在回憶錄中，汪東興說[18]：「陳伯達發言後，[19]我情緒激動，昏了頭！」有人認為他很高興隨大流，充分地發泄了他對張春橋的敵意。

主席這一派開始恐慌。林彪有軍隊的支持，控制着黨的重建，而主席一派除了對新聞的控制外甚麼也沒有，紅衛兵也消失了。然而他們還有一張王牌：毛澤東的人格魅力。他們打了這張牌。第二天中午，江青帶着張春橋和姚文元來找毛澤東，雖然沒有受到葉群的鼓動參與批判，但她仍然感到了威脅。三個人都傳達了一個令人震驚的情況：「山上亂套了，有人要趕我們走。」毛澤東大概想到了

1964年秋赫魯曉夫被巧妙操縱的中央趕下台的事。他對華東組陳毅的發言印象特別深刻。他沒有忘記後者在所謂的1967年「二月逆流」中的作用。於是毛澤東在下午緊急召開政治局常委擴大會議，激烈批評對手中最弱的一個 —— 陳伯達。毛澤東的威信在本次會議上的作用是巨大的：這正是幾天來大家討論的主題，他的天才讓人情緒高昂。因此，他宣泄了自己的憤怒，威脅要離開廬山，提到偽馬克思主義，將陳伯達的態度和1967年2月的危機聯繫起來。很顯然，他在捍衛包括推出「大躍進」和「文革」在內的成果。

結果是驚人的。陳伯達消失了：他被秘密逮捕，並立即被轉移到北京秦城監獄。8月26日至30日，在接下來的幾天裏，大家分組討論毛澤東的講話，批評陳伯達的程度比承認毛澤東的天才更熱烈：這些狂熱者不得不為自己的失算道歉。8月29日，帶着各種文件趕來支持陳伯達的黃永勝害怕這一天的氣氛，把文件燒了，毛澤東讓他參加「學習」，這是一種「失寵」的標誌。31日，毛澤東印發了剛剛寫好的一封公開信，即〈我的一點意見〉[20]，無情地批判陳伯達在天才問題上的立場是理想主義和對馬克思主義的誤解。他指出馬克思沒有關於這個問題的文章。他巧妙地說林彪副主席同意他的意見，林彪因此不受批評。在這封信中，陳伯達被指控將「謠言和詭辯混在一起」，破壞黨的團結。9月1日，政治局擴大會議證實對陳伯達一人的處罰，葉群、吳法憲、邱會作和李作鵬保留頭銜和職能，被要求寫檢查，對林彪「隔山敲虎」。像往常一樣，毛澤東給予沉重打擊的同時給人一種寬大的感覺。9月2日至6日，中央委員會的成員學習毛澤東的這封公開信。第二次學習由林彪主持，請「錯誤的同志」分析自己的錯誤態度。6日，毛澤東致閉幕詞。林彪主持

最後一次會議，請中央委員會的成員學習經典，他説本次會議是一次團結和勝利的大會。9月9日下午，毛澤東離開廬山，他在長沙休息了幾天，9月15日抵達武漢。9月16日，與汪東興就廬山上的發言談了很久。9月19日，他回到北京。他剛剛打了一場硬仗，沒有完全勝利。事實上，他不得不考慮到黨和軍隊的機構中很大一部分人抵制他的意願，試圖給人「挽救」林彪的印象。我們也可以認為，他仍然希望通過驅逐陳伯達、打擊林彪麾下的少數親信甚至葉群，讓林彪認識到自己的錯誤。但他不再需要林彪作為未來的最高領導人。林彪最好和朱德一樣接受舒適的退休生活，這將避免新的危機，因為除掉之前的「指定接班人」才兩年時間。

林彪的毀滅

10月，毛澤東接受了汪東興的自我批評。在他手中有在廬山會議上反對他的「四大將」的書面檢討，但他拒絕接受，因為這些人將自己的錯誤歸咎於「政治理解水平較低」，絲毫沒有提及他們明顯勾結在一起。毛澤東在葉群的檢討書上批示：「也不聽我的話，陳伯達一吹，就上勁了。」在吳法憲的檢討上批示「缺乏正大光明的氣概」，然後生氣地補充：「由幾個人發難，企圖欺騙二百多個中央委員，有黨以來，沒有見過。」現在，他知道林彪雖然倖免，但不會指導任何小動作，會耐心地等待最高權力降臨的那一天。[21]毛澤東擔心林彪接近其他將軍或他們在解放軍中的繼任者，再出現1967年2月那樣對「文化大革命」的批評，回到他們更喜歡的官僚秩序中。10月下旬，毛澤東的失望體現為對陳伯達的批判加重，説陳已經成為「反

黨、叛徒、假馬克思主義者、野心家和陰謀家」。

　　從這個角度來看，衝突不是關於政治路線，而是關於權力的問題。林彪希望把毛澤東放在底座上，只是作為一座白色的雕像，受人民的膜拜，而副主席治理國家並領導這個黨。也許在他認為可能的時候，採取另一種政策，但這種路線的變化尚未提上議事日程。葉群的愚蠢和混亂讓林彪忘了他一貫的謹慎，暴露了自己，然後撤退到被動的位置等待。然而杜勉（Jurgen Domes）[22] 和高英茂（Michael Kau）[23] 等學者認為這個重大危機從一開始就是兩條路線之間的衝突。林彪可能曾試圖犧牲農民，建立複雜的軍工聯合體，適應中國與兩個超級大國之間的對抗。他可能是「農業學大寨」背後的推手，1968年秋季重新掀起了學習大寨的運動，1969年至1970年出現了一些「左」傾措施，湖南所有生豬養殖集體化，廣東、陝西等省某些縣取消了小塊的私人土地。他可能願意放緩黨的重建。特別是，他會反對接近美國。

　　事實上，中美在華沙美國使館的談判於1970年春天擱置。柬埔寨的朗諾發動政變，導致諾羅敦・西哈努克親王3月19日逃到北京。4月29日至6月30日，美軍和越南南部士兵入侵紅色高棉的東部省份。但是9月開始，中美通過巴基斯坦恢復接觸。幾個星期後，美國總統尼克松在接受記者採訪時宣布其最奢侈的願望之一是在死前訪問中國。在一次招待會上，正式得知國會意願的美國駐華沙大使斯托塞爾急忙走到他的中國同行面前，希望恢復兩國之間的友誼。中國外交官害怕這是個陷阱，從暗梯逃走，好像見了鬼一樣。10月，美國記者埃德加・斯諾和他的妻子登上了天安門，站在

毛澤東身邊。在1966年和1969年之間，中國當局曾拒絕他的簽證。
12月25日《人民日報》刊登了大幅照片。1970年12月18日，毛澤東
接見「他的朋友斯諾」，毛澤東告訴震驚的世界，他很高興與尼克松
總統在北京會談，「當作旅行者來談也行，當作總統來談也行」。李
志綏認為，[24] 毛澤東認定埃德加‧斯諾是美國中央情報局的一名特
工，他認為這樣可以傳遞一個信息。這種間接的外交被美國國會誤
解，埃德加‧斯諾被認為是一名「紅色分子」，必須對他保持警惕。
1971年春天，進展加快了：中國乒乓球隊同意參加三四月份在日本
名古屋舉行的世界錦標賽。[25] 這本身是一件大事，因為自1966年以
來中國拒絕所有國際體育比賽的邀請，此外，中國與日本沒有外交
關係。4月4日，一名美國隊員對一位中國冠軍說他多麼希望訪問北
京。4月6日，及時得到消息的周恩來向毛澤東建議禮貌地拒絕。毛
澤東接受這個建議後，當晚改變了主意，要求外交部邀請整個美國
隊訪問中國。美國隊受到高規格的接待。幾個星期後，美國國務卿
亨利‧基辛格在卡拉奇換乘飛機時消失。4月21日，周恩來邀請他
訪問中國。7月9日至11日，他秘密訪問北京。7月15日，尼克松在
新聞發布會上表示他將在1972年2月對中國進行正式訪問。杜勉和
高認為林彪可能把中國外交這突如其來的變化視為「不可接受的」。
他甚至告訴他的女兒豆豆他更願意和蘇聯的關係正常化。事實上，
毛澤東在1972年2月與尼克松會面時說：「我們國內有一派也反對我
們跟你們往來，結果坐一架飛機跑到外國去了。」[26]

可疑的「571計劃」

　　林彪因為反對新政策，可能從盧山會議後便準備發動政變推翻毛澤東。1980年，吳法憲轉述當時林彪對他說的話：「幹文的不行，幹武的行。」[27]泰偉斯認為這一點完全沒有說服力，所謂經濟事務中的「左」傾路線是江青的路線，也是毛澤東的路線。我也同意他的觀點。1970年二三月，周恩來主持召開計劃經濟會議討論第四個五年計劃，毛澤東提起1956年1月烏托邦式的「農業四十條」計劃，並在1970年12月和1971年1月再次提起，決定推出一次「新的大躍進」，這意味着「資金建設」的增加，也就是說提高對農產品的徵收比例。恢復黨建需要在某些仍然不安定的省份恢復秩序，這只能依靠軍隊。至於外交政策，林彪對此不感興趣。1970年5月關於美國入侵柬埔寨的政治局會議上，他竟然睡着了！討論四位元帥關於戰爭風險的報告時，他甚麼也沒說。1971年7月基辛格訪華後的政治局會議上他也保持沉默。分歧似乎有可能，但他一直沒有表明，因此，不能說源於路線衝突。

　　剩下的問題是林彪陰謀策劃謀殺毛澤東。泰偉斯一開始就上面提到的吳法憲的供詞發表了一種新的解釋：其實不是準備發動政變，而是指出在盧山打了一場敗仗的「四大將」「在文職上不行，在軍事上行」。此外，這些話是吳法憲在法庭上說的，他為了保住自己的腦袋說了那些指控他的人想聽到的東西。這些證詞和吳法憲的材料中大部分文件一樣都是事後完成的「林彪事件」的內容。毛澤東在尼克松到中國時說林彪反對尼克松訪華，也給這些文件做了鋪墊。

　　這個陰謀的核心文件是一個計劃，代碼為「571計劃」。[28]這是一

份幼稚的計劃，鑒於此人們猶豫要不要把林彪稱為「20世紀最偉大的戰略家之一」。誠然，這可能是他的兒子林立果訂的計劃，他在空軍任職，手下有一百名空軍軍官，稱為「聯合艦隊」。該決定可能是2月林彪、葉群和林立果在蘇州做出的。當時毛澤東很明顯準備公開首長的「失寵」。林彪並沒有參與這個計劃的制訂，或者因為他對自己兒子的能力過度信任，或者因為他認為任何反對毛澤東的行動都是不可能的：聽天由命又被動的他放手讓他的妻子和兒子去幹。該計劃將毛澤東稱為「B-52」，計劃中對中國問題的分析相當準確：農民生活缺吃少穿，青年知識分子上山下鄉等於變相勞改。紅衛兵初期受騙被利用，已經充當炮灰，後期被壓制變成了替罪羔羊。機關幹部被精簡，上五七幹校等於變相失業，工人工資凍結（特別是青年工人），等於變相受剝削。這個紀要計劃暗殺張春橋、姚文元，以及毛澤東本人，或者通過地對地導彈空中打擊毛的專列，或者炸毀列車經過的橋樑[29]，或者直接由一個或幾個謀反者使用手槍、手榴彈、火焰噴射器刺殺主席。陰謀者們寄希望於依靠蘇聯提供「核保護傘」的支持。在失敗或不能這樣做的情況下，綁架在盧山被打敗而不知道機密的「四大將」，在廣州建一個軍區總部，搞分裂：廣州空軍的參謀長是主要共謀者之一。這個計劃似乎還沒開始實施，1971年8月底毛澤東經過南昌時就得到消息了。

不過從1970年秋天開始，毛澤東就按部就班地堅決反攻他的指定接班人。11月6日，他成立了一個「中央組織宣傳組」，直接受中央政治局的領導。這個小組最初由康生主持，不久康生生病辭職。這個小組包括江青、張春橋、姚文元（「上海幫」），以及一個文職幹部紀登奎和一個軍官李德生，完全忠誠於毛澤東。這個小組控制着

《人民日報》、《紅旗》、《光明日報》、中央組織部、中央黨校、中央廣播事業局和新華社等。12月18日，當他見到埃德加・斯諾時，毛澤東以奇怪的方式告訴後者，自己決定打倒林彪，雖然這個信號沒有被解碼，但在那個時候，他已經決定了。毛澤東和斯諾的會面安排在清晨，持續了五個小時，在此期間，兩個男人一邊吃早餐一邊交換意見，翻譯員是唐聞生。³⁰第一個主題是「個人崇拜」。毛澤東認為要人們去克服三千年迷信皇帝的傳統習慣是困難的事情，並重申其解釋，一旦需要，可以利用個人崇拜「鼓動群眾粉碎黨內反對毛澤東的官僚主義」。但是，他補充説，情況發生了變化。比如繼續把毛澤東稱為「偉大領袖、偉大導師、偉大統帥、偉大舵手」很討人嫌，「他只接受導師」，因為他青年時當過教員。毛澤東提到：「揮舞着紅旗喊萬歲的人」分為三種：一種是真的，人數不多；第二種是隨大流的；第三種是假的，「一齊喊萬歲，事實上希望他快點死」。斯諾受到美國人觀點的影響，認為林彪是特別危險的人，無法理解講的就是他。談到國際形勢時，毛澤東説美國的文化和經濟很發達，希望出現一個革命黨，並説他會很高興在北京接待尼克松總統：他認為這個消息會在斯諾回國後傳達給美國國會，被看作一種邀請儘快落實。然後毛澤東回到「文化大革命」，説他不喜歡兩件事：一是講假話，二是不同派別武鬥時虐待俘虜。很明顯，對於毛澤東而言，混亂時期結束了。毛澤東確認靠近蘇聯是不可能的事情，雖然這兩國共產黨之間的爭論自從與柯西金會面之後已經從「一萬年變成一千年」。毛澤東陪他的客人去乘車：林彪的命運已經確定。毛澤東一貫的策略和決心，使林彪進入歧途。³¹

毛澤東使林彪陷入困境

正如幾個月後毛澤東對一些省的高官所說，他先「甩石頭」[32]：1970年12月22日至1971年1月24日，召開華北會議，政治局和各省主要軍事領導人參加，批判陳伯達是北京軍區和華北地區的「太上皇」，並提供了一些區別唯物論和唯心論的參考書目，包括他自己的作品、馬克思和列寧的作品。然而，1971年1月9日的中央軍委會議上，他遇到了來自143個軍官和政委的一定阻力。為了突破，他「摻沙子」：1971年4月重組中央軍委，讓已經是組織宣傳組文職幹部的紀登奎和軍官李德生進入中央軍委。最後，他「挖牆腳」：重組北京軍區，調動不一定可靠的三十八軍。

林彪明白事態對他不利：4月29日，周恩來在一個工作會議批評黃永勝、吳法憲、葉群和邱會作的派別活動和政治錯誤。1971年5月1日林彪像一個失寵的顯貴一樣表達了不滿：五一的焰火晚會，林彪很晚才到天安門，在場的有諾羅敦‧西哈努克親王、他美麗的法國妻子莫尼克、董必武和翻譯。林彪沒有跟任何人打招呼，默默地坐在毛澤東面前，小心地避開眼神接觸。晚會結束前，他提早離開，沒有一句道歉的話。[33]三天後，同樣的一幕發生在歡迎羅馬尼亞總統齊奧塞斯庫的接待宴會上。

為了完成對林彪的進攻，從1971年8月15日開始，毛澤東到南部、東部和中南部考察，為期20天。8月16日，他乘專列到達武漢。27日到長沙，31日到南昌，9月3日到杭州，他在那裏一直待到10日下午。然後在上海短暫停留，一路從南京、徐州、濟南、天津回到北京，沒有做任何停留。9月12日下午，他到達北京郊區的豐

台站：他似乎得到了攻擊火車的消息，加快了回程速度。他見了許多高級官員，並與他們交談。後來，他的講話被還原彙編成資料，在內部有限傳播。毛澤東堅持政治路線的重要性，説路線是個綱。他分析了50年來黨經歷的9次路線鬥爭[34]，眼前的情況下是第10次。和1959年「彭德懷軍事集團」的衝突一樣，盧山會議的鬥爭「又是兩個司令部的鬥爭」。「有人急於想當國家主席，要分裂黨，急於奪權。」「1966年5月18日，林彪同志説了一些奇怪的話⋯⋯林彪同志8月23日在盧山那個講話，沒有同我商量，也沒有給我看」，「懲前毖後，治病救人」，「對林還是要保⋯⋯回北京以後，還要再找他們談談⋯⋯有的可能救過來，有的可能救不過來」。關於天才的問題，「林彪同志⋯⋯有些話説得不妥嘛」：事實上天才是罕見的。中國歷史上有陳勝、吳廣[35]，有洪秀全[36]、孫中山，還有馬克思、恩格斯、列寧、斯大林。毛澤東強調黨指揮槍，並建議重提從前在行業中最常見的口號「工業學大慶，農業學大寨，全國人民學習解放軍」，並補充「解放軍學全國人民」。最後毛澤東提到列寧在《國際歌》的作者歐仁・鮑狄埃逝世25週年寫的文章。然後他説了幾句歌詞：

> 從來就沒有甚麼救世主，也不靠神仙皇帝。要創造人類的幸福，全靠我們自己！

毛澤東補充説，人民通過團結，也通過鬥爭創造了歷史，即使在社會主義制度下鬥爭也在繼續。這段老生常談由這樣一個人説出來，是多麼完美的表現。他自己也承認蓄意組織對他的個人崇拜，並陶醉在數以百萬計的人對着他的肖像歡呼的場景中。

毛澤東的總結是讓大家去讀經典，「而林彪認為這是不必要的，

因為99%的內容都在我的書裏」。「文革」是巨大的成功：1%的幹部被清除，3%的人接受查看，96%的幹部是好的。一些負責人在廬山會議上上當了，但「我們可以從錯誤中吸取教訓，避免重犯」。總之，這是一個極具攻擊性的言論，但給戰敗者留了逃生的路，他希望他們公開認錯。毛澤東很快失望了。[37]

事實上，9月5日或6日，黃永勝和邱會作等人得知毛澤東在南方的談話中發起攻擊，通知了住在北戴河的葉群、林立果和林彪，好利用這個夏末。9月8日，林彪經過最後的猶豫讓他的兒子採取行動：毛澤東把他逼到牆根，迫使他犯規。9月8日至11日，林立果彙集了他的「聯合艦隊」在北京的主要成員，並制訂了一個攻打專列的計劃，但因為毛澤東提前回京而失敗。毛澤東到豐台後和文職及軍隊幹部進行了兩個小時的談話：林立果知道毛澤東逃脫了。於是他採用了第二個準備不足的計劃——分裂廣東、逃亡至香港的計劃。他安排林彪的私人飛機，一架英國製造的三叉戟停在山海關機場，以便讓林彪和他的家人們飛往南方。計劃9月13日上午起飛，同時將「四大將」招到廣州，在那裏和「聯合艦隊」的成員會合。

林立果把這個陰謀透露給他的姐姐豆豆[38]，12日她要訂婚。豆豆非常崇拜她的父親，認為他最好的選擇是和朱德一樣退出政壇。這是一個脆弱的女孩，青少年時期曾經企圖自殺，和母親關係不好。12日晚，她的弟弟從北京回來非常興奮，立即退到葉群和林彪的房間裏和他們談話。豆豆明白計劃的逃亡即將發生：21點20分左右，為了保護她的父親，林豆豆告訴8341部隊負責林彪安全的人，生病的林彪被葉群和林立果挾持。負責的軍官將此事報告給汪東興，汪東興隨即報告給周恩來。周恩來要求檢查三叉戟狀況的電話

讓葉群和林立果警惕起來。林立果命令飛行員立即將三叉戟加滿油。周恩來命令所有飛機不許起飛，吳法憲消極傳達命令，但時間非常緊急。服了大劑量安眠藥被叫醒的林彪似乎沒有意識到發生了甚麼。林立果決定不能再等，必須到達最近的邊境：中蒙邊境，約需飛行一個小時。廣州太遠，被攔截的風險太大。此外，廣州軍區司令員和政委忠於毛澤東，很可能抵抗，特別是出發太倉促，不可能通知四個親信。此時毛澤東得知林彪可能叛逃。起初他變了臉色，無法決定採取甚麼樣的態度。是周恩來掌控着一切，並將毛澤東安置在人民大會堂118廳，由8341部隊的一個營保護。汪東興在隔壁房間：的確，人們擔心像林彪這樣的政變陰謀家會發動軍事政變。

9月13日0時50分，北戴河值班人員告訴周恩來他無法阻止林彪和他的家人匆匆離開住處，乘坐紅旗汽車飛速向機場駛去。期間經過短暫交火，一人受傷，一輛吉普在後面追。三叉戟在0時32分離開時沒有加滿油，[39] 沒有帶副駕駛員和無線電導航員。不知道這架計劃去廣州的飛機有沒有烏蘭巴托的地圖。在北京，毛澤東振作起來：1點55分，飛機飛行速度慢於預期，可能是為了避免空中攔截，[40] 飛行路線是彎彎曲曲的。當飛機即將離開中國領空時，毛澤東拒絕了周恩來用導彈[41]攔截的建議，他說：「天要下雨，娘要嫁人，由他去吧……」也許他從中發現讓林彪成為一個逃往國外的叛徒有好處，和以前的張國燾、王明一樣。兩點半，三叉戟試圖強行降落在蒙古溫都爾汗起伏的草原上，飛機墜毀起火：機上所有人員喪生。

9月14日下午，毛澤東從蒙古駐中國大使處得知這個消息。後

者趁此機會重新開放了自1966年以來切斷的與北京的直航。林彪的身份已經確定。[42]9月13日早上3點鐘毛澤東授意周恩來召開政治局會議，在毛澤東缺席的情況下，總理告訴與會領導人林彪和葉群逃往國外的事件，並要求他們做好準備以防萬一。毛澤東在接到中國駐烏蘭巴托大使的電話後，沉默了一會兒，發表了簡短的評價，反映出他在這場危機結束時的寬慰：「這是逃跑者的下場。」汪東興說得更明確：「死得壞，死得好。」我們看到衛士長從他的首長那裏學到了矛盾的藝術。

林彪的悲劇結束了：「文化大革命」這頭野生東北虎，他沒能騎得更久。他曾以為已經馴服它了。

虛幻的「周恩來年」(1972)

正如金沖及和逄先知[43]所寫：「9月13日的事件是『偉大的無產階級文化革命』的一個轉折點。客觀上，它宣布了『文革』理論和實踐的失敗。」杜明(J. L. Domenach)和菲利普・瑞奇(P. Richer)在他們的作品《1949到1985年的中國》(*La Chine 1949–1985*)[44]中甚至寫道，這意味着毛澤東主義的沒落。

毛澤東似乎對林彪的反應很驚訝：他沒有預見到後者會這樣試圖擺脫他設下的陷阱。開始幾天毛澤東擔憂有人攻擊他，9月24日開始，他振作起來，下令逮捕林彪的同謀，首當其衝的是林彪的「四大將」。9月18日，軍方高級幹部得到一個超級秘密的通知，他們的「首長」叛逃了：包括陳毅在內的「二月逆流」的元帥們絲毫不掩飾自己的高興。28日，逮捕第一個「同謀」的消息被公布。10月1日，沒有林

彪和葉群參加的國慶典禮舉行。直到12月11日，一份題為「粉碎林陳反黨集團反革命政變的鬥爭」的內部調查材料才公布林彪的死亡，隨後下發了一些指示。1972年7月，林彪的死亡才被官方披露。同時，解放軍開始大規模的清理活動，直到1973年3月才結束。九大以來重建的黨的基礎受到衝擊。處罰的人有四種類型：(1) 死黨，陳伯達、「四大將」和「聯合艦隊」93名成員；(2) 同夥；(3) 「犯了嚴重錯誤的人」；(4) 「犯輕微錯誤的人」，其中包括林豆豆，她被送到鄉下接受勞動再教育直到1975年。據統計，共有100名軍官被捕、被解僱或停職，6名將領、35名省委書記 (15%) 被撤職，15名中央委員或候補委員被取消資格。政治局15名成員失去了5名。因此，這不是一次宮廷革命，而是一次重大的危機。同時，毛澤東晉升了很多人：葉劍英成為他的副手、中央軍委負責人；汪東興的8341部隊創造了奇蹟，權力得到增強。三員大將進入政治局：許世友 (南京軍區)、陳錫聯 (瀋陽軍區)、李德生 (安徽軍區)。李當時已任北京軍區司令員，兼南京軍區副司令員、安徽省軍區司令員。各種聲明強調民兵組織的作用，民兵的武裝和訓練得到加強。民兵是政治委員在民間的臂膀，表明黨指揮槍。

但是，這次危機使毛澤東受到嚴重的影響。不久，他生病兩個月，虛脫、發燒、咳嗽、痰多、呼吸急促和血壓上升。廬山會議後，因為過度疲勞，他患了肺炎，足踝水腫，大腿像灌了鉛，走路拖着腳。簡而言之，他成了一個真正的老人，一個又老又病的老人。[45] 1971年11月22日，人們在電視上看到他接待越南總理范文同，這也許是為了讓人民對他健康狀況的惡化有準備。

1972年1月，情況更為嚴重。1972年1月6日，陳毅因結腸癌去

世。毛澤東堅持參加他的葬禮。1972年1月10日下午，葬禮在北京西郊的八寶山公墓舉行。這一天非常寒冷。毛澤東匆忙趕到，彷彿他是在最後一刻做的決定，大衣裏面穿着絲綢睡衣和晨衣。他對陳毅的遺孀說：「陳毅是個好同志。」他在葉劍英準備的悼詞中劃掉了已故元帥「犯了一些錯誤」的句子。他悄悄對諾羅敦・西哈努克說陳毅不像林彪，陳毅從來沒有背叛過他。毛澤東決定再次安撫解放軍的元老們。在接下來的幾個星期裏，他恢復了一些人的權力，例如「文化大革命」前夕在他的指使下被逮捕和批鬥的楊成武和羅瑞卿，說事實上他們是林彪的受害者。但是毛澤東在各種疾病沒有復原的情況下外出，差一點要了他的命：他的雙腿開始顫抖，他在攙扶下匆匆離開。他着涼了。1972年1月18日，他幾乎癱瘓了一段時間。數小時呼吸困難，左側臥躺着，心臟都快要停止跳動了。醫生診斷為嚴重的充血性心臟衰竭，再發作一次可能就是致命的。連續兩次指定接班人失敗後，接班人的問題更加急迫。1972年1月21日，他的心跳和呼吸頻率開始恢復正常，他與江青發生爭吵，然後對周恩來說[46]：「我病得太重，我想我好不了。我死了以後，事情全由你辦。這是我最後的願望。」幾分鐘後，江青反應激烈，在汪東興、李志綏和一個秘書的陪同下離開書房：她看到自己被排除在接班人之外。但是，兩個小時後臨時舉行的政治局會議上，沒有任何正式的指示。不過，自此，不可替代的最高領導者的接班人問題變成中心問題是顯而易見的。

2月12日，毛澤東有一次嚴重的舊病復發，這幾乎讓他喪命。政治局宣布由周恩來、王洪文、張春橋和汪東興組成醫療組。[47]毛澤東很快有了表面上的好轉，並立即開始按照康復計劃克服自己的

言語困難，學習坐、立，並在房間內走動。他的身體腫脹，必須做新衣服，也要做新皮鞋適應他水腫的踝部。儘管他的情況不樂觀，但他很興奮：他準備接待理查德‧尼克松總統，後者領導着世界上最強大、最現代化的國家——美利堅合眾國。這樣，他基本完成了1919至1920年的政治承諾：結束中國一個世紀的民族恥辱，坐上大國的位置。毛澤東在這種地緣政治的激烈變化中起到了重要作用。蘇聯入侵捷克斯洛伐克之後，他立即產生了接近美國的想法：他知道勃列日涅夫關於東歐社會主義國家主權有限的想法也涉及中國，中國害怕蘇聯攻擊北京或新疆的核設施。這不是不可能的。毛澤東認為1969年3月，中蘇邊境烏蘇里江的衝突是有預謀的挑釁，旨在向美國證明蘇聯和中國之間的裂痕。美國人當時還懷疑這一點。

尼克松訪問北京

自與美國在華沙會談以後，毛澤東親自關注這一問題：最明顯的是1971年春的「乒乓外交」。[48] 10月基辛格再次來到北京，但這次是以官員的身份，準備尼克松訪華的細節。毛澤東已經可以收穫這一邀請的第一批成果。1971年10月25日這一天，中國恢復了在聯合國的席位。台灣國民黨集團的代表強硬地拒絕任何妥協，儘管美國駐聯合國代表喬治‧布什一再努力，但台灣代表全中國的不切實際的希望還是導致「中華民國」被驅逐出聯合國，從此中華人民共和國作為聯合國安理會的常任理事國擁有否決權。1972年2月21日尼克松抵達北京後，毛澤東在電視上觀看外國代表團的車隊開往釣魚台賓館。雖然最初預期毛澤東與尼克松的會談為15分鐘的象徵性會

面，但是為了拍攝毛澤東和尼克松在一起的照片，毛澤東讓下午早些時候在他的私人公寓舉行的這次會談持續了70分鐘。陪同尼克松的有基辛格[49]和高級隨員溫斯頓・洛德，後者能說中文，後來成為美國駐中華人民共和國大使。周恩來也參加了會談，翻譯員是唐聞生。會談主要在毛澤東與尼克松之間進行，毛澤東問了基辛格幾個問題，周恩來坐得較遠，沒有說話[50]：毛澤東顯然要清楚地表明他是會談的主人。他明確地說中國報紙上的反美論戰將繼續下去，兩個國家的人民習慣於互相批評，關係正常化將是漫長的。毛澤東在對話中透露出雖然他們之間有分歧，但兩國都面臨着同樣的威脅：蘇聯。他強調中國重視朝鮮半島的統一，同時避免更深層次的問題：他不想引起其亞洲盟友朝鮮和越南北部的批評，並拒絕承諾不使用武力「解放台灣」。他當着尼克松的面誇獎基辛格，然後突然結束會議，理由是他累了。事實上，他的對話者們被他迷住了，正如基辛格寫道，感覺「見到了歷史」：「我從未見過一個人像他那樣散發出粗獷的凝聚的意志力，可能夏爾・戴高樂是個例外。他一動不動地站在那裏。有一位女護士在旁攙扶着他。」外交官們之間的討論延長了幾天，關於有爭議的台灣問題在上海發表了公報，解禁了這個問題但沒有解決：「美國認識到，在台灣海峽兩邊所有的中國人都認為只有一個中國，台灣是中國的一部分。美國政府對這一立場不提出異議。它重申它對由中國人民自己和平解決台灣問題的關心。」中國和美國之間的外交交流定期展開，但沒有設大使館。在此之後，日本在9月與中國恢復關係，其他17個國家在前後幾個月內做了同樣的事情。毛澤東取得了巨大成功：中國走出了四分之一個世紀被孤立、封鎖和戰爭的風險，從而減輕了經濟建設難以承受的重負。

猶豫的整改

　　此時的背景似乎有利於中國進行全面整頓。這是周恩來在「文化大革命」前夕就已經想做的，這一點從他在全國人民代表大會上談經濟現代化能夠看出來。許多作者把1972年稱為「周恩來年」。讓呂克・多麥蘭克和菲利普・里奇甚至稱其為「周恩來的700天（1971年9月至1973年8月）」。[51]事實上，我認為現實似乎更複雜，更容易讓人想起1958年和1960年間中國「大躍進」災難後的情況。毛澤東不得不退卻，但沒有放棄繼續進軍烏托邦的目標。正如中國這個「務實派」和「唯意志論者」之間的爭吵披着「正確定義」林彪陰謀的外衣。務實的周恩來認為這是一個「極左思潮」。如果這種説法被接受，必然要給更多的「文革」受害者平反，發展生產，恢復工作紀律、質量控制，調整總的經濟政策，尊重級別和技能。簡言之，將「文革」作為建設一個富強中國的插曲。

　　毛澤東似乎有一段時間在朝這個方向走，但不願意走到底。1972年6月28日，在會見斯里蘭卡總理時，他進一步說：

> 我們這個國家也有人罵我們，説是整了「左派」。我們的「左派」是甚麼一些人呢？就是火燒英國代辦處的那些人。今天要打倒總理，明天要打倒陳毅，後天要打倒葉劍英。這些所謂「左派」現在都在班房裏頭。我們這裏早幾年天下大亂，全國各地都打，全面內戰。兩邊都發槍，一共發了一百萬枝槍吧。這一派軍隊支持這一派，那一派軍隊支持那一派，打。被那些「左派」奪了權。一個半月（外交部）權不在我們手裏，在那些所謂的「左派」手裏。這些所謂「左派」，總後台的人現在也過去了，叫林彪。[52]

毛澤東的這一立場在北京舉行的一次會議上得到了延續，這次會議最初由他倡議召開，但他沒有參加，從5月開到6月：312名官員——包括陳雲和李先念——討論批判林彪和整改工作作風。[53]他們的結論是：「在中國革命的歷史，在每一個階段，每一個兩條路線鬥爭的關鍵階段，林彪總是站在錯誤的路線上，抵制毛澤東的戰略，他幾次陰謀篡權。」這些話不如毛澤東和斯里蘭卡總理會談時說得那麼清楚，但是類似。張春橋沒能成功捍衛相反的觀點：林彪實際上是右派、蘇聯修正主義代理人，所以他想逃往蘇聯，最好的戰鬥辦法是深化對劉少奇的批判。在這次會議上，針對關於在盧山打倒陳伯達的爭論，公開了毛澤東1966年7月8日給江青的信，對他的朋友（林彪）[54]說他是天才的話感到驚訝。

同時，1972年開始在所有領域進行了整改，但整改是不完整、不成功的。事實上，毛澤東試圖維護黨的團結，同時繼續務實的總理周恩來和「文化大革命」唯意志論者江青、張春橋的矛盾。因此，他堅持找到「文化大革命」的成就，因為它似乎更像是一個可怕的、可恥的錯誤。此舉是一種在政治、經濟、文化等領域的水中撈月。

在政治領域，毛澤東大規模為被紅衛兵打倒的幹部平反：百分之九十1966年時的幹部和管理人員在1972年年末回到工作崗位。這使得毛澤東不用承擔他們多年被迫害衝擊的責任。他發現一位副部長在秦城監獄惡劣的監禁環境之後，給總理寫了一個短條子：「這種法西斯式的審查方式，是誰人規定的？應一律廢除。」[55]但是，這個過程是緩慢的，很少有徹底平反。毛澤東親自控制在1966年和1970年之間被監禁的300名元老和175名將領的材料，周恩來很高興推動這個運動。1975年3月的一份報告總結了參與所謂的「五一六陰謀」而被撤職和囚禁的670名高級幹部的情況，其中絕大多數已經被洗

清了冤屈，300名被釋放——在1975年春天。與其說是復職，不如說是察看試用，可以讓一直有些可疑的幹部「改正」他們的行為。

　　在經濟領域，毛澤東一直都承認他不在行，似乎將其丟給了周恩來、李先念、陳雲、余秋里[56]這些管理者。他倡議在1971年12月至1972年2月間召開經濟計劃會議，在他的要求下，會議決定引進西方技術，以彌補中國技術落後的不足。[57]我們甚至可以說這是20世紀80年代改革開放政策的起源。[58]這次重要的研討會主要是由李先念和他的顧問們發言。他們巧妙地利用官方口號：在工業領域，還是「學大慶」，但現在卻是確保恢復工廠的紀律；農業「學大寨」，但是需要情況許可。糧食和鋼鐵生產兩個關鍵領域產量不錯，具體如下：[59]

	1969年	1970年	1971年	1972年	1973年
糧食（萬噸）	21,097	23,996	25,014	24,048	26,494
鋼鐵（萬噸）	1,333	1,779	2,132	2,338	2,522

　　在農村，生產增加的部分原因是「文化大革命」矛盾和意外的結果：1966年至1969年，中國偏遠的農村發展起分田到戶的體制。1962年至1965年間，同樣的體制曾經被毛澤東批為「修正主義」，並將其歸咎於劉少奇和鄧小平。解釋這種現象的原因是地方黨委被紅衛兵和「造反派」砸爛了：城市的混亂導致數年時間國家中斷徵收糧食。農民受益於這種狀況，重新獲得了1955年被集體化剝奪的掌握生產的權利。在四川射洪縣肥沃的紅盆地裏，恍然大悟的研究者指出：「再也沒有強制性的徵收。」同一省份的宜賓縣屬靠近雲南的高地，49,394個生產隊中的8,355個（17%）在1969年將土地重新分配給

家庭。目前的資料水平無法評估在1978年至1979年冬天公開並取得
勝利之前,這一場農民的「無聲革命」的規模有多大。毛澤東在唯意
志論方面的退讓可以解釋在1970年和1972年之間到處都有大批自留
地被集體沒收,工分的計算從小隊轉交給大隊,農貿市場關閉。毛
澤東按兵不動,讓周恩來和李先念將期望轉化為行動。他允許張春
橋組織傳播1972年2月經濟計劃會議通過的文件,理由是文件太長
了。一年後批評參與者之間缺乏共識再次阻止文件的印發,並回顧
了列寧的語錄:「小生產是經常地、每日每時地、自發地和大批地產
生着資本主義和資產階級。」

　　在毛澤東更關注的文化和教育領域,務實派和「文革」路線支持
者的緊張關係更加明顯。首先我們也看到出現了一些放鬆:1972年
重新印發了20萬本已經絕跡的中國古典名著《紅樓夢》、《西遊記》、
《三國演義》、《水滸傳》;也發行外國小說的翻譯版,包括三位蘇聯
作家的作品。就在林彪叛逃前,毛澤東提議的教育工作會議在1971
年4月15日至7月21日召開,就知識分子在中國革命中起的作用的
問題發生了激烈的衝突。江青和張春橋在遲群等一些年輕理論家的
支持下,形容中華人民共和國成立後的前17年是「資產階級在教育
和文化領域專政的時期」。張春橋否認自1949年以來知識分子有任
何積極作用,他們被紅衛兵詆毀為「臭老九」!面對這些暴行,周恩
來的反應很強烈,7月6日他指出:「毛主席的紅色路線也照亮了文
化領域。」他曾在1956年1月説:「絕大多數的知識分子支持社會主
義:如果沒有他們,如何實現國家現代化?」毛澤東在好不容易達成
一致的文件上[60]寫了兩個字「同意」:「毛主席的革命路線沒有被完全
付諸實踐,但是雖然有資產階級的意識形態,大多數知識分子擁護

社會主義，願意為人民服務。」因為這次有保留的成功和當時反「左」氛圍的鼓勵，周恩來主導了1972年5月舉行的科學和教育座談。他開始下令中國各地調查教育和科研狀況，主要的權威是捍衛理論研究的北大物理學家周培源。[61] 1972年11月，毛澤東接見了周培源，[62] 並說他應該考慮周的想法。需要指出的是，這位科學家是在美國培養的，他在美國保留了許多關係：如果沒有中美關係的恢復，周的晉升是不可能的。他的建議之一是提高大學入學的門檻，那時大學錄取是靠「工農兵推薦」，大學生是少量正統的積極分子。他的一篇文章本來應該發表在《人民日報》7月版上，但只發表在10月6日的《光明日報》上，而且只在知識分子當中發行。而《紅旗》批評「有人利用著名的物理學家壓迫我們」：張春橋和姚文元正保持着警惕。1972年的秋天，周恩來似乎想利用各路人馬對「左」派的敵視除去這道經常出現的屏障。李先念、余秋里和華國鋒[63]在哈爾濱的工廠調查了一圈之後，得出一個報告，譴責「無政府主義」是「假馬克思主義騙子的反革命工具」。剛剛從監獄中或五七幹校釋放回來的吳冷西和胡績偉等記者們在文章中引用馬克思的語錄批評巴枯寧。10月14日的《人民日報》發表了三篇他們的文章，痛惜元老被迫害、黨的領導受到震動、經濟混亂和「騷亂」，這是「文化大革命」的一種代碼。1972年11月30日，周恩來同意中聯部、外交部的一份報告，譴責無政府主義和「左」派的問題，並在此內部文件中建議「徹底批判林彪反黨集團煽動的極左思潮和無政府主義」。相反，12月，江青和張春橋說的是「應批林彪賣國賊的極右，同時批他在某些問題上的形『左』實右」[64]。《人民日報》的王若水擺脫了這兩個有影響力的對立團隊，他的人道主義的信念強調批評「左」派。12月5日，王若水給毛

澤東寫了一封信，他在信中巧妙地說「『左』的批不透，右的東西也會抬頭」。[65]毛澤東讓江青將這封信交給周恩來、張春橋和姚文元，讓他們一起找王若水談話，解決一下這個問題。然後，12月17日，他告知了自己的意見，說林彪思想的本質是極右，不是極左。證明是「修正主義，分裂，陰謀詭計，叛黨叛國」。[66]毛澤東回避辯論的本質，就這樣結束了反「左」派的運動。兩天後周恩來就退讓了。毛澤東認為過於譴責「左」派，「文化大革命」所取得的成就會受到威脅。

第二次「文化大革命」的流產[67]

不過，毛澤東也沒有倒向江青和張春橋。他和1973年1月1日的《人民日報》發表的社論一樣，尋求一條中間道路。事實上，他將林彪批為「修正主義者」，但沒有明確提出是「左」派還是右派，同時讚美「文革」能「鞏固無產階級專政，防止資本主義復辟，建設社會主義」。他的接班人問題再次變得緊迫，他知道極左派無法獨自承擔權力。1972年1月，他曾短暫任命周恩來為繼任者，主要是他不指望提拔江青和王洪文，王洪文明顯沒有文化、經驗（他是「剛斷奶的嬰兒」）和政治意識。他的主要優點是出身貧苦的農民家庭，曾是一名抗美援朝的士兵，在成為「造反派」之前是工人，有地區基礎。這些不足無法讓他成為這個幅員遼闊的國家的領導人。他於1972年9月來到北京，毛澤東讓他多讀馬克思主義理論的各種書籍，因為基礎不好，他看不太懂，這個37歲的上海人難以掩飾他的無聊，無法改掉紅衛兵的粗魯。[68]

但是1972年5月初，康生被查出患了前列腺癌症，5月16日，

周恩來被診斷患了同一種疾病。毛澤東要求盡可能瞞着他的總理，[69] 此時各國領導者先後來到中國，他特別需要周恩來。毫無疑問，直到1973年3月10日才進行的外科治療縮短了總理幾年的生命，這不是為了讓毛澤東不悅，毛澤東擔心小他四歲有右派傾向的周恩來比他活得久，他擔心右傾。然而，我們也可以認為毛澤東覺得周恩來已經沒甚麼威脅後，同意讓周恩來接受手術治療，即使他害怕手術，後來他自己也克服了對手術的恐懼。[70]

接班人問題不能在短期內找到一個解決方案。1972年12月，毛澤東再次患上重病[71]，開不了口說話，呼吸急促，而且必須一天用數次呼吸機。他無法在沒有人攙扶的情況下走路，他的肌肉僵硬，體重只有69公斤。他的右手萎縮，四肢顫抖，被誤診為帕金森症。而且，他右眼的白內障讓他不方便閱讀和觀看喜歡的功夫電影。張玉鳳必須幫助他吃稠粥，上廁所，與江青一起嚴格控制訪客。為了聽清毛澤東越來越含糊不清的話，張玉鳳越來越必不可少了。

他的身體狀況惡化，讓毛澤東越來越孤單。除了張玉鳳，他的身邊有「兩位小姐」出現得越來越多，王海容和唐聞生。王海容稱毛澤東「大伯伯」，不是他真正的侄女，而是一個表兄的孫女。她主要的優點就是這種遠親關係。她是外交部副部長，負責禮儀。她的英語水平成了她難以逾越的障礙。相反，唐聞生是一個牧師的女兒，曾住在美國，英語水平高，並在會見基辛格時擔任翻譯員。她負責領導外交部的美洲大洋洲事物。兩人都曾是紅衛兵，與江青關係極好。她們不缺乏詆毀周恩來的時機，但是推薦她們給毛澤東的是周恩來。她們可以接近毛澤東的特權讓她們能給他傳話，被稱為「通

天」：她們越來越大的影響力證明了毛澤東儘管身體衰老，仍然保留了相當大的權力。

毛澤東必須做一個姿態，一段時間以來他就知道有必要這麼做：把下放到江西的鄧小平召回。[72]的確，「文化大革命」中受打擊的精英中，鄧小平是其中少數有國家首領才幹的人之一。他一直和汪東興保持接觸，了解北京發生的殘酷鬥爭。1971年11月，他給毛澤東寫了一封信，提出要工作，因為他很快就明白林彪垮台的後果。1972年1月，毛澤東在陳毅的葬禮上不顯眼地誇獎了鄧小平。1972年8月3日，鄧小平給毛澤東寫了第二封信，要求復出。8月14日，毛澤東把信交給周恩來和汪東興詢問他們的意見，他認為鄧小平曾犯嚴重的錯誤，但必須不同於劉少奇的錯誤，說：

（一）他在中央蘇區是挨整的，即鄧、毛、謝、古四個罪人之一，是所謂毛派的頭子……（二）他沒有歷史問題，即沒有投降過敵人。（三）他協助劉伯承打仗是得力的，有戰功。除此之外，進城以後，也不是一件好事都沒有作的，例如率領代表團到莫斯科談判，他沒有屈服於蘇修。

前「第二號走資派」回到領導隊伍的速度很慢，毛澤東似乎想考察他。1973年2月22日，鄧小平回到北京，1973年3月10日被正式平反：他承諾不挑戰對「文化大革命」的積極評價。他接待了汪東興，3月28日接待了周恩來和李先念。1973年3月29日，他受到了毛澤東熱情的召見：主席詢問他關於外交政策的意見。他將受邀參加中央政治局的最重要的會議。大概在4月9日，他與周恩來、康生

討論江青和張春橋在20世紀30年代各自被警察逮捕時的態度，他們曾應國民黨的要求同意在口供上簽字。這次溝通讓鄧小平在隨後的戰鬥中有了一個令人生畏的武器。[73] 1973年4月12日，鄧小平正式出現在款待諾羅敦・西哈努克的宴會中。

然而，毛澤東的行為越來越難理解：他隨意改變立場，讓身邊的人永遠留在不確定的痛苦中。毛澤東很高興見到世界各國領導人，喜歡發表一些讓他們震驚的聲明[74]，但不允許別人這樣：1972年6月、1973年2月和同年11月，他和基辛格三次碰面的時候[75]，唐聞生和他的孫侄女特別提醒他周恩來關照過哪些話不能說。我們可以推測，其實毛澤東的動機是他堅決不把最看重的領域，尤其是外交政策領域讓給他人。但與美國的新關係特別棘手，周恩來發揮了重要作用，而毛澤東的路線特別曲折。

毛澤東的路線是他的「三個世界」理論的一部分，將在1974年發布。第三世界國家是以前的殖民地或半殖民地，是帝國主義各種形式的受害者。中國認為社會主義的國家只有朝鮮、越南北部、羅馬尼亞和中國。中國的目標是帶領這個世界的鬥爭。第一世界由兩個超級大國組成，美國和蘇聯都在爭奪這個星球的控制權。第二世界是中間地帶的沒落的帝國主義國家，它們尋求延長對第三世界的剝削，不屈服於超級大國。特別是日本、法國、英國、聯邦德國、加拿大、澳大利亞和意大利。毛澤東認為被壓迫人民的解放鬥爭削弱了兩個超級大國，因此不能停止支持他們，特別是毛澤東認為革命是這一階段的主要特徵。然而，超級大國美國的困難比蘇聯更大，蘇聯已經成為中國的主要敵人。1973年2月17日，毛澤東與基辛格談話時，在超級大國蘇聯和一些國家之間畫了一條水平線，這些國

家從日本到美國，包括歐洲國家、土耳其、伊朗、巴基斯坦和中國。他建議美國和所有這些國家結盟，反對他們共同的敵人蘇聯，美國在聯盟中起關鍵作用。這樣做，許多背後的意圖得到了加強。1972年5月，美國開始與蘇聯展開SALT談判[76]，限制部署有核彈頭的運載火箭並確定將中國排除在核大國俱樂部之外。他特別關注尼克松與勃列日涅夫於1973年6月28日在莫斯科的會面：毛澤東擔心美國在玩兩面派，因為中國的國際地位低。他更擔心的是1973年4月被揭發的水門事件的醜聞：尼克松和基辛格的政治前途如何？因此他讓周恩來嚴謹分析中國—美國—蘇聯的三角關係。外交部的官員們因1967年受到紅衛兵的衝擊仍然心有餘悸，他們編寫了這份報告。他們由於擔心被指控向帝國主義妥協，從而堅持美國和蘇聯之間有勾結，以前毛澤東同意這一點，但此時這似乎是批評主席最近與美國結盟的立場。毛澤東不得不接受美國在沒有和台灣斷絕所謂「外交關係」的情況下在北京設聯絡處，這是他不滿意的，因為以前的法國和最近的日本都同意與台灣「斷交」。美國這麼做可以解釋為接受「兩個中國」的存在的開始。毛澤東把責任推給周恩來。因此，他批評了周恩來在處理與美國的關係時有時會做得太多，有時做得不夠。他發脾氣，主要反映出他對總理病態的嫉妒，最近幾個月，總理似乎過於自作主張。周恩來得知毛澤東的不快，從7月3日開始讓人撤回這份報告。[77]7月4日，毛澤東在召見張春橋和王洪文時透露出他對周恩來的憤怒。[78]5日，中央政治局聽取了張春橋的報告，之後周恩來做了長時間的自我批評，檢討自6月以來作為外交部領導犯的錯誤。這一個回合，周恩來輸了。

十大，一次過早的大會

在中國共產黨第十次全國代表大會期間，毛澤東的威信受到影響，這次會議是1973年8月24日至28日召開的。[79]毛澤東堅持提前召開此次會議，因為根據黨章本次會議本應該再等一年：他想消除林彪作為他的繼任者的所有信息，並立即停止對林彪進行批判時出現的右傾錯誤。1,249名代表們是匆匆指定的，有些上海工人代表接到被委任為代表的電話時尚未獲得批准入黨。其中一人甚至得了個綽號「濕褲子代表」，因為他只有一條褲子，前一天洗的褲子沒有乾就拿來穿上了。不過準備工作提前了很久。[80]政治報告由周恩來閱讀過，是張春橋執筆的，並得到了毛澤東的批准：這是正常的過程。毛澤東從5月份開始便定下了思路：「我們怎麼能說文革是一個失敗呢？文革打倒了劉少奇集團和林彪集團。這是一個偉大的勝利：沒有文革，怎麼會有人揭露打倒劉和林？」贏了兩個內定的接班人，多麼苦澀的勝利！毋庸置疑，十大的報告是為「文化大革命」辯護和揚名的：這份報告，或者更確切地說，執筆的人把林彪打成右派，幾乎沒有對經濟形勢的分析。另外，這份報告還列出了「文革」期間的「社會主義新生事物」，稱讚「赤腳醫生」的作用，這些匆忙間培訓出來的醫務人員分布在各個村莊，在普及衛生知識的同時也濫用抗生素。這份報告也同樣以江西勞動大學為例，讚揚了「高等教育向工人和農民開放」，勞動大學實現了長期教育和實踐培訓，同時取消了所有理論教育的教學內容。[81]這份報告還列舉了其他成功經驗，例如《紅色娘子軍》等革命歌劇，儘管精彩的打鬥和借用經典的方法無法掩蓋歌劇劇本的貧乏。最後，更令人驚訝的是，這份報告補充稱讚了五七幹校和「知青」下放。在最後這一點上，毛澤東堅持

在十大前夕召開了一次工作大會，從6月22日至8月7日，由華國鋒主持，工作會議決定改善接待「知青」的條件。[82] 提交這樣一份平庸的報告作為這些可怕年份的工作結果，可能是周恩來的靈活，因為他的對手們不能反駁他，而事實自己會説話。從中得出的結論絕不是「文化大革命」的勝利。王洪文作了彙報，回顧黨章的修訂，林彪作為毛澤東接班人的印記被消除了。最重要的是，他在報告中提到一個革命者必須「反潮流」，與紅衛兵運動時著名「造反有理」的口號相呼應。另外，他還提到在不久的將來會發動其他「文化大革命」，周恩來引用毛澤東的話只説「很可能」。「左」派對大會的壓力還體現在中央政治局七名常委[83]中，毛澤東、三個極左派（王洪文、張春橋、康生）、一個快速升遷的軍官（李德生），只有周恩來和葉劍英是溫和派的代表。江青和姚文元沒有進入中央政治局，吳德、倪志富和華國鋒進入了中央政治局。鄧小平還得再等待數月，權力的大門需要他提供新的證明。中央政治局的軍方代表從九大的43%減少到30%，幹部從29%增加至33%。群眾代表從28%增加到37%，工人的比例很高。不過人們將聶元梓等無法控制的「造反派」排除在中央政治局外，而是選了倪志富、勞動模範上海紡織女工吳桂賢，以及陳永貴，這個精明的農民根據當時的政策低調處理大寨的模式。196名中央委員和124名候補委員中有40名委員和9名候補委員（15.31%）是「文革」的受害者。其中13人是前中央政治局成員，受過紅衛兵批鬥。毛澤東並沒有參與討論，出現了幾次。當周恩來説列寧主義的原則仍然是中國建設社會主義的基礎時[84]，他説：「啊，這是對的。」他戴着氧氣罩，坐着輪椅離開。王洪文代其投票。雖然毛澤東仍然是中國的太陽，但他已經是夕陽了。

　　然而，他沒有鬆手。1973年6月22日，他會見馬里總統穆薩・特拉奧雷，後者問他何時結束「文化大革命」，他回答說「還有一點尾巴」[85]：中共十大給了他方法。1973年11月至12月，一些跡象讓人以為第二次「文化大革命」逼近了。

「批林批孔」

　　和1966年一樣，「批林批孔」也始於首都的大學校園，是由嚴酷的大學入學考試造成的。1973年6月30日，在遼寧的大學入學考試中，一個叫張鐵生的人交了白卷，並在試卷背面寫着因為繁重的農田勞動，他不可能複習。[86]毛澤東的侄子毛遠新注意到他，將這封信在7月17日的《遼寧日報》和8月10日的《人民日報》上發表：極左派控制的報紙網絡再次證明了它的有效性。9月，張鐵生被鐵嶺農學院特招為大學生，因為「反潮流」成了「國民英雄」，引起競相仿傚。大家還對大學錄取和畢業分配過程中「走後門」議論紛紛。不久，一個新的話題出現了：林彪不是「左」派，而是受思想家孔子和孟子啟發的右派。毛澤東曾於3月和7月兩次談到林彪和孔子思想之間的相似性。特別是8月7日的《人民日報》發表了一個叫楊榮國的人的一篇文章，認為孔子主張恢復奴隸制。[87]這位大學教授認為應該批評林彪和孔子，即「批林批孔」。在這次辯論中，「左」派理論家聲稱延續了「法家」的傳統對抗儒家，為殘暴迫害學者的秦始皇辯護：毛澤東8月5日給江青的一首詩中批評郭沫若對秦始皇的批判。[88]9月中旬，江青慫恿她的親信遲群和謝靜宜[89]聯合北大清華的32位教師每月發表「北京大學、清華大學大批判組」署名為「梁效」撰寫的文章。1973年11

月至12月的這股「反右傾回潮」重新激起了瘋狂年代囂張的氣焰：為了懲罰捲入白卷事件的600名教師，突然讓他們參加一場政治知識考試，90%的人不及格！這股風潮在很大程度上是由江青引起的，她尋求到哲學家馮友蘭等想要重獲青睞的「資產階級知識分子」的幫助。楊國榮陶醉於他全新的名望，在報紙上發表了一份調查林彪的「老窩」毛家灣的新報告。他在那裏找到了「法西斯政變的物資」，把牆壁上孔子和孟子的格言拍下來作為證據。馮友蘭[90]陪同江青去天津，並送她一首詩，結尾是「則天[91]敢於作皇帝，亙古中華一女雄」。「梁效」準備了題為〈林彪與孔孟之道〉的文章，1974年1月12日，江青和王洪文把這篇文章給毛澤東看。

1973年11月10日到14日亨利・基辛格第六次訪問北京期間，毛澤東和周恩來自夏天開始的緊張關係更加惡化。11月12日，毛澤東與基辛格討論了近三個小時，思維活躍。除了深層次的分歧，讓毛澤東不快的是周恩來在美國安全事務助理的來訪中所扮演的角色：在基辛格的七次來訪中，有六次和周恩來舉行了面談。13日周恩來和基辛格的會談一直持續到午夜，沒有人認為有必要提醒毛澤東。後者嫉妒他的總理，擔心被邊緣化，表現出一如既往的不公正和殘酷：11月17日，他在政治局會議上指責周恩來投降美帝國主義和偏離官方路線。[92]周恩來立即做了兩次自我批評，均被毛澤東拒絕。江青指責總理是「右傾投降主義」。11月21日到12月5日，江青加強了攻擊：她指責周恩來把外交部變成了「獨立王國」，想取代毛澤東。她談到第十一次路線鬥爭，第十次導致林彪的垮台，第九次導致劉少奇下台。中央政治局的很多成員先後參加這場殺戮。鄧小平做了同樣的事情，這為他贏得了與毛澤東的長時間談話，毛澤東

顯得很滿意。一個由江青、王洪文、張春橋、姚文元——未來的「四人幫」——加上華國鋒、汪東興組成的「六人小組」被指定「幫助周恩來」。然而，12月9日，毛澤東為這場「遊戲」降了溫：他不認為外交部是「獨立王國」，也不認為周恩來要「篡奪」他的位置。因此，這並不是「第十一次路線鬥爭」。不過，針對總理的其他攻擊已經形成：周恩來因此提交了一份新的自我批評。計劃三個小時的自我批評持續了七個小時，開了三次會。12月中旬，毛澤東接待尼泊爾國王的時候，周恩來只能坐在椅子上，而前幾次與外國客人會面時，他都坐在扶手沙發上：毛澤東讓周恩來回到了原來的位置上。[93]

「左」派的無力

另外，事情似乎很緊迫：1973年12月29日，王洪文宣布毛澤東要推動一次新的「反修」鬥爭。事實上，1974年三大全國性日報的新年獻詞基調都非常激進。1月18日，毛澤東接受了「梁效」批判林彪和孔子的文章。1月24日，召開駐京部隊會議，25日，召開一萬多名黨的積極分子會議，26日，召開主要部委員工和幹部會議，27日，召開中央黨校工作人員和學生會議，以及解放軍政治幹部會議。25日和27日兩次會議讓江青感受到和「文化大革命」那段「最美的歲月」同樣的熱烈：在27日會議上她隨口提問一位解放軍總政治部副主任關於《共產黨宣言》的問題，因對答案不滿意，命人摘下了他的領章和帽徽。周恩來、汪東興、華國鋒和「四人幫」組成了一個「批林批孔運動七人小組」。不久加入了一個「中央軍委六人小組」以促進在解放軍中進行同一運動，這個小組包括鄧小平、葉劍英、張

春橋、王洪文、陳錫聯和蘇振華。[94]這個組織類似於「中央文革小組」以及1966年解放軍負責同樣運動時的小組。我們甚至可以認為，1974年12月至1975年1月鄧小平的崛起在毛澤東看來並不是為了平衡激進的潮流，而是作為確保解放軍參與運動的一個補充，像曾經的林彪一樣：毛澤東欣賞鄧小平有軍事(武)和文職(文)的才華。1973年12月12日，毛澤東恢復了鄧小平的中央政治局職位，21日，恢復中央軍委職位，負責八大軍區司令的對換工作。隨後，中央軍委發布了八大軍區領導人之間的調動命令：此舉切斷了八大軍區司令和當地各種社會和政治力量的聯繫。他們有些類似於過去的「軍閥」，曾經在其區域內編織了各種關係。這樣一來，毛澤東能夠更緊密地控制他們。陳錫聯成為政治上最重要的軍區即北京軍區的司令。因為鄧小平過去擔任過政委，得到將領們的信任，所以完美地完成了任務。因此，1974年3月，毛澤東任命他為中國代表團團長，去紐約聯合國總部參加一週後的會議，在那裏鄧小平第一次向世界介紹了「三個世界」的理論。江青、姚文元和張春橋對這項決定感到憤怒，沒有出席4月2日的政治局會議。

但是，沒有任何問題得到解決。毛澤東批評江青不經過他的同意使用文件[95]，要求她減少對「走後門」的批評，因為毛認為「開後門來的也有好人，從前門來的也有壞人」。但在1974年的頭幾個月，他為江青受到的批評辯護。[96]1973年12月底，他要求侄子毛遠新重讀他在延安整風運動中寫的關於經驗主義和教條主義的九篇論文，其中兩篇點了周恩來的名，這是鼓勵將「批林批孔」運動變成一場反對周恩來的運動。但在1974年的前六個月，他見了總理九次，並且不允許發布「梁效」新的彙編，將運動的真正目標明朗化。

　　事實上，毛澤東很快意識到自己親自發動的這場運動在群眾中缺乏支持。這次運動在數個月的時間裏發展，4月份達到最高峰，之後發展緩慢並開始出現偏差。江青的笨拙最終引起了毛澤東的不滿：5月5日，她提到在參謀部「奪取政權」，引起很多不好的回憶。4月，一些大字報攻擊三十多名軍隊的高級將領，其中包括七個軍區的司令和六個地區領導人，包括黨的副主席和政治局常委李德生：這是一種混亂的兆頭。另外，2月和8月間在12個省份發生了騷亂，最嚴重的爆發在江西和浙江：因為林彪垮台受到牽連的極左派攻擊取代他們的負責人是「復辟孔夫子的反動派」。各地出現集會，黨的書記被批鬥，「坐飛機」。各地工人利用這種混亂的情況提出自己的要求：的確，儘管1971年7月的工資增加了18%，但工人的生活水平還達不到1957年的標準。因此工廠中的「批林批孔」採用了反對「小頭頭」的形式，反對這一兩年來他們為了恢復紀律，提高工作效率採取的措施。上海五號碼頭的工人貼大字報譴責「噸位奴隸制」，得到了冶金機床廠的回應。1974年6月開始杭州敵對團體之間的衝突導致絲綢工廠的罷工浪潮：孔子成為製造罷工的搗亂分子！1974年7月毛澤東批准的一個通知承認各地工廠都出現混亂，礦山停工，鐵路運輸困難，譴責「工人的不合理要求」。

　　1974年7月17日，毛澤東在他主持的一次政治局會議上[97]説需要秩序和穩定，這就意味着「批林批孔」的結束。8月在北京召開的各大軍區司令員、政治委員會議，傳達了毛澤東的指示[98]：「有些人犯了錯誤，揭露他們這是好事。要實行懲前毖後、治病救人的方針。一棍子打死就不好。允許人家改正錯誤嘛，要給人家機會！這些人做自我批判，要讓他們講完，結束時要鼓掌。無產階級文化大

革命，已經八年。現在，以安定為好。全黨全軍要團結。」7月17日，毛澤東對過度挑戰他神經的江青說：「不要設兩個工廠，一個叫鋼鐵工廠[99]，一個叫帽子工廠，動不動就給人戴大帽子。[100]」毛澤東轉向會眾對所有人說：「她並不代表我，她代表她自己……總而言之，她代表她自己。」他最後總結說：「要注意呢，別人對你有意見，不要搞成四人小宗派呢！」

事實上，這場運動只不過是一場政治鬧劇，毛澤東為自己發動的運動畫上一個句號，宣告毛澤東主義的耗竭。

毛澤東主義的耗竭（1974-1976）

事實上，到此時為止，毛澤東主義區別於斯大林主義的原創性是增加了定期的群眾運動，動員群眾反對體制和模仿蘇聯模式的誇張的領袖崇拜。自1949年以來，出現了一系列的風暴，意識形態的風掀起了來自社會深處的浪潮。土地革命的基礎是眾多苦難的農民。1955年至1956年的土地和大型生產工具集體化和交換雖然少了協商，但得到了最貧窮的農民、苦力、工人甚至讚賞其合理性的知識分子的支持。「大躍進」讓整個國家夢想從此擺脫饑餓的恐懼。在「大躍進」遇到可怕的失敗後，數千萬中國人在「文化大革命」中找到為這場災難遭受的痛苦向幹部們報仇的機會，毛澤東把黨的幹部們交給他們處置。但這已經是一個更加困難的練習——毛澤東是弓箭手，共產黨是靶子，鼓勵群眾向黨「造反」，但這樣的瞄準是具有挑戰性的，因為他不能匆忙中讓整個政治—意識形態的建築被推倒，毛澤東是這個建築中的最高領袖。斯拉維奇・齊澤克在一封給阿

蘭‧巴迪烏的信中認為「『文化大革命』是一個悖論」，他將其定義為
「極端專制與極端群眾解放相疊加」。[101] 其實，它不是一個悖論，而
是一個真正的難題，唯一真正的解決辦法是領袖操縱群眾，將表面
上的解放變成完全的奴役。「批林批孔」運動改了方向，只能從工人
們爭取自己的階級目的和某些知識分子需要民主的社會主義[102]當中
獲得活力：毛澤東主義的機器離開其中軸線後無法運行。毛澤東主
義長期痛苦的沒落從毛澤東生前就開始了，他對退居二線的恐慌和
經濟的惡化都需要管理者的回歸。

　　1974年7月17日，毛澤東乘專列離開北京去武漢。他在東湖客
舍一直住到10月中旬，然後去了長沙，四個月後去杭州，從1975年
2月初至4月中旬一直在杭州休息。最後他回到北京，直到去世沒有
再離開北京。[103]這次長時間的外出是毛澤東的噩夢：他的右側癱瘓
逐漸地加重，走路時像走在高蹺上。他越來越頻繁地需要呼吸輔
助。當他在長沙想在游泳池游泳時差點溺水。從1975年秋天開始，
他的講話變得幾乎不可理解，只有張玉鳳學會了讀他的唇語，翻譯
他的咕嚕。有時他寫幾個潦草的字補充這種不可靠的交流。他每天
只清醒幾個小時，但仍然堅持接待外賓：1975年7月會見泰國總理
克立時，他說每個來見過他的人回國後很快就倒台了：尼克松、田
中角榮、惠特拉姆、希思、蘇加諾、西哈努克[104]都被或多或少粗暴
地趕下台。克立後來回憶那次會面，為我們描述了一個下頜抖動、
走路需要人攙扶、手臂抽搐的毛澤東，他好像一位行動不便的老爺
爺。1974年7月醫生下的診斷是毛澤東患有盧伽雷氏症，可怕的肌
萎縮性脊髓側索硬化症。這種病症是無法治愈的，他只剩兩年的生
命。1975年1月毛澤東終於同意接受全面的身體檢查，2月5日六名

醫生給中共中央政治局的報告確定了這一點[105]：毛澤東患有盧伽雷氏症，兩隻眼睛都患有白內障，還有冠狀動脈慢性疾病、兩肺下葉感染、腦缺氧[106]。由於他拒絕鼻導管插入術，只好靠左側躺，往失去活動力的喉嚨裏灌入雞肉羹，打氨基酸和葡萄糖針。在這種整個身體機能長年低下的狀態下，唯一的改進是1975年7月右眼接受了白內障手術，同年10月左眼進行了白內障手術。但是，毛澤東拒絕手術採用全身麻醉，需要使用傳統穿孔的方法，他不再失明，但視力模糊，閱讀幾乎是不可能的。除了他的護士和張玉鳳，在他的身邊現在還有一位朗讀者。

毛澤東清楚地意識到他站在死亡的入口處。1975年他對護士吳旭君[107]說他死的時候，不要在他跟前。[108]吳旭君建議不要說不吉利的話。毛澤東的話帶着令人毛骨悚然的幽默色彩：「我在世時吃魚比較多，我死後把我火化，骨灰撒到長江裏餵魚。你就對魚說：魚兒呀，毛澤東給你們賠不是來了。他生前吃了你們，現在你們吃他吧！」接着，他討論了未來的葬禮：「同志們，今天我們這個大會是個勝利的大會。毛澤東死了。我們大家來慶祝辯證法的勝利。他死得好。如果不死人，從孔夫子到現在地球就裝不下了，新陳代謝嘛！……這是事物發展的規律。」雖然他完全有意識，但這種狀態的領導人，還有怎樣的政治影響力呢？何況大約在同一時間，他的助手周恩來癌細胞擴散，1974年6月1日住進305醫院，除了非常罕見的情況[109]，再也沒有離開過醫院。1月13日，總理在人民大會堂舉行的第四屆全國人民代表大會上做了他最後的、非常簡短的報告。他像一個蒼白的幽靈一直主持中央政治局的工作直到1975年春天。至於毛澤東，他越來越依賴最親近的人做的關於政治局勢的報告。

他最後一次乘火車去南部的旅程中，陪同的鄧小平和李先念的作用相當大，而政治地位較低的「兩位小姐」——唐聞生和王海容很難介入談話。當毛澤東回到北京後，這個內部的圈子縮小為張玉鳳、吳旭君、「兩位小姐」[110]，並且毛澤東越來越多地倚重他的侄子毛遠新，1975年10月毛遠新遷入中南海居住。這個圈子的基調是「左」派，對周恩來和鄧小平充滿敵意，這一點從1975年秋天毛澤東和毛遠新之間的談話中可以看出。[111] 1974年3月20日，毛澤東把惹怒他的江青趕出了這個圈子：「不見還好些。過去多年同你談的，你有好些不執行，多見何益？有馬列的書在，有我的書在，你就是不研究。」[112]因此，江青在1975年夏天搬離中南海，住到了釣魚台。這樣導致了一種比較奇怪的情況：偌大的中國由鄧小平領導，毛澤東一直懷疑鄧小平再次「走資本主義道路」，還有王洪文，杭州的罷工事件表明了他不善管理。[113]中國的政治生活最終取決於一位肢體不便、幾乎失明的主席越來越令人聽不懂的講話，他擁有沒有限制、不受控制的一票否決權，而事實上他正失去與現實世界的聯繫。

鄧小平脆弱的復出

經濟情況令人擔憂，城市裏的社會局勢越來越緊張。只有管理者才能化解最嚴重的危機：管理者是鄧小平，而不是王洪文。1975年7月19日，王洪文派部隊佔領了杭州發生罷工的四個絲織廠，將重要的領導人投入監獄，而其中有一些曾經是王洪文的親信。4月底，李先念恢復了列車的正常運行，幾個月來反覆的罷工使列車的運行陷入癱瘓：在「批林批孔」運動過程中出現的11,700名獨立工會領袖被逮捕，3,000人被判勞改，85人因為破壞活動被執行死刑。

1975年6月，鞍山鋼鐵廠的鋼鐵生產量與目標相比延誤了四十萬噸：這與「批林批孔」中反對不平等工資和獎金的運動有關，毛遠新扮演了重要的角色。1975年年底，情況有所好轉：1974年年底發射衛星失敗，負責這一活動的七機部也負責導彈建設，1975年年底成功發射了四顆衛星。在文革開始時受到聶元梓和北大紅衛兵攻擊的路平再度擔任部長。

在這種困難的情況下，鄧小平在1975年短暫地回歸權力的巔峰：毛澤東需要一些管理者來取代進入癌症晚期的周恩來，但需要他們的時間不長。局勢恢復以後，他準備重新發動製造烏托邦的機器：像1962年秋天一樣。事實上，他無法任由別人將這種臨時的路線修正解釋為不同於他的政治路線的另一種政治路線。他把看起來像是投機的行為用哲學術語表達出來，像1964年10月在「一分為二」的意識形態衝突中所做的一樣[114]：他拒絕否定之否定的概念，雖然恩格斯認為否定之否定是馬克思主義辯證法的基本規律。因為毛澤東相信「事件鏈中的每一個環節既是肯定也是否定」，不存在辯證的合成。因此，毛澤東既支持務實派又支持他們的對手，先後支持他們，但時間不長。

我們可以把這些混亂的年月分為三個階段。[115]第一階段從1974年至1975年5月，鄧小平擊退了企圖阻止他復出的極左派。第二階段從1975年6月至11月，他試圖通過整頓鞏固他的成功。在此期間，極左派受到毛澤東的推動，但同時毛澤東還支持務實派。在第三個階段，毛澤東放棄了再次皈依了「修正主義異端」的鄧小平，1975年年底鄧小平被邊緣化，1976年春天被放逐。不過毛澤東並沒有將「四人幫」全部安置在重要崗位上。

1974年10月4日，鄧小平回到政治局之後被毛澤東提議出任國

務院第一副總理，1975年1月5日，他被任命為解放軍總參謀長。江青和張春橋準備了一次反擊。[116] 他們相信在「風慶」輪事件中找到了機會。這艘船是上海江南造船廠完全使用中國技術建造的。然而在1974年5月至9月的處女遠航中，登上「風慶」輪的交通部工程師對輪船的性能不滿意，得出這樣的結論：最好是和以前一樣購買這種類型的外國船隻。消息泄露後，上海的極左報紙（沒有其他報紙！）怒斥面對外國技術的奴性。江青在10月14日作出反應：她猛烈批評交通部。周恩來和鄧小平知道這是針對他們的，所以保持沉默。[117] 江青在10月17日政治局一次會議上讓鄧小平表態，鄧小平謹慎地說他需要更多的信息來回答。江青進而撒潑，一陣攻擊、謾罵。忍無可忍的鄧小平憤然起身，離開會場，拂袖而去。主持會議的王洪文結束了混亂的會議。當天晚上，江青和「上海小組」的其他三個領導在釣魚台見面，決定派王洪文到長沙見毛澤東。10月18日，王洪文見到了毛澤東。[118] 他誣告醫院病床上的周恩來與鄧小平、葉劍英密謀，說鄧小平很「傲慢」，提到1970年的廬山會議，並確定1975年1月份四屆人大會議上會有一次「突然襲擊」。毛澤東很反感，打斷王洪文，要求他與鄧小平當面談，並與周恩來和葉劍英討論，要注意江青。王洪文向他保證他已經反對江青了，毛澤東輕蔑地笑了：「甚麼？你？對她使臉色？」然後把他打發走了。[119] 毛澤東批評王洪文沒有諮詢政治局的其他成員就來見自己，威脅到團結和穩定，這是此時他優先考慮的。王洪文顯然錯誤地認為否定「修正主義」就是革命。

王洪文慘敗後，江青、姚文元和張春橋紛紛來見周恩來。周恩來和王洪文見了三次面，10月28日他接受了王洪文與毛澤東見面後的自我批評。10月18日，江青將「風慶」輪事件比作1967年的「二月

逆流」。那一天，周恩來把所有的責任推給江青，同時讚揚鄧小平的耐心，並讓大家不要打擾主席休養。10月20日，毛澤東在長沙接見了鄧小平：他故意讓「兩位小姐」說起10月17日的事件。毛澤東對江青很生氣，說她「做一些無聊的事」。他讓鄧小平安心做他的新工作，讓周恩來和王洪文為四屆人大會議準備一份報告。11月12日，毛澤東在長沙第二次接見了鄧小平。鄧小平對毛澤東的意圖有一半肯定，準備入職解放軍總參謀部，他知道自己在那裏是絕對安全的，不應該過於小心。同日，毛澤東給江青寫了一個新的警告：「不要多露面，不要批文件，不要由你組閣（當後台老闆），你積怨甚多……」[120]

長沙的風波

　　1974年12月21日的政治局會議上，江青四次提議在人大上任命張春橋為總理，任命她的部屬們為部長，均遭到失敗。12月23日，周恩來和王洪文乘坐不同的飛機赴長沙面見毛澤東討論四屆人大。12月23日和27日之間，毛澤東見了他們四次。26日是他的81歲生日，毛澤東談了四個小時，疲憊不堪，話也說不清了。會面結束時，他在周恩來的幫助下，困難地寫了幾個扭曲的字。在這次會面中，他說王洪文沒有鄧小平那樣的政治才華，鄧小平「政治思想強，人才難得」。他希望鄧小平被確認為第一副總理、第一軍委副主席和解放軍總參謀長。而張春橋成為國務院第二副總理、解放軍總政治部主任，這使他處於從屬鄧小平的地位。毛澤東也給四屆人大提出的重新啟動「四個現代化」開了綠燈，批准了周恩來提出的部長提

名，並增加了三個指示：一是，學習和理解無產階級專政的理論；二是，確保維護安定團結；三是，鼓勵經濟發展。[121]

1975年1月13日至17日，第四屆全國人民代表大會召開。1月8日至10日，中共中央十屆二中全會召開。我和大多數漢學家一樣，不認同泰偉斯輕視這次會議的重要性的做法，這次會議是管理者和務實派反對唯意志論者和「左」派的一次相對勝利。[122] 1月13日，周恩來離開病房，在開幕報告中提到「文化大革命的偉大勝利」，這是一種儀式，但壓縮為一系列的「社會主義新事物」，其中包括江青提出的革命歌劇，這無疑是一種黑色幽默的形式。當然還任命了一些「左」派理論家們，但他們仍然局限在文化和新聞領域，而「文革」受害者加速復出，鞏固了鄧小平的朋友們在部隊和國家中的地位。我們發現楊成武、胡喬木、陳丕顯、周揚重新擔任職務。特別是重新提出四個現代化，即工業現代化、農業現代化、科技現代化、國防現代化，體現出自1957年以來中國的落後和實行另一種政策的緊迫性。當然，周恩來類似於遺言的報告伴隨着他的自我批評 —— 又多了一次 —— 1月9日，他打電話給毛澤東做了自我批評，隨後的2月1日在國務院會議上又做了一次[123]。無論如何，逄先知和金沖及強調在這次會議中「四人幫格外沮喪」[124]，這次會議促進了社會基層民眾力量的緩慢發展，逐漸動搖了毛澤東主義的基礎。這種力量雖然還不能公開，但已強大到足以阻止新的毛澤東主義的動員。接下來的半年證實毛澤東主義像它的締造者一樣已經氣喘吁吁。

事實上，由於缺乏民眾的支持，兩次「左」派運動在很短的時間內流產了。1975年2月下旬，張春橋和姚文元根據毛澤東的三個指示中的第一個指示，在《人民日報》上發表了一系列文章，挑選了馬

克思、恩格斯和列寧關於無產階級專政的33條語錄。這些文章成了政治局討論的對象，因為《毛澤東選集》中的語錄有時候互相矛盾，尤其是涉及一個「新的資產階級在社會主義條件下長期存在」，保持一定的「資產階級法權」和「八級工資有利於資本主義復辟」這些問題時。3月份，姚文元發表了一篇文章〈論林彪反黨集團的社會基礎〉。4月1日，張春橋發表了一篇迂腐的文章，題為〈論對資產階級的全面專政〉，甚麼用也沒有。此類老生常談的講話不靈了，因為它們經常伴隨着災難和葬禮。另一個流產的運動開始於4月20日，姚文元送了一份關於經驗主義的報告給毛澤東，大量參考了1959年毛澤東在「彭德懷事件」時寫的〈經驗主義還是馬克思列寧主義〉。姚文元和他的政治同伴在這個概念的背後針對的是周恩來、鄧小平和李先念等元老，認為他們仗着經驗危害理論，為右傾鋪路。最早的爭辯在幾個星期前就開始了。鄧小平迅速作出反應：4月18日，毛澤東會見金日成，讓鄧小平參加。他向金日成介紹鄧小平不僅「能打仗」，更是「反修戰士」。受到這些話的鼓舞，鄧小平在會議結束的時候向毛澤東抱怨自己被指控為「經驗主義者」[125]。4月23日，毛澤東批評了姚文元的文章 —— 這大大出乎「左」派的意料 —— 暗示這個蹩腳的文人和他的朋友們是無知自大的教條主義者[126]：「提法似應提反對修正主義，包括反對經驗主義和教條主義，二者都是修正馬列主義的，不要只提一項，放過另一項……我黨真懂馬列的不多，有些人自以為懂了，其實不大懂，自以為是，動不動就訓人，這也是不懂馬列的一種表現。」得到這個意外的支持後，鄧小平和葉劍英在4月27日政治局會議上引用毛澤東的話批判江青和張春橋 —— 姚文元只不過是一個微不足道的小卒：權威人物已經說話了。

　　5月至6月，鄧小平認為已經贏了這盤棋：進入復出後的第二階段。1975年5月3日，毛澤東來參加政治局會議，他一直討厭政治局開會。這將是他最後一次這樣做。[127]他受到周恩來熱情的歡迎，周恩來說起自己的三次手術，但未能引起他的注意，他像君主一樣祝賀一些得到晉升的人，批判江青，提醒住在釣魚台的紀登奎，建議他不要加入「四人幫」，變成「五人幫」，批評目前的「左」傾宗派主義和分裂主義，不能「和二百多的中央委員搞團結」，並稱讚陳永貴那封信，後者在信中要求回到大寨，不願意花費40%的時間在北京開會。然而，毛澤東對「四人幫」的批評沒有導致任何對其成員的懲罰。更糟糕的是，他認為這些錯誤可能會持續幾個月，甚至幾年，從而最大限度地減少其嚴重程度，並乾巴巴地回顧對周恩來說過的反對「右傾機會主義」的「三要三不要」問題：「要搞馬列主義，不要搞修正主義；要團結，不要分裂；要光明正大，不要搞陰謀詭計。」毛澤東總是將肯定和否定相結合。因此，鄧小平非常謹慎地維護着他的成功，以免惹怒毛澤東。5月27日和6月3日，鄧主持了兩次中央政治局會議，旨在「幫助江青和她的盟友糾正錯誤」，不要「搞四人幫」，同時確保嚴格遵守毛澤東的講話。[128]鄧小平的女兒說這些會議是「兩軍之間的衝突」[129]：這是一個被誤導的真相。事實上，鄧小平、葉劍英和李先念避免對他們的對手進行任何人身攻擊，並批評劃分派別可能破壞黨的團結。6月28日，江青第一個做自我批評，之後是張春橋和姚文元。王洪文在12月底做了自我批評。三個月來，四個人避免見面。為了取悦毛澤東，鄧小平見了江青，會面是冷冰冰的。6月7日，毛澤東對鄧小平的態度感到滿意，接見了他，並說了一些話消除他的疑慮[130]：「過去有功勞，反劉少奇，反林彪。

現在就不行了，反總理，反鄧小平，反葉帥，反陳錫聯。政治局風向轉了，小平，你要把工作幹起來。木秀於林，風必摧之。」

鄧小平已經得到了預報：風暴無法避免，風雨來臨的時候鄧小平只能依靠自己。7月2日，他從王洪文的手中接過管理黨日常事務的職責[131]，7月4日他決定「振興經濟」，這正是毛澤東1974年12月的要求[132]，「以三項指示為綱」。因此，不再以政治和階級鬥爭為綱。鄧小平讓胡喬木領導國務院政治研究辦公室，該辦公室成為他的思想實驗室，坐落在中南海內，有40個秘書，負責編制《毛澤東選集》第五卷和最近的政策出版物。鄧小平和胡喬木沒有招任何「左」派。這個辦公室的領導編寫了三個關鍵報告。[133] 8月18日的報告題為〈關於加快工業發展的若干問題〉，由國家計委起草，譴責「壞分子藉口與反革命作鬥爭」破壞生產和影響質量。當時的情況嚴峻，而且「左」派把有些建議看作挑釁：重建物質激勵制度，發展研究事業，進口國外技術。9月26日，胡耀邦和胡喬木發布了一份〈科學院工作彙報提綱〉，這是第五個版本，提出高等教育和科研水平的棘手問題。最後，10月中旬，鄧力群[134]統稿改定〈論全黨全國各項工作的總綱〉，大量援引毛澤東語錄，特別是1942年12月20日的文章〈經濟問題與財政問題〉，毛澤東在文中批評「教條主義者」低估生產力的作用。[135]這次總的整頓是在規章方面對「左」派的打擊。〈總綱〉是這樣說的：「我們一些同志……總是……把革命和生產互相割裂開來……那種認為，抓好革命，生產自然會上去，用不着花氣力去抓生產的看法，只有沉醉在點石成金一類童話中的人才會相信。」出乎鄧小平的意料，這最後一篇文章激怒了毛澤東，鄧小平因為自信可能故意越了界。[136]特別是其中一句用粗體印刷的語錄提到科學和技

術是生產力。鄧小平引用了其真正的作者馬克思的話，從而揭示了主席在馬克思主義知識方面的不足，而毛澤東並不承認這一點。

鄧小平最後的恥辱

事實上，這一事件被嫁接到針對周恩來的新一輪進攻中。1975年9月15日至10月19日先後在大寨和北京召開「農業學大寨」的全國會議，有3,700名代表參加。9月15日，江青作了講話，她譴責農村資本主義的再現，同時讚揚1958年夏天公社的平等經驗。相反，鄧小平回憶了自己在1961年至1962年採取的幫助農民的措施，多次被江青打斷。會議期間後者轉述了最近毛澤東對著名的古典小説《水滸傳》的讚許[137]。傳統的看法是這本書描寫農民反對「封建主義的壓迫」的鬥爭，梁山泊的一百單八將是伸張正義的強盜：8月13日，毛澤東痛斥「叛徒宋江」「投降」敵人首領。毛澤東在兩次白內障手術前幾乎看不見，幾個月來由一位北大的中文系助教盧荻為他侍讀。在盧荻的陪伴下，他再一次聽了這些少年時期就喜愛的故事。有兩件事情讓他震驚，先前沒有引起他的注意：(1) 第一任山賊首領「托塔天王」晁蓋[138]是個小鄉紳，醉心武藝，但被「呼保義」宋江架空，中毒箭身亡後，宋江取而代之。(2) 最後就是這個宋江歸順了皇帝和舊有的既定秩序。[139]現在他發現這個先例適用於總理周恩來：他和宋江一樣，試圖操縱毛澤東，在毛死後背叛革命，復辟資本主義。8月28日的《紅旗》和9月4日的《人民日報》刊登了奴顏婢膝的姚文元的文章，對這個假設不加掩飾。也許他希望再製造一個海瑞事件。日益病重的周恩來很重視這次拙劣的花招，於是出現了悲慘的一幕：

9月20日，當他躺在手術車上第四次也是最後一次上手術台的時候，總理當着他的妻子和前來的政治局委員的面悲愴地喊道：「我是忠於黨和人民的，我不是投降派！告訴毛主席！」同時，鄧小平也躲避對他的打擊，在大寨會議結束後，他支持華國鋒的建議，逐步誇大大寨模式，將計算工分的大隊在三年內由6.4%提高到總數的9.7%：這是兩害相權，取其輕。然後，他向毛澤東抱怨江青的行為。[140]毛澤東說她說的不過是廢話。[141]9月21日毛澤東會見英國前首相希思（Edward Heath），24日，會見越南北部領導人黎筍（Lê Duân），鄧小平在會見中都很活躍：他甚至出現在毛澤東、汪東興和醫療隊一起拍的照片上。10月19日至23日基辛格訪華期間，鄧小平甚至敢挖苦美國在東亞的政策是準備建立「亞洲的慕尼黑」。他這麼說不是為了惹毛澤東不高興，他仍然相信毛澤東。這種對「左」派的新攻勢特別曲折，但是失敗了。

10月中旬至11月初，毛澤東和鄧小平之間的緊張關係升級。江青看出毛澤東對鄧小平提出的三份報告不滿意，火上澆油地說這是「三株大毒草」，是「資本主義復辟的宣言」。兩個新的因素使這一次的進攻取得了勝利。

首先是主席的侄子毛遠新的影響力越來越大。所有人都注意到1975年秋毛澤東的健康狀況迅速惡化。基辛格10月訪華和福特總統12月訪華期間，他雖然能清晰地講兩個小時話，但一舉一動必須讓身邊人幫忙。他看不清楚，說不出話，寫一些讓人幾乎看不懂的紙條，毛澤東只有通過別人保持與世界的聯繫。這些人包括他的「私人秘書」、能讀懂他的唇語的張玉鳳，以及三四個護士，其中有來自空軍的孟錦雲、他的英語老師章含之（外交部長喬冠華優雅的妻子，

江青的朋友）。在這個小圈子裏，只有1975年9月27日加入的毛遠新起了一些政治作用。離開瀋陽到北京定居的那一天，他重新開始學習「文化大革命」前夕他的伯父跟他的談話。然而，從10月10日起，這個叫江青「媽媽」的年輕「左」派幹部就開始負責主席和政治局之間的聯繫。因此，他的身份是主席的發言人。1975年9月27日至11月2日，毛澤東和他的姪子之間的討論內容幾乎都記錄得很清楚[142]：毛遠新無情地批評鄧小平發展兩大主題的政策。第一是屈服於國外的危險性，他舉了1973年石油危機的負面影響為例。第二是鄧小平堅持優先發展生產力。鄧小平以1974年12月毛澤東提出的「三項指示為綱」，毛遠新說鄧小平故意掩蓋「階級鬥爭為綱」，是為「扭轉文化大革命本身的正面評價」。11月15日，王洪文回到北京，並加入了主席的內部圈子。1975年12月26日毛澤東生日，江青和「兩位小姐」都參加了。「左」派的氛圍如此濃厚，只能讓長期臥床不起的主席釋放出最猛烈的影響力。

第二個促成鄧小平再次被打倒的因素是劉冰事件。[143] 劉冰是清華大學黨委第一副書記，曾經受過紅衛兵的虐待。1975年8月13日，他寫信給毛澤東狀告遲群和謝靜宜，遲、謝二人1968年夏天隨解放軍8341部隊的一支小分隊進入校園恢復秩序。遲群喜好美食和漂亮的女孩，名聲不好，而且傲慢又無能。毛澤東沒有理睬這封信。10月13日，劉冰通過胡耀邦轉交給毛澤東第二封批評信，也攻擊了謝靜宜——一位在十大上應毛澤東的要求晉升的年輕女子。然而，遲群和謝靜宜是「左」傾雜誌《學習與批判》的編輯組「梁效」（兩所學校）最忠實的成員。他們在雜誌上熱烈報告了江青去天津郊區的小靳莊[144]的三次訪問。因此劉冰的攻擊打到了毛澤東的後院。這

個後院由北京的兩所大學和首都六個工廠組成,是主席烏托邦思想的試驗點,最近他在那裏試驗「批鬥改」。因此毛澤東覺得這封信直接針對他。他讓人找來第一封信,並寫了批示:「清華大學劉冰等人來信告遲群和小謝。我看信的動機不純,想打倒遲群和小謝。他們集中的矛頭是對着我的⋯⋯清華所涉及的問題不是孤立的,是當前兩條路線鬥爭的反映。」該批示立即被急於煽風點火的江青印發。鄧小平對於毛澤東嚴厲的語氣和兩條路線之間的衝突感到擔憂,11月1日要求見毛澤東。後者肯定了他領導整頓的成績。但是,11月4日,毛澤東對毛遠新説:「安定團結不是不要階級鬥爭,階級鬥爭是綱,其餘都是目。斯大林在這個問題上犯了大錯誤。」這和鄧小平關於三條指示的立場是相反的。但是毛澤東對他的侄子説他不想「打倒」鄧小平,而是要「幫助他」。[145] 11月2日晚召開了小範圍會議,毛遠新當着應毛澤東的要求趕來「幫助」鄧小平的汪東興和陳錫聯的面,轉達了他伯父的話。但鄧小平不肯低頭認錯。11月3日,反對劉冰的運動在北京的校園展開:毛澤東將它定位為「反擊右派翻案風」。11月4日毛遠新向毛澤東報告了鄧小平的行為,毛澤東因自己遇到阻力大怒,要求召開政治局會議,積極評價「文化大革命」,他的看法是七分成績,三分錯誤,並迫使鄧小平認同。

這次中央政治局會議11月20日召開。它標誌着鄧小平再次被打倒:「鄧小平年」只持續了六個月。參加政治局會議的17人中有16人讚賞毛澤東的「文化大革命」。但鄧小平拒絕對此發表評論,説他在江西下放,沒有這樣的經歷,無法正確評價:這符合主席的理論,沒有調查就沒有發言權。他引用了陶淵明的著名詩篇〈桃花源記〉中的詩句,「不知有漢,無論魏晉」。[146] 鄧小平就是這個遠離現實世界

的「流亡漁民」。同時，江青和她的朋友們用一千三百張大字報貼滿了清華校園，11月22日發表講話請「群眾」來閱讀並分享他們的憤怒。在九個月內，他們在全國散發了約七十六萬傳單和小冊子反對「平反」，捍衛「文化大革命」所取得的成就。結果是徒勞的：公眾沒有回應。不過「文革」的尾巴還有最後一個受害者：教育部部長周融鑫，鄧小平的一個朋友，從12月被免職起遭到幾十次的批鬥後，這個59歲的男人疲憊不堪，於1976年4月13日因心臟病去世。自11月24日起，鄧小平主持政治局會議只說兩句話——「開會」和「散會」，剩下就是作檢討和聽別人發言。1975年12月20日，他做了一次具有諷刺意味的自我批評「完全沒有能力理解文革的意義」。情況有些奇怪，因為毛澤東不顧江青和毛遠新的壓力，仍然拒絕「將鄧小平一竿子打死」。[147] 他不希望公開對抗，但很樂意看到減少「鄧小平的活動」。事實上，他認為鄧小平的錯誤是「人民內部矛盾」。但1976年1月周恩來的去世和毛澤東健康狀況明顯的惡化使得有必要儘快結束高層的僵局：接班人爭奪戰進入最後階段。

天安門廣場抗議

1976年在沉重的氣氛中開始。1月11日，超過一百萬北京居民護送總理的靈車到八寶山墓地，靈車甚至一度被人群圍住[148]：周恩來被認為是抵禦「左」派奪權的城牆。有傳言說，他是被江青—張春橋集團毒死的，在他彌留之際，警衛和數以千計的想要進入醫院的示威者發生了衝突。當毛澤東想放煙花來慶祝新年，傳聞說他是為了慶祝總理去世。幾個省都出了事件：3月4日四川成都出現一張反

對張春橋和他的反「資產階級法權」運動的大字報；杭州一名工人散發周恩來的假託遺囑，批評「文革」；安徽蕪湖出現針對江青和張春橋的各種攻擊。3月5日，《文匯報》刊登了紀念雷鋒的文章，删掉了周恩來的題詞，此舉將周恩來和同樣被删掉題詞的劉少奇和林彪等同，引起了南京大學學生的反感。而且全中國都對周恩來的簡陋葬禮感到震驚。原因很簡單：「四人幫」下令執行五個「不」，即不准群眾戴黑紗，不准送花圈，不准設靈堂，不准開追悼會，不准掛周恩來遺像。[149]因為他們擔心葬禮的排場會被解釋為對「文革」的否定。1月15日鄧小平發表的悼詞沒怎麼引起官方的回應。

因為疾病活動越來越少的毛澤東看待周圍的眼光越來越尖刻。[150]他拒絕讓江青成為接班人，因為江青「喜歡整人」。王洪文也不行，「如果讓他發號施令，除了他自己，別人都沒有飯吃」—— 1975年夏天吃飯花了兩萬元。張春橋「嘴皮子厲害，而辦事不行」。因此張春橋管的解放軍政治部沒有參與1976年3月毛澤東發起的反對鄧小平「堅持走資本主義道路」的運動。毛澤東甚至沒有談到姚文元，姚只是一個筆杆子。

毛澤東越來越孤立。1976年2月23日尼克松訪華後，翻譯員「兩位小姐」唐聞生和王海容被冀朝鑄代替。毛澤東對毛遠新說：「我看出她們的本質：那兩個『小耗子』覺得我的船要沉了，跳進了鄧小平的船。」毛澤東越來越信任他的侄子毛遠新。人們可能會問：他選華國鋒作為接班人是不是為了讓他的侄子有時間建立一個比遼寧省更廣泛的政治基礎？1976年1月21日，毛澤東提議華國鋒為總理時沒說甚麼誇獎的話[151]：華國鋒的理論水平不高，但他誠實正直，沒有參與陰謀或分裂活動，他當總理很放心。他單獨對毛遠新說的話可

能是對形勢的深度分析：「一些同志，主要是老同志思想還停止在資產階級民主革命階段，對社會主義革命不理解、有抵觸，甚至反對。對文化大革命兩種態度，一是不滿意，二是要算帳，算文化大革命的賬。」他評價鄧小平：「他還是人民內部問題，引導得好，可以不走到對抗方面去，如劉少奇、林彪那樣。鄧與劉、林還是有一些區別，鄧願作自我批評……批是要批的，但不應一棍子打死。」

選擇華國鋒為總理激起了江青和張春橋的憤怒（這是一個馬林科夫！），因他們的野心沒有實現。鄧小平露面越來越少，他大部分時間都待在中南海家裏。葉劍英生病期間，陳錫聯主持中央軍委工作，鄧小平就回到了中南海。此時華國鋒與江青、張春橋集團的緊張關係加劇，社會弊病每一天都更加顯著：罷工此起彼伏，根據計劃，1976年工業生產增長要達到7%–7.5%，但此時的統計只有1.7%。工人們譴責資本主義的做法，要求獲得利益，不管引起的混亂會讓哪一個派系受益。1976年3月，江青在一次政治局會議上說華國鋒是「叛徒」，因為他提議用石油交換外國的化肥。農林部召開了兩次會議，5月下旬在石家莊召開的會議關注中國北方的小麥，6月在無錫召開的會議關注中國南方的水稻。這兩次會議上極左派和華國鋒發生衝突，指責華國鋒聲東擊西，不進一步推進對鄧小平的批判。大寨模式的問題也不斷出現。4月20日華國鋒就此事給毛澤東寫了一封信，介紹了自1969年以來恢復農業政策靈活性的困難。8月底，江青去小靳莊視察，對農村婦女的掃盲很感興趣，9月初去了大寨：她沒有談論農業生產，而是談男女平等問題，激烈批評當地的領導人受鄧小平指使把她要求建造的防空洞改成了豬圈。

　　在這種緊張的局勢下，發生了毛澤東晚年的重大危機，1976年4月4日和5日發生在天安門的事件。[152]

　　事件從南京開始：繼南京大學生的躁動後，3月25日《文匯報》的一篇文章重新激起了祭奠周恩來的活動。這篇文章說「黨內那個走資派要把被打倒的至今不肯改悔的走資派扶上台」，這是一石兩鳥。4月4日清明節的傳統是掃墓。[153]此時出現了一些大字報批判有人詆毀紀念周恩來的活動。數萬人上街遊行，一直走到雨花台烈士陵園。從3月28日至4月4日，超過六十萬人參加。學生們用桐油和油漆在火車車廂內刷了「江青張春橋罪該萬死！」「紀念周恩來總理！」等大幅標語。常州、無錫、杭州和合肥也出現了類似示威。這個自發運動並沒有提及鄧小平。3月19日，北京牛坊小學學生在天安門廣場的人民英雄紀念碑放下了第一個紀念周恩來的花圈，面對着毛澤東的肖像。[154]3月23日，一個安徽人路過北京時放上了第二個花圈。公安局的頭頭認為「這是階級鬥爭」的體現，秘密撤掉了花圈。3月30日，一些士兵獻上了花圈，後來又有了數百個各種來歷的花圈。一個15米的追思台很快建了起來，人們在上面放上總理的照片、紀念他的詩歌、標語和彩帶。從3月30日至4月3日，上百萬人湧到天安門廣場寫詩、抄詩、討論或圍觀。4月1日，華國鋒匆匆召開政治局臨時會議，要求南京當局恢復秩序，將示威遊行定為「修正主義」事件，並要求首都居民不要去天安門廣場。4月2日，北京駐軍、公安和民兵的一項聯合聲明譴責清明節是「四舊」。這沒有甚麼效果：4月3日（星期六）和4日（星期日），近兩百萬人依然在追思台附近徘徊。有些人帶來一些小瓶子（小平），這是很容易破譯的

一個政治啞謎。紀念總理的文章中有許多反對張春橋、江青和姚文元的內容，針對毛澤東的相當罕見，但也有一些，如「秦始皇帝的王朝一去不復返了」。傍晚，一名年輕男子讀了一份聲明，這份聲明譴責正在進行的所謂「反對鄧小平右傾」的活動是「沒有任何民眾支持的、可憐的野心家翻案的企圖」。晚上政治局再次在人民大會堂舉行會議，與會者可以非常清楚地看到聚集的人群。也許住在一公里以內的毛澤東也聽到了模糊的傳聞。鄧小平、葉劍英和李先念都沒有出席。王洪文大清早帶着一個手電筒去看了臨時搭建的靈堂，為北京市委第一書記、北京軍區政委吳德的報告提供了一些素材。據悉，從3月19日至4月3日上午，共有來自1,400個單位的2,073個花圈。運動的速度在加快，兩天內，又有927個新單位送來了1,200個花圈。其中只有48個對毛澤東懷有敵意。謹慎的吳德仍然認為這是「修正主義事件」，不是「反革命事件」。但是22點，姚文元託人帶來一張危言聳聽的紙條，而江青尖叫着說吳德「中鄧小平的毒太深了」。於是吳德決定在午夜時分搬走花圈和花束，4月5日凌晨1點到2點共動用了200輛卡車。公安部門逮捕了57個正在抄詩詞的人。這個後果嚴重的決定沒有詢問毛澤東的意見，自1949年以來，他從沒有來過人民英雄紀念碑。廣場被關閉了。王洪文上午查看了廣場南面公安、民兵和駐軍的臨時崗亭：他堅持不虐待被逮捕的人，只有7人仍然被拘留。一切仍然是人民內部矛盾。5日上午，毛遠新去見毛澤東。他做了加油添醋的彙報——「用死人壓倒活人」。很顯然，他補充說，在這個時候，「存在一個地下的『裴多菲俱樂部』，有計劃地在組織活動」。因此，有必要採取適當的措施。毛遠新特別提到張春橋的話，鄧小平是「中國的納吉」，這是一個「匈牙利事件」。這些話給毛澤東留下了深刻的印象，說這的確是一個「反

革命事件」，因此，有必要使用武力，但要適度，不動用軍隊和槍支 ——「君子動口也動手」。毛澤東認為鄧小平應對這個運動負政治責任，這意味着鄧不是組織者。因此應該對其行為立案調查，但不將他開除出黨。

同時，人們像前幾天一樣來到廣場，發現封鎖線攔住了英雄紀念碑。近萬人更加堅定，衝破公安部門的警戒線，聚集在人民大會堂外，高呼：「還我戰友！還我花圈！」兩輛警車配備着揚聲器要求人群散去：一輛車被推倒了，另一輛逃跑了。揚聲器重複着：「周恩來總理萬歲！」一個唱反調的說鄧小平是「頑固右派」的抗議者被打跑了。時間到了中午。示威者唱着《國際歌》衝過了指揮部的前門。他們指定了一個四人代表團，但當局不承認。13點，憤怒的人群放火焚燒了一輛警車，後來又燒了另一輛和一輛給民兵送食物的麵包車。15點，派出所的崗亭被燒毀，裏面的人也逃走了。其中包括兩位中央委員會候補委員、兩位駐軍軍官、兩名公安人員和兩名民兵軍官。政治局委員繼續坐在人民大會堂跟進事件的發展。鄧小平在有一定距離的北京飯店剪頭髮：他想證明他沒有在騷亂中起作用。18點30分，吳德下令用揚聲器命令人群散去，並請「革命群眾不要被陰謀破壞分子欺騙」。20點，吳德和控制首都工人民兵的倪志富、駐軍司令吳忠來到現場，開始準備集中力量清理廣場：一萬名民兵手持棍棒，還有三千名公安人員和五個營的士兵。華國鋒和陳錫聯施加了壓力，他們一直拖延採取行動的時間。22點30分，聚光燈照亮廣場，大多數仍留在廣場的示威者匆忙離開。23點，聚集在英雄紀念碑前的人遭到突然衝出來的揮舞着棍棒的民兵襲擊。有數十人受傷，沒有人死亡，388人被逮捕。

在場的政治局成員證實被鎮壓的運動是「反革命的嚴重事件」，並讓毛遠新趕緊去向他的伯父彙報。4月6日上午毛澤東看了民兵在英雄紀念碑周圍的錄像報道，寫了一張紙條：「士氣大振，好，好，好。」

直到4月7日，大家才總結此次危機的政治後果。[155]早上八九點，毛遠新再次見到毛澤東。在此之前，有人將姚文元的情況彙報為毛澤東念了一遍。毛遠新希望將鄧小平定性為此次「四五反革命事件」的後台，這將導致他立即被逮捕。毛澤東確認其立場：問題的性質發生了變化，違背了革命，雖然剝奪鄧小平的權力，但不開除其黨籍。隨後的政治局會議氣氛非常緊張。江青和張春橋本來想把鄧小平抓起來以免憤怒的群眾衝擊他：鄧與人民之間的矛盾已經成為真正的對抗性矛盾。握有兵權的汪東興說毛澤東不希望鄧小平受衝擊，把他放在一個安全的秘密地點。現在我們知道他當時在北京心臟地帶的使館區的房子裏，受到軍隊保護，不受他的敵人的干擾。鄧小平沒有被開除黨籍，而是留黨察看。華國鋒被正式任命為總理，無須等待人民代表大會的審議。他也成為黨的第一副主席，即毛澤東的繼任者。陳錫聯被任命為中央軍委第一副主席。4月8日，《人民日報》公布了1976年「四五」事件的官方意見：一場「反革命」事件剛剛被平息。

這些日子具有決定意義，突出了兩個新的因素在接下來的幾個月中發揮了作用。

一是人民再次出現在歷史舞台上，與毛澤東主義的操縱沒有任何關係。

二是主要將領保護鄧小平，對江青和張春橋有敵意。

毛澤東的遺囑

病魔現在幾乎完全抓住了毛澤東，他日夜昏睡，不能再說話，每天只有幾個小時相對清醒。然而他還是堅持在1976年4月30日接見新西蘭總理，5月12日接見新加坡總理李光耀，5月27日接見巴基斯坦總理佐勒菲卡爾・阿里・布托 (Zulfikar Ali Bhutto)：那日他的狀況非常不好，決定以後再也不接見外賓。

按照毛澤東的要求，與李光耀會談的記錄只印發給了一部分領導人，這些人似乎是毛澤東最後選擇的領導核心：華國鋒、張春橋、汪東興和毛遠新。沒有姚文元，也沒有江青。4月30日和6月25日，他兩次召見了華國鋒，肯定對其有充分的信心。他時而點頭，時而搖頭，在紙片上寫了幾行幾乎無法分辨的字[156]：

慢慢來，不要招（着）急。
照過去方針辦。[157]
你辦事，我放心。
國內問題要注意。

而6月15日，毛澤東立了一個更完整的政治遺囑[158]：

人生七十古來稀，我八十多歲了，人老總想後事。中國有句古話叫蓋棺定論，我雖未蓋棺也快了，總可以定論吧！我一生幹了兩件事，一是與蔣介石鬥了那麼幾十年，把他趕到那麼幾個海島上去了，抗戰八年，把日本人請回老家去了。對這些事持異議的人不多，只有那麼幾個人，在我耳邊嘰嘰喳喳。無非是讓我及早收回那幾個海島罷了。另一件事你們都

知道，就是發動「文化大革命」。這事擁護的人不多，反對的人不少。這兩件事沒有完，這筆遺產得交給下一代，怎麼交？和平交不成就動盪中交，搞不好就得血雨腥風了，你們怎麼辦？只有天知道。

5月11日，毛澤東與張玉鳳發生口角後心肌梗塞發作，6月26日第二次發作更為嚴重，之後陷入遲鈍和昏迷。他可能不知道7月6日朱德逝世的消息，也不知道7月28日可怕的唐山大地震，這次地震造成242,000人死亡，嚴重影響了天津，對北京也有影響。他身邊的人和他的警衛們有點恐慌，誰也不知道怎樣安置他。8月18日，華國鋒趁着毛澤東有一陣子清醒，向他做了關於地震發生後組織救援工作的最後彙報[159]，他似乎點頭批准了。在關鍵時刻快要到來之際，華國鋒的目的是將其作為毛澤東後繼者的任命合法化。毛澤東可能不知道8月11日《人民日報》的社論標題是「深入批鄧，抗震救災」，文章宣稱：「黨內機會主義路線的頭子，總是妄圖利用自然災害造成的暫時困難，扭轉革命方向，復辟資本主義。」當然，他也沒有聽說署名為「岳定」在《紅旗》第9期上的文章〈我國地震史上的兩條路線鬥爭〉，該文章將路線鬥爭一直追溯到宋代。「左」派因為自己的過激行為越來越孤立。尤其是江青，越來越惹人討厭[160]，而華國鋒在陰謀和謠言的氣氛中鞏固了自己的基礎：葉劍英晉升軍銜，汪東興、陳錫聯、吳德、王震和楊成武的碰面越來越頻繁，他們堅決而謹慎地反對江青和張春橋奪取政權。葉劍英和王震碰面時拒絕發動軍事政變，這樣不會造成太大的損失：投鼠忌器。反正大家都知道他們的對手是不得人心的，在和解放軍對抗的情況下民兵只不過是「豆腐」：為一個拙劣的陰謀冒險沒有意義。

9月2日17點，毛澤東第三次心肌梗塞尤為嚴重。由於他的肺部感染加重，5日，華國鋒將江青從大寨叫回來。9月7日下午，毛澤東身邊的人員肯定他的生命快要走到終點了。9月9日晨0時10分，毛澤東逝世，毛澤東主義開始垂危。

結　語

「革命總是令人失望，但它打開了新的一頁。」

—— 摩西・列文，《蘇聯的世紀》，頁 488

　　毛澤東的一生讓人想起古代帝國的創立者神話般的命運。比如朱元璋是一個農民的兒子[1]，帶着軍隊打天下，成為明朝的第一個皇帝，毛澤東領導建立的共產黨政權，即使在今天的中國仍然具有合法性。然而，對他的思想的繼承問題引起了激烈的爭議，直到 1980 年審訊「四人幫」，1981 年 6 月中國共產黨中央委員會通過《關於建國以來黨的若干歷史問題的決議》，1982 年 9 月中國共產黨第十二次全國代表大會後才穩定下來。

　　毛澤東在去世後五年期間（1976–1981）繼續影響着中國的政治生活，我將最後回顧一下他的命運和毛澤東思想的發展軌跡。此時一個老生常談的問題出現了，它在本書之前的字裏行間已經出現過好幾次，現在必須給出一個答案：如何解釋這個農民出身的湖南小學教師不同尋常的命運？他受到 1919 年五四運動解放個人主義精神的

影響，並成為一個征服者，最終變成一個君王，做了一些可怕的事情。如何解釋他的形象具有強烈的反差：在世界上其他地方，他是二十世紀的獨裁者之一，而在這個國度，他在死後都受到尊敬，雖然他造成數以百萬計的人的死亡？

被任命的接班人艱難站穩腳跟[2]

在毛澤東過世後的幾個小時裏，華國鋒在中南海游泳池附近的一個大廳裏召開了一次政治局會議，沒有人敢當眾質疑毛澤東指定的繼任者。大家起草了一份致全國人民的公告：宣布毛澤東逝世，要求「化悲痛為力量」，繼續他的事業。「化悲痛為力量」也是1975年4月5日蔣介石去世時[3]，台灣當局使用的語句。9月9日清晨4點，這篇文章被發布。53個國家降下了半旗，包括法國和聯邦德國。北京採取了一些軍事措施，上海的十萬民兵處於警備狀態，每個人都收到了五十發子彈。

人們為他舉行悼念儀式，但悲痛遠遠小於周恩來去世時。我們可以在張戎的《鴻》[4]中找到證詞：她的家庭在「文化大革命」期間遭到迫害，當她得知毛澤東逝世時感到大大地鬆了口氣，但為了小心還是故意哽咽。數以百萬計的中國人也做了同樣的事情。還有更多的人真誠地哭泣：毛澤東曾經在他們的生活中無處不在，現在他們體會到的空虛[5]同樣無處不在。9月11日至17日，毛澤東的遺體在人民大會堂接受吊唁，整個領導層輪番前來告別。9月18日，偉大舵手毛澤東的葬禮在天安門廣場吸引了百萬群眾。在所有照片中，江青都在正中間。王洪文宣布默哀三分鐘，華國鋒發表了悼詞，悼詞

中夾雜着許多毛澤東的語錄，包括在中國「槍桿子裏面出政權」這樣的語句。9月16日，《人民日報》、《解放軍報》和《紅旗》上發表了姚文元寫的一個聯合社論，重提毛澤東告訴華國鋒的最後意願「按既定方針辦」。4月30日毛澤東和華國鋒談的是「照過去方針辦」，兩句話差別不大。然而，在華國鋒9月18日的講話中謹慎地避免談到這些「既定方針」，但他卻是唯一一個可以確保這些話真實性的人。這並沒能阻止「四人幫」在許多報刊文章中努力闡釋「既定方針」指的是毛主席的「無產階級路線」、打倒「走資派」和加強對鄧小平的批判。

「四人幫」在確保控制媒體的基礎上[6]，還試圖掌握黨這個機器。從9月11日開始，王洪文在中南海設了一個「值班室」，並通知全國各省、市、自治區及時向他們請示報告。接替華國鋒擔任湖南省省委書記的張平化覺得很奇怪，於是打電話給華國鋒詢問，這加速了華國鋒向汪東興的靠攏。

不過，後來審判「四人幫」時，指控他們密謀軍事政變，組織了兩個師呈鉗子狀夾擊北京：一個來自遼寧，毛遠新已經回到瀋陽原來的崗位，私自調瀋陽一個師向北京開進；另一個駐扎在昌平，位於距離北京西北20公里通往八達嶺的途中，其領導人曾多次接待張春橋的弟弟。但有種說法是這一指控似乎是炮製的。這個師的政委痛恨江青和張春橋，因為大家沒有遺忘1967年的「二月逆流」，在這種情況下任何陰謀都會被扼殺在萌芽狀態。

在這種謠言和猜疑的氛圍中，反對「四人幫」的人從夏天開始互相接觸，此時接觸更快、更頻繁。華國鋒扮演了主要角色：他知道江青要擺脱他，但他也清楚地意識到，一旦解決了這四個人，他自身的力量也會被削弱，「務實派」和軍事將領們希望召回鄧小平。華

國鋒認為在這場行動中帶頭將鞏固他和受益於「文革」的「左」派幹部的地位，包括他自己、汪東興和吳德。很快問題就出現了，所有人都同意消滅「四人幫」，但沒有對採取的方式達成一致。有些人擔心行動的合法性，建議在下屆任命新領導層的中央委員會上進行表決，蘇聯的赫魯曉夫就是這樣被趕下台的。但是，陳雲看了中央委員會委員的名單，對投票結果持懷疑態度。由於「四人幫」已經在天安門「四五」事件中被證明失去民心，而且他們在解放軍中的影響力幾乎為零，所以採用軍事手段顯得合適又合法。葉劍英似乎是第一個這樣分析的人，汪東興立即同意，而華國鋒、李先念、吳德仍然猶豫：這樣做的風險相當大。

9月29日的中共中央政治局會議使華國鋒等人痛下決心。會上，江青蠻橫無理地喋喋不休，不時打斷會議的進程，直到第二天凌晨5點會議才結束。她要求將鄧小平驅逐出黨，把毛澤東的文件交給毛遠新。她沒有掩飾自己對黨主席這個位置的覬覦。因為毛遠新作為毛澤東聯絡人的任務已經結束，所以他主動要求回到瀋陽。之前江青同意了毛遠新的要求，但此時她在張春橋的支持下要求毛遠新因為「家庭原因」留在北京。她所有的要求都被駁回。華國鋒冷靜而堅定地主持了會議。他已經非常清楚局勢到了你死我活的地步。他似乎很清楚「四人幫」沒有打算發動政變，不論如何她做不到：民兵無法和解放軍抗衡，還有民心背向。此外，中央委員會很快就要舉行會議，再等待一兩個星期就可以採取常規手段解決他們。

但是，華國鋒與葉劍英、汪東興已經敲定了方案：秘密挑選8341部隊五十多名官兵負責逮捕「四人幫」、毛遠新、遲群、「小謝」（謝靜宜）、「梁效」成員和其他一些極左分子。10月4日的《光明日報》

刊登了一篇威脅影射的文章,社會上流傳着「喜事」臨近的傳聞。4日晚,華國鋒和汪東興在中南海碰面。汪東興告訴華國鋒:江青準備強佔毛澤東的個人檔案,事關緊急。5日,汪東興和華國鋒分別乘車繞了很多彎之後,前往玉泉山的解放軍參謀部,葉劍英的住所設在那裏。李先念因為生病也在那裏休養。大家決定6日晚召開政治局常委會議討論《毛澤東選集》第五卷的出版,這樣還可以讓不是政治局常委的姚文元因為其宣傳負責人的身份也來參加。

這次會議是一個陷阱。7點過後,王洪文、張春橋、姚文元前後腳到達中南海懷仁堂,被一一逮捕——事實上,他們故意不一起來,以免被指責有陰謀。華國鋒當場宣布他們「相互勾結,秘密串聯,陰謀篡黨奪權,犯下了一系列反黨、反社會主義的罪行」,對他們進行隔離審查。江青在中南海的住處被8341部隊負責人親自逮捕。緊接着,葉劍英和華國鋒乘汽車到解放軍總參謀部:他們向軍隊將領們宣布剛剛挫敗了「四人幫」的政變。22點,華國鋒召開政治局會議,會議一直持續到10月7日凌晨。會議指定華國鋒為黨主席和中央軍委主席。李先念、陳錫聯、蘇振華、紀登奎、吳德、倪志福、陳永貴和吳桂賢[7]顯然對危機的解決很高興。接下來要解決上海極左勢力的問題。在張春橋、姚文元不在上海的情況下,由馬天水掌權上海。10月7日15點,馬天水乘一趟專機被傳召到北京。當華國鋒向他通報情況時,他驚呆了。他按照華國鋒的要求打電話到上海稱一切都很好,並要求地方領導人「祝賀華國鋒同志當選主席」。上海的官員深信華國鋒能夠妥善安排「四人幫」,便解散了民兵。10月12日,當逮捕「四人幫」的通知終於傳達的時候,他們甚麼都做不了了。北京的專使已經抵達上海,毫無困難地控制了這座城市。而

且，即使在這座由他們掌控的城市裏，「四人幫」也沒有堅實的群眾基礎。18日，《人民日報》正式宣布贏得了歷史性的勝利。

由於此時正是吃螃蟹的季節，所以人們買螃蟹的時候往往要求「三雄一雌」，盡情表達自己的喜悅。

10月8日政治局會議還做了另一個重要的決定：將毛澤東的遺體用防腐液保存起來[8]，並在天安門廣場建一個紀念堂安置。領導層借此表達對已故主席的忠誠。1924年蘇聯領導人在莫斯科紅場豎立了一座紀念碑，這導致後來在南京建了一個孫中山的陵墓。1969年，紀念胡志明的陵墓在河內建成。毫無疑問，建立這個紀念堂的決定是上述事件的延續。不過毛澤東和列寧一樣經過防腐處理，而不是像胡志明或周恩來那樣進行火化。（編註：有誤，胡志明遺體保存在河內紀念堂）製作木乃伊並不是中國人的傳統，雖然歷史上有皇帝接受過這種處理。1980年8月21日鄧小平在接受奧莉婭娜‧法拉奇[9]的採訪時說，毛澤東「在20世紀50年代」提議所有中國領導人死後都火化，只保留骨灰，不建陵墓或紀念堂。「這是斯大林逝世後的一個教訓」。然而在人民群眾中有一個信念：如果活着的人對死者的祭奠不符合禮儀，死去的人會變成惡鬼糾纏活着的人。因此，這座紀念堂結合了這種迷信和領導層尤其是華國鋒的政治利益，負責此事的華國鋒因此證實了他作為遺囑執行人的身份。

鄧小平的回歸無法阻擋

從表面上看，我們可以認為所有的事情都符合毛澤東最後的願望：華國鋒的確是他選擇的繼任者。但事實上，逮捕「四人幫」是對

毛澤東主義的第一次修訂：紅衞兵橫行的時候喪失權力的領導人在這次運動的開始階段是引導者。他們體現了毛澤東的階級鬥爭至高無上的思想。對他們來說，這位主教已經被密封了。

但是自從1976年4月5日人民出現在政治舞台上之後，群眾中隱隱約約的壓力每天都對整個「文化大革命」提出更大的質疑。事實上，華國鋒無法鞏固自己的權力：不久，他不得不開始釋放「四五」事件中被捕的示威者。直到1978年11月這個事件才被確認為革命運動，不能再稱其為「反革命」事件。但華國鋒壓制了這件事。當然，「英明的主席」在天安門廣場修建了紀念堂，讓人民瞻仰做了防腐處理的毛澤東的遺體。當然，他負責出版了已故主席的選集第五卷。[10]正如雅克·紀亞馬所說，華國鋒是「聖墓守護者和聖經託管人」。

但是，組織對他的「個人崇拜」的嘗試失敗了。尤其是他的政治路線很快被證明站不住腳。這條路線基於一個簡單的口號：「凡是毛主席作出的決策，我們都堅決維護，凡是毛主席的指示，我們都始終不渝地遵循。」但在實踐中，毛澤東犯了許多錯誤，應予以糾正。因此，在軍隊的壓力下，在領導層的堅決要求下，從1977年7月21日開始，華國鋒不得不接受鄧小平的回歸。一個月後黨的十一大上，鄧小平復出，再次成為黨內「二號人物」的鄧小平成了華國鋒的挑戰者。鄧小平在更廣泛的政治層面開始為1957年以來被劃為「右派」的人平反，讓偏遠鄉村的「知青」返城。1978年4月5日的通告為幾十萬「右派」摘了帽子。在四川和安徽的農村，農民和當地領導打算重新實行鄧小平在1961年推出的「三自一包」[11]政策。毛澤東曾在1962年秋天批評這個政策。1978年5月，在《解放軍報》和《光明日報》上展開了一場關於「真理標準問題」的討論：任何政治決定都應該接

受調查，經過實踐的檢驗，這和華國鋒的態度相反，但毛澤東以前並沒有異議。1978年11月，中央委員會成員抵達北京，以準備召開黨的十一屆三中全會。在北京的心臟地帶出現了一些大字報，譴責毛澤東的「封建社會主義」和「父權法西斯主義」，並認為「四人幫」實際上是五個人，還要加上毛澤東。牆上貼着的標語為受害者鳴冤，並要求補償。在此期間，彭德懷和劉少奇先後被平反。1978年11月21日，上萬名示威者聚集在天安門廣場英雄紀念碑前高呼「自由萬歲，民主萬歲」。1978年12月底，十一屆三中全會上鄧小平恢復權力，而華國鋒不得不做自我批評。「責任制」的另一個類似的名字是「三自一包」，在農村開始普及起來；中國向世界開放。毛澤東時期的「右派」和「政治犯」大量被平反。在毛澤東時代總結的「文革」取得的積極成果因此被完全否定。

「社會主義市場經濟」逐漸建立，更強烈地動搖了毛澤東主義：公社在1985年消失，國家對糧食市場的壟斷地位受到挑戰，國有企業以各種方式轉移給私人，「單位」解散：這個過程將毛澤東的社會主義制度像驢皮一樣剝去。江澤民在2001年7月提出的「三個代表」重要思想將「勞動者」，而不僅僅是工人階級作為政治的發動機。但是，仍然堅持共產黨壟斷權力，拒絕「和平演變」：從1979年3月16日，鄧小平提出不允許動搖的四項基本原則，結束了這個冬天的民主插曲：包括堅持社會主義道路，堅持人民民主專政，堅持中國共產黨的領導，堅持馬列主義、毛澤東思想。不過，毛澤東最擔心的事情仍然實現了：專制的社會主義國家變成一個同樣專制的國家社會主義，被蓬勃凶猛和野蠻的資本主義外表包裹。1989年6月4日對天安門廣場民主運動的鎮壓提醒人們政治權力並沒有變化。

這一切，我在這裏只提一點：實踐標準破壞了毛澤東主義。1981年6月中央委員會《關於建國以來黨的若干歷史問題的決議》認為毛澤東從「大躍進」開始犯了嚴重的錯誤，之後一年比一年嚴重。相反，決議正面評價之前的毛澤東，雖然集體化被認為已經有點太快了。如今，人們似乎認為毛澤東正反評價的界限在1953年放棄新民主主義之後。

「毛澤東思想」的簡史

在此我通過介紹毛澤東主要的文獻，將他的思想和作者的生命聯繫起來，簡單回顧一下「毛澤東思想」的形成過程：這些文章往往是對眼前問題的回答，有時候可能相互矛盾。它們更像是工具箱中的工具，而不是連貫系統的思想，除了1957至1958年以後的文章。對毛澤東思想最後的反思是1978年鄧小平以「實事求是」為名發起的，毛澤東在延安時曾使用這個口號打擊王明的支持者。同樣，1981年6月的決議認為毛澤東自發動「文化大革命」以來就不再忠實於「毛澤東思想」。因此「毛澤東思想」成為一個不斷被改寫和修訂的重寫本。

阿蘭·巴迪烏和齊澤克這些對「毛澤東思想」保留着興趣的學者幾乎只對毛澤東1957年之後寫的文章感興趣。[12]在我看來，毛澤東的一生可以分為五個主要時期，他的思想是在這五個時期形成的。

第一個時期結束於1927年秋，溫和的造反者在江西成為法外之徒。這個時期，他還沒有獲得一線領導地位，仍在積累經驗。毛澤東少年時期不常規的求學經歷無法讓他在知識分子當中獲得認可。

但他因此接受了真正的經典文化和寫作培訓。他是一個出色的評論家、有一定才華的詩人和出類拔萃的組織者。1919年，他在長沙積極參與了五四運動。甚至在1921年7月加入共產主義小組後，他的政治理念仍然相當模糊，主要有兩個特點。

一是強烈的民族主義，並非沒有排外偏見，因此他推崇義和團起義，而西式知識分子如陳獨秀不讚賞義和團。

二是民粹主義，這使他希望聯合所有大眾打倒包括鄉紳在內的少數剝削者「帝國主義的走狗」。他認為鄉紳要對中國的落後負責任。他作為一個年輕的革命家接受馬克思主義，把列寧主義作為歷史的加速器和爭取民族解放鬥爭的武器：必須「挽救中國」。社會問題不是年輕的毛澤東關注的中心，他甚至去尋找中國資本家的優點：中國資本主義只不過是派生的。在北京的兩段日子增加了他對中國的了解，於是加入國民黨，並在廣州和上海擔負起微薄的民族責任。1925年至1927年的革命浪潮讓他確信農民是一個重要的政治力量，然而他在湖南領導工人的經歷令人失望，受秘密社團的影響，長沙的苦力和萍鄉礦工的行為是行會主義的。毛澤東第一次在中國和世界共產主義新聞界引起人們的注意是其對湖南農民運動的報告，之後不久共產黨和國民黨決裂，他不得不轉入地下。1950年後出版的《毛澤東選集》只收錄了這份報告和1926年在國民黨舉辦的廣州農民運動講習所的課堂上講的〈中國社會各階級的分析〉，並且經過大幅度改寫，加入了當時的毛澤東不具備的馬克思主義的概念。1927年的毛澤東已經或多或少屬列寧主義者，但還不是馬克思主義者。

第二個時期是從江西蘇維埃到長征到達陝西：毛澤東提出一項

特別具有中國特色的戰略,並在全世界為人所知。1927年夏天,他說「槍杆子裏面出政權」。紅軍的武裝鬥爭是一場曠日持久的內戰,其基礎是將鄉紳的土地分給無地或少地農民的社會革命。奪取政權需要這些基礎。毛澤東已經學會了動員農民反對地主的藝術,在實地調查的基礎上進行土地改革,他和一些職業軍人例如朱德、林彪、彭德懷一起建立了一支紅軍,這支軍隊的靈活和凝聚力讓他打敗了具有更好裝備但速度緩慢、沒有鬥志的正規軍。從1931年開始,毛澤東任蘇維埃主席,在中國南方和中部具有一定權威。這是一個鬥爭的時期,毛澤東在列寧主義政黨內體驗到少數派的劣勢。在1930年,面對李立三的支持者時他經常是少數派:當他面臨被撤職的威脅時,他率先在富田這個小鎮採取行動,對他的敵人展開了一場可怕的大屠殺。正如肖特所説此時的毛澤東已經「失去了政治清白」:從此再也沒有找回。對他來説,結果解釋手段。另一次屬少數派是面對王明的「國際主義者」時,王明得到周恩來的支持,這是毛澤東命運的轉折點。共產黨被擊敗後面臨被根除的威脅,於是開始了漫長的行軍,花了兩年時間到達陝西。在長征開始時,大家自然想起毛澤東,他曾經反對的政策導致了這次失敗:1935年1月,他成為黨的「一號人物」。到達中國北方之後,他的這個位置得到了斯大林的承認,因為他領導了中國共產黨唯一一支軍隊,這是一個政治力量,紅軍的軍事壯舉為他贏得了巨大的信譽。他的對手張國燾在甘肅走廊被當地穆斯林軍閥和國民黨組成的聯盟擊敗。毛澤東再次得到了幸運女神的青睞。另一方面,他接受了美國記者埃德加‧斯諾的採訪,最後形成《紅星照耀中國》一書,此書成為暢銷書。1936年12月,少數民族主義將領張學良和楊虎城因為蔣介石不堅決

抗日，在西安扣押了他，並把他交給共產黨人仲裁。共產黨人手中握着蔣介石的命運，確定了自己新的地位。幸運再一次來敲毛澤東的門。他設法在每次機會中獲得最大的收益。這一時期，他寫了許多高質量的關於游擊隊、紅色政權和鄉村調查的文章。我們已經可以看出階級鬥爭的某種工具化，區分人民和敵人的標準可能預示着死亡，可以根據不同的需要而改變。從此階級鬥爭的優勢地位和對它的處理成為「毛澤東思想」的一個標誌，在取得政權之後仍然如此。

第三個時期從 1938 年共產黨在延安落腳一直持續到 1956 年 9 月黨的第八次代表大會。毛澤東先在陝北進行小範圍的政權試驗，後來在整個國家推廣。他在延安管理着一個和民國對立的政體。和斯大林以及國際工人運動的主要領導人一樣，毛澤東獲得了一個辯證理論家的地位。1945 年中國共產黨第七次代表大會上，毛澤東的政治思想成為黨的理論基礎，和馬克思列寧主義具有同等地位。毛澤東思想是「馬克思主義的中國化」，也就是說，它已經適應了中國革命的具體情況，而斯大林發現的是人類社會科學發展的普遍規律。1942 年至 1945 年的整風運動使他成為黨無可爭議的導師，具有獨一無二的否決權。他開始成為人民崇拜的對象。與蘇聯的情況不同，列寧逝世時，斯大林的地位還無法讓他成為一號人物，而毛澤東在北京上台時是毫無爭議的頭號領導。他根據自己的願望改造了黨和黨員，並創造了一個看似平等的非官僚模式，他一直懷念這種模式。當然，如王實味和丁玲批評的那樣，這在很大程度上是一個神話，這個共產主義國家其實是一個對抗日本、國民黨的民族主義者和民族主義者衝擊的陣營，是人為的現實。另一方面，當時採用的「群眾路線」據說能賦予普通人在政治路線的確定中的決定權，遠遠

優於蘇聯的民主集中制，更不用提「資產階級的偽民主」——這導致了某些幹部在整風運動過程中採取暴力行為，1944年毛澤東不得不為此找理論基礎。共產黨在國內革命戰爭中取得勝利的理論基礎被稱為新民主主義理論，出現於1940年，能形成一個跨階級的孤立國民黨的廣泛聯盟。而毛澤東的列寧主義素養使他毫無困難地接受蘇聯模式的社會主義建設。然而，毛澤東在新政權的最初幾年退居二線，干預是為了加快全方位向社會主義過渡的步伐，彷彿他意識到這個完美模型優先發展重工業，對農業投入不足，不適合中國的現實。我們是否應該記住在農田裏勞動的中國人數量比蘇聯人多10倍，對農業低投入而促進大規模投入、工作崗位少的重工業發展，特別不適合中國的國情嗎？在這一時期，中國共產黨人發現了管理的困難，毛澤東意識到自己在經濟領域才能不足，並同意信任陳雲等專家。這是一個征服的時期，中間穿插着文章的寫作，之後二三十年這些文章經常被引用。其中包括〈反對黨八股〉，著名的〈在延安文藝座談會上的講話〉，1949年5月的報告指出，資產階級在無產階級戰士入城的時候向他們發射「糖衣炮彈」，同年7月在關於人民民主專政的文章中，毛澤東論述了未來無產階級專政的衰弱，夢想一個沒有階級的社會。毛澤東在1955年7月的著名報告中提出農村合作社運動，說明他迫不及待地準備向社會主義過渡。文中他把猶豫的幹部比喻為「小腳女人」，擔憂官僚化的體制退化而導致資本主義政權復辟：這種悲觀和急躁促成了烏托邦的12年農業計劃的出現，導致了「大躍進」的開始。毛澤東要強行打開進步的大門。

第四個時期從1957年開始，一直持續到1966年。它涵蓋了本書的第十三章至第十五章。這一階段是「毛澤東思想」確定和豐滿的時

期。我們在這裏總結的是分散在不同文章中的主要特點，尤其是1963年至1964年的「哲學講話」。毛澤東試着用政治語言翻譯「繼續革命」的概念。主要的原因是，蘇共第二十次代表大會暴露了毛澤東和中國領導人想仿傚的蘇聯發展模式的問題。在1956年4月〈論十大關係〉[13]蘇聯《政治經濟學教科書》上的筆記中和1957年2月著名的〈關於正確處理人民內部矛盾的問題〉的報告中，毛澤東以清晰的思路分析了這個發展模式的障礙。在他眼中波蘭的動亂、1956年10月匈牙利事件、中國出現社會緊張局勢的苗頭，這些矛盾可能是致命的。於是，他推出了「百花運動」，與民主理想沒有任何關係。毛澤東希望無禁忌的自由辯論能使人民群眾批評幹部，調動正在癱瘓的社會的能量。這次運動從觸動制度本身的那一刻起，過渡到被批判是符合邏輯的。但是不像斯大林、勃列日涅夫、烏布利希、拉科西或哥特瓦爾德，毛澤東並沒有滿足。他立即發動了「大躍進」，想讓中國在二三十年內迎頭趕上，建成沒有階級的共產主義社會。這樣可以避免在太長的過渡期內資本主義復辟的危險性。他的失敗是迅速而殘酷的。這個規劃不是不宏偉，但它導致了現代歷史上最大的饑荒之一。

第五個時期是1966年5月發動「文化大革命」時出現的。不過，我們可以追溯到1959年7月非同尋常的廬山會議。毛澤東試圖減輕「大躍進」的後果，沒有完全承認他的錯誤，反而打倒了將想法白紙黑字寫下來的彭德懷，所有其他清醒的領導人也有同樣的想法，但不敢說出來。這場災難的規模迫使毛澤東在一段時間內接受與他的政治計劃相悖的補救措施。因此，為了不承擔全部責任，他讓劉少奇、周恩來、鄧小平全權負責，隱藏自己的目標，直到1962年秋天

阻止正在進行的改革，1965年至1966年冬季進行反擊。「文化大革命」的災難不能由一個單一的原因解釋，而是各種原因積累引起的，沒有一個單獨的原因能導致這樣的災難。事實上，「文革」集合了所有促成毛澤東特殊命運的因素。文革不是一個偉人在老年時犯的錯誤，而是對他的作為和思想的真實總結：結論主要是負面的。

失敗的原因

是甚麼促使毛澤東做出錯誤的決定，造成如此嚴重的後果？第一是他的過分自大。這在他與父親的俄狄浦斯式的衝突中早就出現了。他對周圍的人產生的偏執的影響證實了這一點。毛澤東的職業生涯由一個省城的小學教員開始，三十多歲成為國家政治幹部和著名記者，然後是一個籠罩着神話般光環的亡命之徒，帶來千軍萬馬奪取政權。所以在盧山時毛澤東不接受彭德懷合理的批評，雖然他知道這些批評是合理的。已經是一個嚴重失誤的大躍進演變成一個可怕的災難。

第二個因素很顯然是毛澤東的民族主義。這在他早期的作品中就已經出現，並伴隨着他的一切行動。毛澤東和所有改革者們一樣，希望中國再次富強，趕上其他大國。從這一角度講，他參加了1919年的五四運動。他希望他的國家擺脫外國壓迫，恢復其主權，推動中國已經錯過了的工業革命。他相信能夠恢復中國往日的威儀，模仿蘇聯模式實現中國經濟的現代化。此舉失敗後他感到失望之餘，向蘇聯提出了挑戰，進行實現共產主義的賽跑。毛澤東採取了自己的方式。在這種情況下，他不可能承認「大躍進」的失敗。

尤其重要的是，毛澤東和斯大林之後的大多數共產黨領導人不同，他真誠地相信社會主義——而其他人將社會主義和維護自己的權力混為一談——這是解釋這場危機的第三個因素。毛澤東認為蘇聯建立的這個「人民民主」社會主義僅僅是一種國家建設，可以很容易地變成與其相反的資本主義，只是「剝削者」的身份不同：在西方是資產階級，在蘇聯是高級官僚。後來蘇聯發生的事情肯定了他的洞察力。這大概是他和斯大林那樣庸俗的暴君不同的地方。毛澤東醉心於權力的原因中，實現自己的平等夢想要多於對權力的喜好。他瘋狂熱衷於建立在互助和慷慨基礎上的平均社會主義，追求理想主義的烏托邦，卻給人民帶來了不幸。我們知道空想主義者想要讓別人快樂，卻不詢問他們的意見。毛澤東是少數具有絕對權力的空想主義者之一。烏托邦和專制的結合導致了饑荒和社會倒退。

有些人在毛澤東永久的空想烏托邦計劃中看到一種厚古的意識形態。它曾經滋養了此起彼伏的農民起義。直到19世紀，中國還有這樣的農民起義，毛澤東曾經感知到它們最後的回聲。因此毛澤東可能是他在年少時閱讀的通俗英雄小說中那個平等夢想的最後體現。他一生中都在參考這些小說。他對城市抱有戒心。1949年春季解放沿海大城市的前夕，他曾經對都市中墮落的誘惑表示警惕，這些提高了一個忽略西方進步的毛澤東形象的可信度。我們可以說列寧主義是發展的獨裁。大多數毛澤東主義的英雄，像雷鋒，都是進步和現代技術的犧牲品，電力、卡車或爆炸物，這難道不讓人感到奇怪嗎？事實上，「毛澤東時代」伴隨着中國社會的重新農村化，1958年城鎮人口已經達到了15%左右，1976年卻下降到10%左右。1976年，中國與發達國家之間的差距進一步加大，中國需要放棄毛

澤東的經濟原則，最終實現工業化。我們可以閱讀馬克思的《路易·波拿巴的霧月十八日》這本小冊子，了解小農戶在建立專制帝國中的決定性作用，並和中國一些歷史學家一樣從中得出對「偉大舵手」的個人崇拜中具有皇帝情結的結論。我們還可以回憶彭德懷將毛澤東狹隘的世界觀比作井底之蛙的話語。皇帝這個中國社會的古老主題和意象在1930年已被某些蘇聯理論家用於解釋中國革命的失敗。馬克思的文章關於印度次大陸的亞洲生產模式的內容非常模糊。這個主題在20世紀60年代重新出現。毛澤東成為「末代皇帝」，紅色皇帝，或「藍螞蟻的紅皇帝」。漫長的獨裁專制歷史解釋了新政權明顯傾向專制的原因。不過他們忘記了中國的皇帝雖然具有相當大的權力，但在做重大選擇的時候會尋求諮詢學者，並給予村民一些自治。如果毛澤東也這樣做了，中國農民的許多災難就不會發生了！

事實上，決定性的解釋因素可能在於列寧主義本身給予毛澤東的權力是他之前的任何專制者或皇帝領導人所沒有的。從這個角度看，毛澤東頑固拒絕分享權力或承認其錯誤和斯大林、希特勒或其他一些可怕的暴君具有可比性。值得一提的是，毛澤東在行使絕對權力的同時又用似乎最合適的方式打倒這種權力。這時我們再次遇到「繼續革命」這個中心思想，當今最優秀的毛澤東研究專家之一斯圖爾特·施拉姆曾對此做過深入的思考。這種「繼續革命」其實是防禦性的、焦慮的、悲觀的，和托洛茨基提出的勝利的「永久革命」相反。托洛茨基建議在世界範圍內越級實現無產階級革命的勝利。毛澤東則認為任何革命力量都受到迅速退化的威脅，領導人都不禁為特權而動心，並成為剝削者，尤其是當他們本身往往出身於舊的統治階級，受到舊的統治階級意識形態的影響時。因此，存在着資本

主義復辟的危險。必須定期重新開始革命，從暗中篡權者手中重新奪權，動員人民，他們的積極性能增強生產財富的能力。毛澤東認為對英明領袖的崇拜可能有助於促進這種必要的「造反」：這就是毛澤東的「文化大革命」。毛澤東將這種虛幻的看法建立在馬克思主義辯證概念的基礎上，在他眼裏馬克思主義辯證法是一種矛盾形而上學——「一分為二」：一件事物破壞了另一件，事物發生、發展、滅亡。到處都如此，沒有被其他事物破壞的事物會自行滅亡。對他來說，宇宙是一個永恒的矛盾鬥爭的地點，肯定、否定、肯定，毛澤東認為否定之否定是「伯恩斯坦的修正主義」，因此革命必須是不間斷的，否則就不再是革命。雖然這些鬥爭是權力鬥爭，但這是為了維持或恢復權力以實現真正的社會主義。毛澤東認為在這樣的情況下所有的犧牲都是可以接受的，甚至不惜犧牲人的基本需求。「大躍進」時面對千百萬貧困人口因為他的空想計劃的失敗而死亡時，這一英雄氣概的理論使他變成了一個冷酷的人，對此無動於衷。當一個人認為貧困是革命的添加劑，痛苦是「在白紙上寫美麗的詩篇」，赫魯曉夫「土豆燒牛肉社會主義」是修正主義時，他就能容忍他的人民遭受痛苦。

但人民不願意，因為他們痛苦。每十年重複一次混亂，消費減少到最低程度以保持革命計劃和遞延幸福，這樣的想法是令人無法忍受的。而且他們也沒有忍受：「文化大革命」是一個徹底的失敗，無法再重複。這就是 1976 年 4 月人民拒絕「文革」的原因。而且，毛澤東在他的遺囑中承認他曾經懷疑他的這第二件大事；第一件事是戰勝蔣介石，恢復中國的主權，這一點被人民廣泛認可。

毛澤東自己在這一思想中的份額也相應減少，毛澤東思想成了

集體智慧的結晶，是黨的思想的來源。毛澤東沒有解決他遇到的主要矛盾：建立一個自由和諧的大同社會，沒有階級，物質豐富，由一個先進的先鋒政黨領導，防止這個黨僵化，疏遠人民和剝奪人民努力的成果。值得注意的是，阿蘭·巴迪烏在文化大革命明顯失敗的情況下仍然為它的原則辯護，但最後他得出的結論是：「任何解放政策必然以黨的模型結束，我們必須明確放棄黨的軍事化⋯⋯ 文革是巴黎公社和社會主義國家時期的大公社：失敗是可怕的，重要的是經驗教訓」。[14]

「朝暉」

之後全面開始的變化將毛澤東排除在現實的政界之外，不過他提出的目標已經達到或超過，採取的是與他的主張相反的政策（2008年中國在「社會主義市場經濟」下生產了五億噸鋼鐵和五億噸糧食）。毛澤東已進了萬神殿，和先人一樣成為小神祇，有時候群眾會祈求他的保護。[15]1993年他誕生一百週年誕辰之際，出現了一股「毛澤東熱」，包括出版物、徽章、郵票、紀念他的各種活動（京劇）和各種電視劇。流行歌手，如崔健，重唱毛澤東時代的歌曲紀念他的成就，反襯他的繼任者的渺小。1989年5月一群在天安門廣場抗議的人向他的巨幅畫像扔墨水瓶，他們觸犯了禁忌，立即被人群交付給警方。這種崇拜無疑是當局維護的，因為它確認其合法性。有人可能會懷疑這種崇拜的壽命，它的退化已經提前：毛澤東的一些雕像已經開始生銹或出現裂紋。

毛澤東形象緩慢褪色的另一個方面是對他的崇拜變成了一種旅

遊活動。韶山1,500名村民中52%的生活依賴出售紀念品和提供住宿。1992年遊客數量為120萬。1993年毛澤東百年誕辰之際，遊客量為每天3,000人。1985年是一個普通的年份，遊客數量為6萬人，而在「文革」期間，這是每天的遊客數。變成旅遊現象的崇拜失去了政治意義：1959年毛澤東在訪問廬山的路上拍的照片中出現在他旁邊的「湯奶奶」，靠這照片做了大買賣，她開了一家「毛家餐館」，銷售親筆簽名的照片、各種紀念品和主席喜歡的辣紅燒肉。在附近的山上，遊客可以瀏覽「碑林」，上面刻着一百多首毛澤東的詩詞。其中〈七律·到韶山〉這首詩刻在一塊寬12.26米、厚0.99米、高8.3米的石頭上，以紀念他於12月26日出生，9月9日去世，壽年83歲。

最大的紀念場所是北京天安門的毛主席紀念堂。奇怪的是，北側開門，和傳統風水的規則相反，可以看到水晶下黑色花崗岩石棺中的遺體。在相鄰的房間裏擺着劉少奇、周恩來、朱德等的紀念品。好像是為了體現偉人的懊悔……這裏的氣氛很冷。沒有任何熱忱，遊客履行職責，滿足他們的好奇心，保留對這位人物的好感，雖然每一天記憶都變得模糊。

1961年冬天，當千百萬計的中國農民餓死在偏遠的鄉村時，毛澤東寫了一首〈七律·答友人〉[16]：

九嶷山[17]上白雲飛，帝子乘風下翠微。
斑竹一枝千滴淚，紅霞萬朵百重衣。
洞庭波湧連天雪，長島[18]人歌動地詩。
我欲因之夢寥廓，芙蓉國[19]裏盡朝暉。

這首詩可以讓人煩躁，甚至憤怒：毛澤東是個冷酷的怪人，他

用眼淚和斑竹暗示因為他的過錯在全國發生的慘劇。因為「朝暉」一詞，這首詩也令人感慨。今天的讀者見證了烏托邦的崩潰和自由主義全球化的激變。劇變發生時，有些人曾經以為見到了歷史的終結。作為專制者，毛澤東做出了許多可怕的行為，任何結果都無法為不人道的手段開脫。而他夢想中更公平的世界，是不是應該為此受到譴責？

相遇 —— 繁體中文版序

1　Blaise Pascal, *Les pensées*, fragments 822–593, de l'Édition de Port-Royal.
2　Cicéron, *De oratore* II 15, "Ne quid falsi audeat, ne qui veri non audeat historia."

第十五章　發動「文化大革命」

1　*Dicobio*, p. 469.
2　這本書的中文版譯名從《毛澤東：不為人知的故事》(*Mao: The Unknown Story*) 改為《毛澤東：鮮為人知的故事》是一種偶然嗎？
3　這一章參考了 *CHOC* 14 and 15; *MacFarquhar* 3;《逄和金》2 和《文稿》7。1965 年 12 月到 1966 年 5 月的內容大量參考了 Roderick MacFarquhar et Michael Schoenhals, *Mao's last Revolution*, Cambridge, Harvard University Press, 2006 (*Last Revolution*).
4　季世昌在《毛澤東詩詞鑒賞大全》(南京：南京出版社，1994)，頁 313–323 中提到，詩人郭沫若在 1963 年 1 月 1 日的《光明日報》上發表了〈滿江紅：領袖頌〉：「滄海橫流，方顯出英雄本色。人六億，加強團結，

堅持原則。天垮下來擎得起，世披靡矣扶之直。聽雄雞一唱遍寰中，東方白。太陽出，冰山滴；真金在，豈銷鑠？有雄文四卷，為民立極。桀犬吠堯堪笑止，泥牛入海無消息。迎東風革命展紅旗，乾坤赤。」

　　郭沫若在他的詞中提到伴隨着狂風暴雨、革命與希望（公雞在黎明時打鳴），動蕩即將來臨。桀是夏朝末代暴君，而堯是桀之後的一代明君。因此，毛澤東類似於開國的帝王，他的四卷《毛澤東選集》是指引人民思想的真金。還有誰能做出比這更高明的恭維呢？毛澤東在廣東視察期間讀到了郭沫若的詞。感觸之餘，他當天晚上就擬了一首詞相和。1月9日，毛澤東將親筆書寫的詞交給周恩來。此後，他在2月5日重抄這首詞的時候做了一些修改。這首詞的最終版本於1963年12月發表在《人民文學》上。

5　讓・比亞爾（Jean Billard）於1976年翻譯並校對的《毛澤東詩詞全集》（Mao Tsé-toung, *Poésies complètes*, Paris, Seghers, 1976, pp. 109–110）。這與博蕭禮（Guy Brosollet）在1969年對這首詩給出的翻譯與評論十分似（Guy Brossollet, *Poésies complètes de Mao Tsé-toung: Traductions et commentaires*, Paris, Ls et co 1969, p. 107）。

6　槐樹是東方特有的樹，屬蝶形花科。株高15至30米。唐李公佐《南柯太守傳》向我們描述了一個名叫淳于棼的人夢見自己當了大槐安國的南柯太守，國王把小公主嫁給他，一時好不威風。醒來方知是一場大夢，所謂大槐安國不過是老槐樹下的螞蟻窩。

7　長安，現陝西省西安市，在很長一段時間裏曾經是中國的國都。

8　根據季世昌的觀點，我們可以發現詩中的修改是為了美學的緣故：以蒼蠅的嗡嗡聲開始，結尾最好能回應到昆蟲上。

9　Beatrice Bartlett, *Monarchs and Ministers: The Grand Council in Mid Ch'ing China*, Berkeley, University of California Press, 1991.

10　*La vie privée*, pp. 374–378中提到，這個女子後來愛上了毛澤東的一位警衛員，因為毛澤東反對，與毛大吵一架。她最終因不禮貌的言行向毛澤東進行自我批評。事實上，她把毛澤東當作「對她進行性剝削的腐化的資產階級」。

11　1970年初，在北京流傳的一個故事充分證明了圍繞在毛澤東身邊的可怕的神聖氛圍。由於十分熱衷京劇，毛澤東在上海觀看了特別為他準備的《白蛇傳》。這幕劇描繪了兩位戀人被思想守舊的和尚拆散的故事。毛澤東因為日漸發胖的體態解開褲子皮帶，以便更舒適地觀看戲劇。看到重要一幕時，毛澤東身受感染，突然站起來高喊「打倒封建主義！」，由於這一舉動，毛澤東的褲子掉了下來。但觀眾們卻對這滑稽的一幕視若無睹，看到穿着襯褲的毛澤東也好似甚麼都沒有看到一樣，就像安徒生童話《皇帝的新衣》中的大臣們看不到國王赤裸的身體一樣。

12　我們能夠從楊絳的自傳《洗澡》中看到思想修正的例子。1992年，這部作品的法語翻譯本由克里斯蒂安・布爾若出版社（Christian Bourgeois）在巴黎出版。

13　Edgar Snow, *The Long Revolution*, Hutchinson, London, 1971, pp. 204–206.

14　他剛剛在1964年10月13日被蘇聯共產黨中央委員會解除職務。

15　安德烈・馬爾羅（André Malraux）作為戴高樂的特使，在法國駐中國大使呂西安・貝耶（Lucien Paye）的陪同下於1965年8月3日在北京見了毛澤東。雅克・安德里厄（Jacques Andrieu）根據1969年出版的《毛澤東思想萬歲》、奧賽檔案館中有關這次談話的記錄以及1996年9月第37期《中國視角》（*Perspectives chinoises*）中馬爾羅的文章〈毛澤東和馬爾羅說了甚麼？〉（“Mais que se sont donc dit Mao et Malraux?”）對這次會面做了總結。他認為馬爾羅的描述是非常不忠實的文學創作，掩飾了作為作家和部長的馬爾羅不被毛澤東當回事的惱怒。逢先知等的《毛澤東傳》對這次會面有一個官方報告。毛澤東在劉少奇和陳毅的陪同下接見了7月21日到達北京的馬爾羅。在此之前，馬爾羅先後參觀了洛陽、龍門、西安和延安，並在北京等待了兩個星期。紀亞馬將軍（Jacques Guillermaz）在他的回憶錄《在中國的一生：1937–1989》（*Une vie pour la Chine: 1937–1989*, Paris, R. Laffont, 1989）中談到了馬爾羅的北京之行。他對馬爾羅對中國的無知和講話沒有分寸（「今天的中國是漢朝時的中國加上馬克思主義」）感到無語。馬爾羅自己不是在他的《反回憶錄》中說「我杜撰，但世界開始看起來像我的寓言」嗎？

16　接下來的文章參考了畢仰高（Lucien Bianco）主編的《中國工人運動傳記詞典》（*Le dictionnaire biographique du mouvement ouvrier international: La Chine*, Paris, Editions ouvrières, 1985）　中的文章〈毛澤東〉（"Mao Zedong"）；《中國革命溯源1915–1949》（*Origines de la révolution chinoise, 1915–1949*, Paris, Gallimard, 2007, pp. 323–419）；發表於1979年9–10月第5期《經濟社會與文化年鑒》（*Annales économies, sociétés, civilisations*, pp. 1094–1108）中的〈關於毛澤東學說定義的論述〉（"L'essai de définition du maoïsme"）；喬治・拉比卡（Georges Labica）主編的《馬克思主義批判詞典》（*Dictionnaire crtique du marxisme*, Paris, Presses universitaires de France, 1982）中的文章〈毛澤東主義〉（"maoism"）；阿蘭・巴迪烏（Alain Badiou）編寫的《文化大革命：最後的革命》（*La révolution culturelle: La dernière révolution?* Paris, Rouge-Gorge, 2002）；斯圖爾特・斯拉姆（Stuart Schram）在由費正清與費維凱（Albert Feuerwerker）主編的《劍橋中國史》（*The Combridge History of China [CHOC]*），vol. 13, Cambridge University Press, 1986, pp. 789–806中的文章〈毛澤東思想1949〉（"Mao Tse-tung's thought to 1949"）和1991, vol. 15, pp. 1–104的文章〈毛澤東思想1949–1976〉（"Mao Tse-tung's Thought from 1949 to 1976"）。

17　我們可以在*MacFarquhar* 3, pp. 381–398以及Stuart Schram, *Mao Tse-tung Unrehearsed: Talks and Letters, 1956–1971*, pp. 197–230中找到許多這樣的例子。

18　眾所周知毛澤東偏愛清代曹雪芹的《紅樓夢》這部偉大的作品。

19　毛澤東引用了詩人李白、杜甫，劇作家王實甫、關漢卿，作家羅貫中、曹雪芹、吳敬梓、蒲松齡等的作品。

20　在這個過程中，毛澤東曾講到許多其他話題，譬如玄奘和尚對佛教教義翻譯的問題，給他的文人聽眾留下深刻的印象，並對因毛的其他講話造成的傷害起到一定的撫慰作用。

21　1914年由「西姆拉會議」產生的協議並未得到中方的認可。協議中劃定的「麥克馬洪線」從未得到中華民國或中華人民共和國的承認，邊疆領土的爭議包含了不丹以西八萬五千平方公里，克什米爾以東三萬三千平方公里，拉達克以及阿克塞欽沙漠（新疆到達西藏的重要通道）。

22　參考了Hu Chi-hsi, *Mao Tsé-toung et la construction du socialisme*.

23 「黑五類分子」是指地主、富農、反革命分子、壞分子(邊緣分子、流氓、秘密組織成員)、右派分子。「紅五類」指那些組成新一代「貴族階級」的人,指工人、貧農與貧下中農、革命幹部與革命軍人、烈士及家屬、革命積極分子。

24 C. S. Chen and Charles Price Ridley ed., *Rural People's Communes in Lien-chiang*, Stanford, Stanford University Press, 1969. 參見 Alain Roux, *La Chine populaire: Les fondations du socialisme chinois 1949–1966*, Paris, Messidor, 1983, t. 1, pp. 329–332 的表格和對這份文件的介紹。p. 330, "Trois mauvaises tendances de deux brigades de production." 這些文件的時間是 1962 年 10 月至 1963 年 5 月間。

25 Richard Baum and Frederick C. Teiwes, *Ssu-ch'ing: The Socialist Education Movement of 1962–1966*, Berkely, University of California Press, 1968, p. 70.

26 這場「繼續革命」與托洛茨基發動的革命並無相關之處。托洛茨基面對日漸動搖的沙皇政權提出將社會主義革命進行到底,並未提出穩定的階段。托洛茨基的革命是侵略的、帶有征服性質的,而毛澤東的革命則是防禦性的。

27 《逢和金》2,頁 1267。

28 邯鄲地處河北省南部,位於京廣鐵路線之上。

29 M. Oksenberg, "Local leaders in Rural China," in Doak Barnett, *Chinese Communist Politics in Action*, Seattle, University of Washington Press, 1969.

30 《逢和金》2,頁 1310–1312。

31 如此這般給已然不存在的社會階層分配任務很奇怪。人們在文化大革命中指責王光美——劉少奇的夫人,因為她宣稱那些所謂的階級組織(貧下中農組織)是粗俗的黑社會,大部分是秘密組織的幫凶。Ezra Vogel, *Canton under the Communism: Programs and Politics in a Provincial Capital, 1949–1968*, Cambridge, Harvard University Press, 1969 中指出共產黨的幹部常常把這些階層的人當做「愚蠢的看門狗」。

32 《逢和金》2,頁 1274。

33 同上,頁 1315–1328。

34 中國代表團由彭真領導,成員包括康生、楊尚昆、劉寧一及伍修權。

35 《逢和金》2,頁 1285–1302。

36　法國作為擁有核武器的第四大強國，沒有簽訂《莫斯科條約》。這一舉動使得1964年初法國與中國重建外交關係的談判更加容易。

37　Bianco et Chevrier, *Dictionnaire biographique*, 1985, pp. 305–307 有關雷鋒的文章。在湖南長沙西北30公里外的望城區高塘嶺鎮有一個雷鋒紀念館，而雷鋒正是1940年12月8日在這裏出生。Françoise Naour, "La vis et les chaussettes, ou la vie minuscule de Saint Lei Feng," in *Perspectives chinoises*, no. 20, November 1992, pp. 62–69對雷鋒進行了介紹。我們能夠從中讀到雷鋒日記的片段，配上1965年北京出版的雷鋒的照片。陳廣生為雷鋒寫了一部傳記，1990年由瀋陽白山出版社出版。

38　而其中穿插着劉少奇的講話，1964年的版本中這些講話可能消失了。

39　Ismail Kadaré, *Le concert*, Paris, Fayard, 1989, chap. 11, pp. 295–302中描繪了這個由中國人民解放軍創造出來的非傳統式的英雄形象。

40　參見 *La vie privée*, pp.418–422. 李志綏描述了少年時看京劇《紅梅記》（《李慧娘》是現代改編的版本）時，被舞台上穿着半透明白裙扮演鬼魂的女子嚇得心神不寧。

41　這齣戲的作者是劇作家孟超，他在「文化大革命」中被逮捕，在獄中受迫害去世。

42　《文稿》10，頁436–437。

43　江青對她活躍在政治舞台時期的角色是這樣描述的：「一個單純的戰士，一個保護主席的哨兵，是這場意識戰的前鋒。我一直衛護着毛澤東，並且把我發現的蛛絲馬跡都彙報給他。」這樣的説法沒有那麼生動，但是沒有太大區別。

44　章士釗，生於1881年。曾在1919年的五四運動中十分活躍，之後變得越來越保守。他曾任民國教育部部長。但在1926年一度遭新文化運動人士的唾罵。

45　李志綏在《毛澤東私人醫生回憶錄》（*La vie privée*, p. 432）中向我們描述了這樣一齣鬧劇：他曾不得不平息一場毛澤東最喜愛的侄女——王海容與毛澤東所謂的「情婦」張玉鳳之間的紛爭。起因是這個來自黑龍江鐵路的列車服務員十分無理地與毛澤東為了一些家務事吵架。李志綏還提到中央警衛處處長汪東興曾因毛澤東的荒淫而造反。人們對此有所

懷疑，因為汪東興長時間地待在毛澤東身邊，能夠洞察出主席的喜好。汪東興曾是李志綏的保護者，可能因此他奉承汪東興。

46　她的影響從1970年開始變得舉足輕重。在此之前，毛澤東對張玉鳳起了懷疑。特別是當他得知張玉鳳的親生父親並不是中國的鐵路工人，而是一個日本牙醫時，他懷疑張玉鳳是日本派來的奸細。

47　李志綏在《毛澤東私人醫生回憶錄》(*La vie privée*, p. 415)中錯誤地肯定有人認為是劉少奇編寫了新的通報「後十條」，並認為這是毛澤東針對劉少奇的原因之一，因為毛澤東不喜歡其他人修改他認為完美的文章。不過1964年9月發表的〈後十條(修正草案)〉成了劉少奇制定的文件。

48　薄一波的《若干重大決策與事件的回顧》(北京：中央黨校出版社，1933)，頁1148。根據這份比較可信的回憶錄，毛澤東針對走資本主義道路的高層領導人的第一次打擊發生在1964年12月12日，即六個月之後。

49　但是我們可以認為此次中蘇會面和1964年12月蘇聯共產黨放棄召開第三次全世界共產黨會議有關係。從1963年9月開始，蘇聯共產黨得到法國和葡萄牙共產黨的支持，但是遭到日本和越南北部的反對。

50　周恩來曾向毛澤東報告在莫斯科發生的一個事件，增加了毛澤東的懷疑。1964年11月7日，勃列日涅夫在克林姆林宮接待中國代表團的時候，馬利諾夫斯基元帥對賀龍說，我們已經推翻赫魯曉夫，中國應該向蘇聯學習也推翻毛澤東。賀龍把這些話轉告周恩來，周恩來隨即向勃列日涅夫表達了不滿。勃列日涅夫稱，這是馬利諾夫斯基元帥喝醉酒胡說八道。周恩來便用一句中國諺語反駁「酒後吐真言」。見伍修權《回憶與懷念》(北京：中央黨校出版社，1996)，頁378–381。

51　第一條線是國界線，第二條線是為了針對美國進行空中打擊而設的連接內陸城市的防線。

52　按照國際法律，如何定性這種對未交戰國家的無辜民眾進行的軍事轟炸？

53　在「文化大革命」期間，如果扯掉《毛主席語錄》的塑料封面，使得毛澤東的頭像裸露在外是要被判入獄的。每一個人都要隨時帶着「紅寶書」以表對毛澤東的忠心。

54　除了第四句話：做毛主席的好戰士。

55　《毛主席語錄》，共計33章。一、共產黨；二、階級和階級鬥爭；三、社會主義和共產主義；四、正確處理人民內部矛盾；五、戰爭與和平；六、帝國主義和一切反動派都是紙老虎；七、敢於鬥爭，敢於勝利；八、人民戰爭；九、人民軍隊；十、黨委領導；十一、群眾路線；十二、政治工作；十三、官兵關係；十四、軍民關係；十五、三大民主；十六、教育和訓練；十七、為人民服務；十八、愛國主義和國際主義；十九、革命英雄主義；二十、勤儉建國；二十一、自力更生，艱苦奮鬥；二十二、思想方法和工作方法；二十三、調查研究；二十四、糾正錯誤思想；二十五、團結；二十六、紀律；二十七、批評和自我批評；二十八、共產黨員；二十九、幹部；三十、青年；三十一、婦女；三十二、文化藝術；三十三、學習。

56　《文稿》11，頁546。

57　就世界範圍來說，這本小冊子有了幾乎所有不同語言的譯本並且發行量達到五十億本之多。在全球暢銷書排行榜上僅次於《聖經》，位列第二。

58　Stuart Schram, "New Texts of Mao, 1920–1965," in *Communist Affairs* 2.2, 1983, p. 161.

59　「四個第一」是指：人的因素第一、政治工作第一、思想工作第一、活的思想第一。這就是毛澤東用來衡量思想偏差的標準。

60　「三八作風」是毛澤東式語言的一個很好的例子，將講話轉化成內部語言。毛澤東批評黨八股的那個時期已經過去了。「三大紀律」是指：一、一切從實際出發；二、正確執行黨的政策；三、實行民主集中制。「八項注意」是：一、同勞動同食堂；二、待人和氣；三、辦事公道；四、買賣公平；五、如實反映情況；六、提高政治水平；七、工作要同群眾商量；八、沒有調查沒有發言權。這些政策指示是從國內革命戰爭時期人民與紅軍的關係中發展出來的。

61　《文稿》10，頁463和《文稿》11，頁308–309。

62　儘管肩章取消了，軍官制服仍保留了四個口袋，而士兵的軍服只有兩個口袋。

63　《文稿》11，頁91–93。

64 這個知識分子團體以1848年起義中著名的匈牙利詩人的名字命名,在中國他們被認為是1956年「匈牙利事件」的主要負責人。

65 我們可以注意到自1962年夏天成為毛澤東跟前紅人的張玉鳳曾據說是滿洲里黑龍江一名鐵路工人的女兒。

66 1965年冬,我在北京觀看了這齣京劇,十分驚訝地聽到我的一個老師指出現代主人公的英雄話語背後隱藏着古代的傳統曲調。

67 這些創作中的一個主題曾經引起了關於肥料的爭論。結論是肥料應該交給大隊,用在集體的土地上,而不能用在自留地上。

68 艾思奇也提到了黑格爾的哲學思想和存在主義。他的觀點被崇尚唯物主義的蘇聯理論家批判,卻得到了毛澤東的贊同。對於毛澤東來說,這些觀點能夠神奇地改變現狀:人民大眾的意願可以超越客觀的經濟法則,使「大躍進」成為可能。

69 這篇會議紀要的譯文參見Stuart Schram, *Mao Unrehearsed*, doc. II, pp. 212–230.

70 盧那察爾斯基(Anatole Lounatcharski,1875–1933):優秀的蘇聯馬克思主義活動家,歷經困難加入布爾什維克,在1924年之後失去了所有的政治影響力。他在1914年第一次世界大戰爆發前夜寫了《宗教與社會主義》(*Religion et Socialisme*)。在這本著作中,他提出了一種新的社會主義信仰。

　　波格丹諾夫(Alexandre Bogdanov,1873–1928)。列寧在《唯物主義和經驗批判主義》(*Matérialisme et Empiriocriticisme*, 1909)一書中對這個後康德理想主義者的哲學作了批判,認為他否定感官體驗的客觀事實。與此同時,列寧把與唯心主義不可妥協的唯物主義列為「黨的立場」。

71 《逢和金》2,頁1362。

　　麥克法夸爾認為會議在杭州舉行是錯誤的。這一段參考了《文化大革命的起源》(*The Origins of the Cultural Revolution*, vol. III, pp. 399–430);《文稿》3,頁76–77,註3。

72 Baum Richard et Teiwes Frederick, *Ssu-ch'ing: The Socialist Education Movement of 1962–1966*.

73 「大躍進」災難之後農村情況很複雜混亂。我們能夠在20世紀80年代的「傷痕文學」中找到許多例子，比如古華的作品。

74 《文稿》3，頁 132-134，尤其是註釋1和2。

75 同上，頁 139-141，144-145，註1和頁 146-147，註1。

76 或者説是以書記處的名義。因為自1962年9月八屆十中全會直到1966年9月初的八屆十一中全會，這段時間內中央委員會沒有集中過。

77 薄一波，作為值得信任的見證者，在他的《若干重大決策和事件的回顧》（北京：中央黨校，1993），頁1148中指出，「中國的赫魯曉夫」這一説法是毛澤東在1964年6月8日第一次使用的，並且對這樣的指示不允許有任何懷疑。在毛澤東1964年12月5日之前的文稿中，我們並沒有發現「走資派領導」這樣的表述。（《文稿》11，頁 256-258）

78 Edgar Snow, *The Long Revolution*, p. 17.

79 *MacFarquhar* 3, p. 9 中引用了1967年在西安出版的周恩來講話彙編，裏面提到這句話「如果你不能通過最後的忠誠測試，毛澤東只要大筆一揮，就能磨滅你過去所有的功勞」。周恩來一直沒有忘記1943-1944年「整風運動」期間，毛澤東讓他進行的自我批評。

80 董邊、譚德山和曾自所著的《毛澤東和他的秘書田家英》（北京：中央文獻研究室，1996），頁75。

81 《文稿》11，頁 139-141，註釋1和2；頁 241-242，日期為1964年11月26日．

82 *La vie privée*, p. 431; Stuart Schram, *Mao Unrehearsed*, p. 231.

83 據斯圖爾特・斯拉姆在他的著作中引用的紅衛兵的出版物，毛澤東在周恩來報告的草稿上寫下了「中國將會如大革命家孫中山先生所説，趕上並趕超西方國家」。

84 顧龍生：《毛澤東經濟年譜》（北京：中央黨校出版社，1993），頁615。毛澤東的這段話在同一時期中國出版的其他出版物中能找到。

85 按照顧龍生的《毛澤東經濟年譜》，如果我們對此書中毛澤東每年就經濟問題發表的講話做一個統計，我們可以看到：1958年，毛澤東發表了的講話佔35頁；1959年，69頁；1960年，15頁；1961年，33頁；1962年，19頁；1963年，10頁；1964年，30頁；1965年，17頁；1966

年，6頁。接下來每年最多3頁。這些都說明了毛澤東對經濟問題不大感興趣。

86 李志綏在《毛澤東私人醫生回憶錄》(*La vie privée*, p. 428) 一書中寫到，當毛澤東在1964年春得知劉少奇患結核病的時候，他在毛澤東的臉上發覺了轉瞬即逝的一絲滿意的神情。也許這就是毛澤東當時影射的「天有不測風雲」。

87 彭德懷也曾用「秦始皇」形容過毛澤東。秦始皇，這位秦帝國的開創者是一位濫用專權的皇帝。他將數百名反抗專制暴政的儒生坑殺。

88 關於這場「社會主義教育運動」，參見 *MacFarquhar* 3, chap. 19, pp. 431–460, "Mao stoops to conquer"；麥克法夸爾以薄一波《若干重大決策和事件的回顧》頁 1128–1132 內容為基礎對這場「社會主義教育運動」做出了描述。也可參見《逄和金》，頁 1371–1372。

89 余秋里，生於1914年，在戰爭中失去一條手臂。1958年任石油工業部部長。1964年，毛澤東任命余秋里擔任國家計委主任李富春的助手。

90 Thierry Pairault, *Dazhai récupéré: La politique rurale au début des années 1970*, Paris, PUF, 1977.

91 這種做法被稱為種「黑地」，被長期用來減少土地賦稅。

92 劉少奇重新提出他對於黨內資本主義的觀點，這一觀點曾在1956年中國共產黨八屆一中全會上獲得通過。

93 劉少奇在他曾經主持的會議中讓毛澤東等輪到他發言的時候再發言。

94 王光美、劉源等著：《你所不知道的劉少奇》(鄭州：河南人民出版社，2001)，頁118–119。王光美是一位偉大的女性，在毛澤東和江青使她蒙受的磨難面前保持了自己的尊嚴。這本謹慎的書介紹了一位冷靜的表面背後充滿了人情味的劉少奇。金沖及在他的《劉少奇傳》(北京：中央文獻出版社，1998)，頁796中證明了這一幕。

95 參見 Edgar Snow, *The Long Revolution*, pp. 191–223. 這次採訪於1965年2月發表於巴黎《真理報》、東京《朝日新聞》、漢堡《明星》、倫敦《星期日泰晤士報》、華盛頓《華盛頓郵報》等。我曾在本書前半部分介紹過毛澤東在這次採訪中為「個人崇拜」辯護。

96 中國在1965年6月9日至1969年3月14日期間，總共向越南輸送了三

十二萬人，其中有十七萬名士兵，但並不是精兵也不是穿著中國人民解放軍軍裝的士兵。在這些人中，有 1,070 人犧牲，5,270 人受傷。中國空軍儘管大炮裝備落後，仍然擊落了 597 架美軍飛機，造成美軍 280 名飛行員傷亡。中國支援了 100 架米格 -15 和米格 -17 戰鬥機，飛行員是在中國受訓的越南人。參見 *MacFarquhar* 3, chap. 16, p. 373，引用自中國軍事資料。

97 毛澤東在 1970 年 12 月與埃德加・斯諾最後一次會面時更清晰地表明關於個人崇拜問題的看法。埃德加・斯諾寫道：「毛澤東向我解釋到，1965 年他在黨的地方和省委的宣傳部中喪失了很大的影響力，特別是在北京市委。正因為如此，毛澤東擁護強烈的個人崇拜，這是鼓動人民群眾摧毀反對他思想的官僚機器必不可少的。」Edgar Snow, *The Long Revolution*, pp. 211–212.

98 十世班禪喇嘛（1938–1989）生於青海，被認為是阿彌陀佛的轉世。日喀則扎什倫布寺寺主。他與達賴喇嘛一樣是西藏精神領袖的化身，但他的政治權力排在達賴喇嘛之後。上世紀 50 年代，班禪喇嘛加入新體制。但 1959 年在西藏自治區開展土地改革起，他的態度具批判性，也使得他從 1963 年起在其北京的寓所內被傳喚。

99 Stuart Schram, *Mao unrehearsed*, pp. 242–253. 毛澤東提到的關於「革命接班人」的反蘇維埃的文章，於 1964 年 7 月中旬發表在《青年報》上。翻譯參見 *Pékin Information*, no. 29, 1964: "Sur le pseudo communisme de Khrouchtchev et ses leçons historiques dans le monde."

100 毛遠新，毛澤東弟弟的兒子。毛澤東的弟弟毛澤民在 1943 年被新疆的一個軍閥殺害。

101 陳永貴，一名有著 38 年黨齡的中國共產黨黨員，於 1986 年 3 月 26 日因肺癌去世，享年 72 歲（虛歲）。他的雕塑高 7.2 米，寬 3.8 米。在他的雕塑背後，有 72 級台階通往存放骨灰的墳墓。1996 年，陳永貴的墓地被評選為山西省重要旅遊景點。這尊雕塑是頭扎毛巾的山西農民形象。

102 *Pékin Information*, no. 18, 1968, p. 9.

103 當我在北京外國語學院學習漢語的時候，我們曾在 1965 至 1966 年學到過一篇 1965 年 5 月 27 日發表在《人民日報》上的文章。文章描述了 1964 年 6 月 16 日毛澤東和劉少奇去明十三陵參觀，當時山特別綠，水特別

清……兩位領導人慈祥地走到滿是年輕人圍著的池塘，年輕人大聲喊：毛主席來游泳了！劉主席來游泳了！兩位主席，一位是黨的主席，而另一位是共和國主席，他們被擺在同一級別。

104　1965年2月，時任蘇聯部長會議主席的柯西金在經過河內途中與越南北部領導人簽署了一些重要協議，大大地增強了蘇聯對越南北部的軍事援助。

105　就是在這樣的情況下，毛澤東在1961年與法國時任參議員、民主社會抵抗聯盟主席的弗朗索瓦・密特朗進行了會面。密特朗後來就中國之行寫了一本書，書中提到了毛澤東對這些年中國饑荒後糧食情況樂觀而近乎天真的講話。參見 *La Chine au défi*, Paris, Julliard, 1961. 1963年，毛澤東與前來為中法建交做準備的埃德加・富爾（Edgar Faure）會面。埃德加・富爾早在1957年就已訪問過中國，並與中國重要領導人會面。他曾出版 *Le sepent et la tortue: les problèmes de la Chine populaire*, Paris, Julliard, 1957. 剛剛被任命為法國駐中國大使的呂西安・貝耶於1964年9月13日在杭州同毛澤東進行了會面：呂西安對時任法國大使館武官紀亞馬說，他觀察到毛澤東被一個年輕護士攙扶著並且伴有輕微的手抖。這是毛澤東身體每況愈下的不明顯的徵兆之一。

106　李志綏書中有資料說，柯慶施得了急性胰腺炎去世，而陳丕顯則在他的回憶錄中提到柯慶施是在一次宴會後因為消化不良去世的。

107　在《林彪正傳》（香港：利文出版社，2002）中，辛子陵講述的一幕可能是4月22日這次會面的結果。5月19日，林彪被邀請參加由劉少奇主持的國務院會議，毛澤東並沒有參加會議。當劉少奇為討論做總結時，林彪突然打斷反駁。這種反駁像是確有其事，但是我認為發生的日子太早了，可能是6月15日？辛子陵沒有說明具體時間。我們得到的信息只是外史。

108　《逢和金》2，頁1391。

109　黃洋界是紅軍在1928年擊敗國民黨軍隊的地方。

110　該詞引自 l'Herne, *Mao Tsé-toung*, p. 433，由博蕭禮翻譯。

111　毛澤東對農村醫療體制的看法是不正確的：人們付出了巨大的努力，設立了許多診所，成功地消除了地方性寄生蟲病。

112　Stuart Schram, *Mao Unrehearsed*, pp. 232–233，援引自紅衛兵出版物。

113 以及照顧包括毛澤東在內的其他領導人。毛澤東實際上已經不太相信傳統中藥。參見 *La vie privée*, pp. 429–430.

114 影射了 1963 年美國、蘇聯、英國在莫斯科簽署的《禁止在大氣層、外層空間和水下進行核武器試驗條約》。

115 毛澤東在這裏嘲諷由赫魯曉夫和他的繼任者提倡的「土豆燒牛肉式共產主義」。

116 迪克・威爾遜（Dick Wilson）的《毛澤東傳》（*Mao*）引用了這首詩，見450頁。

117 接下來的內容大部分引自 *CHOC* 15, pp. 225–231.

118 《逢和金》2，頁 1394.

119 1964 年毛澤東檢閱了在北京明十三陵舉行、為期兩天的人民解放軍軍事演練。在這期間暴露了解放軍裝備破舊、通信系統落後以及命令指揮毫無新意的問題。羅瑞卿當時是中央委員會成員及國務院副總理。

120 周恩來去機場親自迎接來國事訪問的西哈努克。

121 毛澤東與彭德懷的這次會面並沒有被全部公開。參見 *MacFarquhar*, pp. 441–443. 也可參見彭德懷在紅衛兵壓迫下寫的思想報告，《一位中國將軍的回憶錄》（*The Mémoirs of a Chinese Marshal*）（北京：北京外語出版社，1984）。

122 楊尚昆（1907–1998），中國共產黨「二十八個半布爾什維克」之一，說得一口流利的俄語，曾與鄧小平一起參與同蘇聯的談判。他的政治生涯是從 20 世紀 30 年代的王明路線時開始的。他在彭德懷率領下參加了長征。解放戰爭時任職於劉少奇、彭真率領的華北軍隊。他是鄧小平領導的中央書記處的成員。在及時處理各項事務的同時，楊尚昆還負責記錄毛澤東的講話。因為毛澤東常常在他的大床上發出指示，為避免漏記毛主席珍貴的講話，楊尚昆常常在缺少速記員的情況下，用錄音機記錄毛澤東的講話。毛澤東專列和住處自然是配備錄音機的，這是 1960 年安置的。配備錄音機這一個舉動沒有得到毛澤東的允許似乎很難令人相信。搬起石頭砸自己的腳？

123 1961 年 2 月，一個被指派的工程師與毛澤東的一個服務員開玩笑，提到了她當天早上與毛澤東交談的內容。這個年輕的服務員急忙向主席報告這件事情。而毛澤東不但把這件事看作對他私人生活的嚴重侵

犯，而且不再向他身邊的人隱瞞他感到有人在組織一場陰謀準備推翻他。這些指控的起源是1958年年底中央決定將黨的大型會議錄音，以修正速記員的記錄。接着，毛澤東視察期間與各地方領導人的會談大都被錄了音。中國從瑞士進口了十台錄音機，兩台給了毛澤東的私人秘書，剩下八台交給了楊尚昆。毛澤東在1960年對這些錄音機的使用做了規定。1961年2月發生了上面提到的毛澤東與他的服務員談話被錄音的事件，於是毛澤東開始懷疑楊尚昆的意圖。毛澤東確實養成了在床上給出指示的壞習慣，隨着他在床上待的時間越來越長，私密對話被錄音也偶爾發生。

124 除了已援引的資料，參見《逢和金》2，頁1396和1399。

125 文章的草稿由江青從上海寄往北京給毛澤東審閱，藏在由她負責的現代京劇的錄音盒中。

126 11月9日，吳晗在信箱裏發現了預訂的《文匯報》，提醒鄧拓要注意。很顯然，北京市委遭到突然襲擊。

127 在12月期間，許多人在報紙上以「歷史事實」為由為吳晗改編的戲劇辯護。

128 「文化大革命」期間，毛澤東在北京城外度過了32個月。

129 《逢和金》2，頁1399–1400。

130 1965年11月30日，毛澤東在杭州會見了葉群七個小時。無論如何，毛澤東都需要林彪來限制她。但林彪自己曾説過，羅瑞卿事件對他而言，和楊尚昆事件對毛澤東一樣重要。

131 羅瑞卿在1966年1月9日做了自我批評。2月1日，他否認曾經有過想要代替林彪的想法。3月4日到4月8日，他在由鄧小平、彭真及葉劍英領導的42名調查員面前出庭受審。由於受不了無止境的虐待和騷擾，3月18日羅瑞卿從窗口跳樓，摔斷一條腿。4月12日，周恩來、鄧小平和彭真一同寫報告給毛澤東，通知他「鬥爭」已經結束。然而歷史有着無情的嘲諷，這份報告由中央政治局擴大會議於1966年5月16日批准，附帶着關於「彭真同志盡力減少和原諒羅瑞卿的錯誤」的指示。怯懦是要付出代價的。

132 Stuart Schram, *Mao Unrehearsed*, doc. 14, pp. 234–241，根據紅衛兵出版物。參見《逢和金》2，頁1400–1401，裏面記錄了毛澤東12月21日的談話內容。

133 關鋒生於1919年，是中央刊物《紅旗》中哲學組編輯組長。如果説毛澤東長期賞識艾思奇，那是因為他到那時才發現關鋒。

134 翦伯贊（1898-1968），北京大學歷史學家。他和吳晗一樣是明史研究的專家。

135 戚本禹，生於1931年。這位歷史學家是《紅旗》雜誌歷史組的編輯組長。

136 我們可以在下一章中看到，戚本禹在1967年開始在電影《清朝秘史》的基礎上對劉少奇進行攻擊。

137 *La vie privée*, p. 453.

138 同上。李志綏提到，毛澤東出人意料地來到在南部潮濕天氣下已關閉數月，甚至數年的別墅。別墅中的空氣因為久閉不通而令人難以呼吸。毛澤東甚至懷疑他1958年下榻成都別墅時，游泳池被人下了毒，因為這個游泳池曾用漂白劑消過毒。他仍舊是一個農民，在日常生活中不信任別人。

139 事實上，吳晗在12月30日發表了一個含糊的自我批評。

140 中發（中央指示）是嚴格經由毛澤東批准發表的內部指示，除了特別幾號文件是由毛澤東指定劉少奇代為簽發的。毛澤東在文件上他的名字上畫個圈，代表他已經知道文件的內容並且沒有任何反對意見，但沒有加上諸如「很好，照辦」或「印發」等最高評價。

141 《文稿》12，頁23-30。1966年的3月到4月，毛澤東對這篇文章做了十幾處改動。

142 《逄和金》2，頁1404；《文稿》12，頁38-41。這些描述都引自《毛澤東最後的革命》（*Maos' Last Revolution*, pp. 28-33）。鄧小平則因為在西北「三線」視察而缺席這次會議。

143 指江青提出來的革命戲劇《沙家浜》。

144 《逄和金》2，頁1405，援引了毛澤東3月30日的註釋。

145 過去對中央集權的説法。

146 《逄和金》2，頁1407，引用了1966年4月22日的會議報告。

147 *Maos' Last Revolution*, pp. 34-35;《逄和金》2，頁1408-1409。5月16日，參加這次政治局擴大會議的與會者在他們的文件中發現了一封林彪親筆信的複印件。在信中，林彪證明他的妻子葉群在延安與他結婚時是

處女並且婚後一貫正派。林彪還證明葉群與王實味（〈野百合花〉的作者，在1947年因政治罪被康生下令處決）從來沒有過戀愛關係；他與葉群的兩個孩子是他親生的。這封信在會後全部被收回，沒有留下複印件。但是有許多人證明了這封信的真實性。

148　毛澤東此時不再偽善。1966年6月10日在杭州會見胡志明的時候，他抱怨剛剛被揭露的修正主義者曾經都是他的朋友。

149　這是《關於建國以來黨的若干歷史問題的決議》中的第21條。

150　參見 Maos' Last Revolution, p. 47，引用了一些不知道來源的中文資料，毛澤東曾向康生和陳伯達解釋說這一過程是「故意煽動的」。

151　王力（1921–1996），出身於書香門第。他曾發表過與蘇聯論戰的文章，並且任中共中央對外聯絡部副部長，負責同別國共產黨聯絡。

152　穆欣是《光明日報》的總編輯。他在2006年出版了《述學譚往 —— 追憶在〈光明日報〉十年》（東方出版社）。

153　聶元梓於2005年在香港出版了她的回憶錄。1994年7月17日她在北京接受了沈邁克的訪問。這一段描述引自 Maos' Last Revolution, p. 54, no. 11. 所有的回憶都證明這張大字報是康生的妻子曹軼歐的傑作。她是在延安認識聶元梓，並於1938年加入共產黨的。在「社會主義教育運動」中，針對陸平的一系列打擊經由彭真、鄧拓等人派遣的工作組做工作有所緩解。隨着彭真的失勢，對陸平最後的保護也消失了。毛澤東在「百花運動」中對學生的動員能力十分讚賞，於是康生在毛澤東一貫的指示下開始行動。所以這次「文革」運動不是自發的。根據紅衛兵1967年出版的小冊子，康生說，如果人民群眾不「造反」，我們就動員大家「造反」。

第十六章　「文化大革命」（1966–1969）

1　有關「文化大革命」的著作有很多，並且不斷更新。除了上文提到的中國資料，其中包括白吉爾（Marie-Claire Bergère）的書和《劍橋中國史》（CHOC）第十五卷；各種毛澤東傳記（尤其是 Short, pp. 460–547），我還參考了 MacFarquhar 3; Rocerick MacFarquhar and Michael Schoenhals,

Mao's Last Revolution, Cambridge, Harvard University Press, 2006 (*Last Revolution*); Barbara Barnouin and Yu Changgen, *Ten Years of Tubulence: The Chinese Cultural Revolution*, New York, Paul Kegan, 1993; Joseph W. Esherick, Paul G. Pickowicz and Andrew G. Walder, *The Chinese Cultural Revolution as History*, Stanford, Stanford University Press, 2006 (*Esherick 2006*); Michael Schoenhals, *China's Cultural Revolution, 1966-1969: Not a Dinner Party*, Armonk, M. E. Sharpe, 1996 (*Schoenhals 1996*). 隨着事件的逐漸展露，這些書籍也一部一部出版。一個已經成為美國公民的中國作家（宋永毅）對在文化大革命中經歷屠殺的受害者做了一個令人驚嘆的調查。 他的著作在香港和台灣出版， 由馬克・ 蘭波（Marc Raimbourg）翻譯成法語譯本並由侯芝明（Marie Holzman）女士撰寫前言：宋永毅：《「文革」中的暴力與大屠殺》（Song Yongyi, *Les massacres de la révolution culturlle*, Paris, Bucher-Chastel, 2008 [*Massacres*]）。宋永毅在孫大進的幫助下完成了關於文革的最好的傳記，被翻譯成了日語、英語和其他西方語言，並在吳文津（Eugene Wu）主編的哈佛燕京傳記系列VI中發行，《文化大革命：書目索引，1966-1996》（*The Cultural Revolution: A Bibliography, 1966-1996*, Cambridge, 1998）。

2　他們受到的指控是篡改主席講話，在毛澤東狂熱的個人崇拜大環境下這被認為是褻瀆。

3　作為一個小心謹慎的官員，郭沫若（1892-1978）對局勢頗有見解：1966年4月14日他否認自己所有的作品並做了一個令人驚訝的自我批評，之後他作了一首讚揚的詩歌獻給「親愛的江青同志」。確實，他發表於1921年的詩《女神》、他對美學的喜好和「為藝術而藝術」的堅持已經遠離無產階級了。他的長壽讓他有足夠的時間評判江青是不是「白骨精」。

4　按照慣例，應該用清華二字的拼音字母來代表清華大學，但是這所由遊美學務處建立的中國知名學府的領導決定保留威妥瑪拼音的拼法（Tsinghua University）。這就是現在全世界都能看到的清華大學的名稱。

5　清華大學的校長也是黨委書記，學校有238個黨支部。清華大學培養了中國最優秀的工程師：蔣南翔為了保證「社會主義教育運動」不影響教育質量，保留對生源的嚴格篩選。中國的第一個核反應堆就是在清華大學的實驗室裏製造出來的。

6　《文稿》12，頁62。

7　《逄和金》2，頁1411。

8　參見Zheng Xiaowei, "Passion, Reflection and Survival: Political Choices of Red Guards at Qinghua University, June 1996–July 1968," in Joseph Esherick, Paul G. Pickowicz and Andrew G. Walder, *The Chinese Cultural Revolution as History*, pp. 29–63. 作者曾採訪了許多著名的清華紅衞兵。

9　試想這些高官告知他們的子女並且建議他們採取行動，他們真的想避免事態擴大嗎？

10　濱海位於江蘇省北部，是一個貧窮而落後的城市。

11　當毛澤東住在杭州的時候，每天會有一架飛機送來機密資料和報刊文摘。每隔兩天，會有一輛車將資料送到毛澤東住處。毛澤東有一個情報網，由中國人民解放軍8341部隊的領導汪東興掌控。汪東興負責保衞主席和高層領導人的安全。在動盪年代，這不是微不足道的優勢。

12　最好的見證人之一是華林山（Hua Linshan），《紅色年代》（*Les années rouges*, Paris, PUF, 1987）。作者原名麥剛，曾是廣西桂林紅衞兵領袖。我們可以從其他許多紅衞兵的作品中找到毛澤東作為被壓迫的年輕人的解放者這一形象。例如凌耿（Ken Lin）的《天仇》（*La vengeance du ciel*, Paris, Robert Laffont, 1981，翻譯自英語）；Gordon A Bennett et Ronald Montaperto, *Mémoires du garde rouge Dao Hsiao-ai: La première autobiographie politique d'un garde rouge*, Paris, Albin Michel, 1971（翻譯自英語）。

13　鄧小平提醒陳伯達他自己在《人民日報》也有一個工作組。

14　6月13日，薄一波給工作組的負責人下達指示。這些負責人證實了黨的最高領導人認為1966年夏初的情況和1957年的情況一樣的看法。「牛鬼蛇神又重新出洞了。讓它們出來，抓住它們，鏟除它們！」

15　周恩來的這次缺席使他沒有被捲入工作組最受批評的「專政」階段。特別是6月20日劉少奇寫的針對6月18日在通知中稱北大發生的事件是「流氓事件」。

16　《劉少奇年譜》（1996），卷二，頁642。

17　《逄和金》2，頁1418–1421。

18　毛澤東在專列車廂中向地方領導人宣稱，應該讓年輕人在「反修防修」的鬥爭中進行政治學習。

19　毛澤東稱這兒是「白雲黃鶴的地方」。

20　劉少奇和鄧小平也許想用這篇關於民主集中制的講話來提醒黨內領導遵守紀律。這是他們倆犯的「重大錯誤」，因為毛澤東十分反對這樣的民主集中制。

21　這一系列由鄧小平和劉少奇向毛澤東提出的批准申請，有力地表明毛澤東主義者之後以毛澤東已經遠離權力為由對「文化大革命」的必要性做出的肯定是毫無根據的。毛澤東因為他的錯誤而喪失了一小部分絕對權力。但是，他從延安時期整風運動起就保留了對任何重大決定的否定權。

22　王力把這事歸功於自己：在釣魚台的住所為8月初召開的八屆十一中全會撰寫16條決議時，他找到康生並向他提出了這個建議。但這不太可能是真的。康生可能應與他較親密的毛澤東的要求去見周恩來。

23　當時在場的有湖北省委第一書記，且非常忠實的王任重。

24　參見《文稿》12，頁71–75。此書中強調這封信與手寫稿一致。我們可以在《逄和金》2，頁1419–1420中找到相同的信，只有前六行被去掉了。這種雙重參考保證了信的真實性，儘管在發表過程中細節有所修改。在本書中我所採用的法語譯文取自1972年12月2日的《世界報》。我在兩本書中全篇引用了這封信全文。一本是 *La révolution culturelle*, Paris, PUF, 1976, pp. 73–77. 另一本是 *La Chine populaire*, t. 2, Éditions sociales, 1984, pp. 18–21. 這封信的法語翻譯與漢語是相對應的。翻譯中僅僅省去了七行文字，包括毛澤東指出反動派在中國當權是不能長久的，就好比蔣介石的失敗，以及毛澤東在最後聲稱「前途是光明的，道路是曲折的」。有資料指出，毛澤東1972年5月在反對林彪的運動中公開了這封信。信中的好幾個片段分別於1972年10月1日、1973年9月2日、1975年3月1日發表在《人民日報》上。

25　魏文伯是中共中央華東局書記處書記。陳丕顯是中共上海市委第一書記。江青那時在上海。

26　9月12日，尼泊爾王太子與毛澤東會面。9月17日，毛澤東會見了一支亞非作家代表團。

27　毛澤東在杭州的住所，位於西湖邊。

28　毛澤東當時住在韶山一個叫做「滴水洞」的地方。毛澤東對當時在北京發生的事件了如指掌。

29　指武漢三鎮之一的武昌東湖邊，是武漢大學集中的地方。

30　這裏是指林彪在1966年5月18日發表的講話，其中說毛澤東是天才，並分析了各種政變的技巧。

31　鍾馗是一個神話人物。人們在農曆新年將鍾馗的畫像貼在門上來驅趕惡靈。

32　此處毛澤東解釋了蔣介石的失敗。

33　毛澤東暢游長江一事的照片在7月25日登上了《人民日報》的頭版頭條，通篇是勝利的語氣。人們只能看到毛澤東的頭，他以一種「印第安式」的泳姿游泳。這種泳姿在毛澤東小時候十分流行，人們用手前進但不把手伸出水面。在游泳過程中，毛澤東對身邊的一個游泳運動員說：「長江水深流急，可以鍛煉身體，可以鍛煉意志。」見 *The China Quarterly*, no. 28, October–December, 1966, pp. 149–152;《逄和金》2，頁1421：註釋1摘錄《王任重回憶錄》(*Les mémoires de Wang Renzhong*)。

34　釣魚台由1959年建造的15幢精緻的接待樓組成，接待外賓來訪。各樓由數字1到18命名，其中，沒有以數字1、13以及4命名的別墅 (也有說八方苑即4號樓)，不設1、13是為尊重外國人的習俗，而不設4是因為在漢語發音中數字4讓人聯想到「死」。

35　政治局常務委員會在7月19日至23日增加會議的次數，僅僅為了討論工作組的問題：劉少奇試圖糾正並加強工作組，陳伯達希望撤回，而鄧小平則嘗試撤回「壞」的工作組，保留「好」的工作組。

36　劉少奇可能對毛澤東的激烈反應感到驚訝。在這次極具政治性的抨擊中，我們不知道有哪些人在場。

37　《逄和金》2，頁1422–1424；*Last Revolution*, pp. 82–85;《文稿》12，頁87–89。關於毛澤東回北京後在中央政治局的講話，有一個不同的版本，參見陳志讓 (Jerome Chen) 的《毛澤東文集：詩集和書目》(*Mao's Papers*, pp. 26–43)。這次講話的日期標注為7月21和22日。

38　這是對袁世凱的繼任者的稱呼。北洋軍閥在1919年5月4日和1926年3月18日對北京為反對帝國主義列強而遊行的青年學生進行鎮壓。1926年3月18日的鎮壓造成了流血事件。

39　我們可以看到文章中由「我們」到「你們」的逐步變化。

40　這非常像莎士比亞戲劇中的一幕。我們可以在 *La vie privée*, pp. 482–484 （法語版）中看到這莎士比亞戲劇般的一幕。

41　一個月之後，李雪峰不得不把領導位子讓給吳德，並且是在1966年12月16日被迫為「劉少奇50天專政」中自己的行為做自我批評。

42　這些內容是與當時的情況相符的，只是說話者的順序不同。

43　作者們使用的文件出自1968年紅衛兵出版的刊物。

44　這種靈活變化的講話方式是劉少奇講話的特色。

45　自7月29日起，劉少奇開始被軟禁。氣氛變得很詭異：王光美和他們的女兒劉濤不停地哭叫。

46　在 *Last Revolution* 一書中，作者們常常引用「動亂」這個詞。

47　《文稿》12，頁93。

48　同上，頁90–92。

49　*Schoenhals 1996*, pp. 33–43.

50　選舉是直接舉手表決，可撤銷當選委員的職務，沒有候選人名單。

51　*Schram*, doc. 19, pp. 262–263;《逄和金》2，頁1430–1431。

52　周恩來在9月27日給紅衛兵的文件中寫道：真理的唯一標準就是毛澤東思想。參見 *Schoenhals*, p. 27.

53　經過紅衛兵時期，宋彬彬在20世紀80年代赴美國麻省理工學院學習地理並獲得專業博士學位。2007年9月9日，在北師大附屬實驗中學90週年校慶的時候，她獲選「榮譽校友」。宋彬彬給毛澤東戴紅衛兵袖章的照片在那時被展出並且被放入紀念冊。但沒有任何資料反映1966年8月北京師範大學附屬女子中學副校長卞仲耘的悲慘命運。

54　《文稿》12，頁107。

55　人民解放軍負責運輸分發工作。遊行者每天早上可以分到一碗飯和一個饅頭。每天發兩頓飯，有豬肉和白菜，還發熱水。教官們在集合隊伍出發去天安門或返回的時候進行整隊。

56　8月31日的集會由江青主持，9月15日由康生主持。10月1日，毛澤東和林彪試圖乘吉普車穿越一百五十萬人，但他們被巨大的人流擋住。毛澤東着了涼並且對靠近他的人群顯得疲憊：之後他就像一個老人一

樣走路，所有動作也變得十分緩慢。10月18日、11月3日、11月10日至11日和11月25日至26日的集會變得安靜些。

57　由於組織的原因，在集會中發生了腦膜炎流行病。《當代中國研究》1997年第4期指出，在1966年到1967年間，304萬人感染腦膜炎，有16萬人死於腦膜炎。

58　《毛主席語錄》對這些年輕人來說就像是《聖經》，在由法國瑟伊出版社出版的法語譯本（*Petit livre rouge*）中第173頁寫道：「年輕人，世界是你們的。你們是初升的太陽。中國的未來是你們的。」

59　天津黨委第一書記萬曉塘因為1962年春帶領天津人民走出「大躍進」危機而被人們記住。五十萬群眾參加了他的葬禮。毛澤東在10月24日說：「這實際是向黨示威，這是用死人壓活人。」

60　譚厚蘭（1937-1982），帶領着一支特別暴力的紅衛兵隊伍。她於1968年被捕，在獄中死於癌症。

61　紅衛兵砸挖了海瑞墓、武訓墓和「叛徒」瞿秋白的墓等。他們還去浙江砸挖了蔣介石祖先的墓。周恩來修復了墓碑並且把墓的照片託人寄到了台北。

62　Jerome Chen, *Mao's Papers: Anthology and Bibliography*, London, Oxford University Press, 1970, pp. 35–36. 陳志讓記錄的這次講話是發生在8月23日的中央工作會議上，未經證實。他還援引了1966年毛澤東在一次中央擴大會議上的講話，細節不詳。兩次講話內容相似，都是對矛盾和「繼續革命」作了理論和哲學層面的思考。援引內容來源於1969年紅衛兵出版的《毛澤東思想萬歲》。總的來說，我不會援引這些內容，因為不論內容還是出處都有很多不確定性。現在，相關的説法太多，援引這部分內容有風險。

63　老舍，1899年出生在北京一個滿族家庭。他是喬納森・斯威夫特的仰慕者。老舍因他1936年出版的《駱駝祥子》以及《茶館》而聞名。其書中描寫的是市井中的普通人而非毛澤東主義式的英雄。

64　謝富治（1909-1972），這個出生在湖北貧農家庭的木匠於1927年加入共產黨游擊隊。1959年，他代替羅瑞卿出任公安部部長，並且領導軍事情報工作。被康生和毛澤東賞識，謝富治於1965年出任國務院副總理

並且在1966年8月八屆十一中全會上被選為中央政治局候補委員，特別負責北京地區。1969年因為生病而淡出，1972年3月因胃癌去世。1980年10月在審判江青時，他被開除黨籍，因為過去他曾與江青關係十分親近。

65　*Last Revolution*, p. 125.

66　由1966年8月8日八屆十一中全會表決通過。這十六條綱領要求人民通過語言，而不是通過毆打對階級敵人進行鬥爭。

67　一個見證者對當權者當時的作用做了有意思的補充（*Massacres*, p. 50）：在大興縣貧農和人民公社的一次會議中，一個幹部說在附近的天堂河勞改農場，他曾經被要求在夜裏處決富農和他們的家人。

68　目擊者稱（*Massacres*, p. 51）：「殺人的方式種類繁多：用棍子痛打，用鐮刀割皮，用繩子絞死……」

69　*Massacres*, pp. 43–66. 只有特別殘忍的頭目被逮捕並判刑，但很快被赦免。我們可以聯想到法國大革命時的九月屠殺。

70　當今世界這種由青少年團體進行的殘忍行為比比皆是，人們招募他們參軍，特別是在非洲。

71　Stanley Rosen, *Red Guard Factionalism and the Cultural Revolution: The Case of Guangzhou*, Berkeley (Ca), UCAL., 1981.

72　《逢和金》2，頁1447–1456；《文稿》12，頁147–150；*Schoenhals*, pp. 5–9; *Schram*, pp. 270–274 textes 20 et 21; Jerome Chen, *Mao's Papers*, pp. 96–97; *Last Revolution*, pp. 135–139，此書經常引用王年一：《大動亂的年代》（鄭州：河南人民出版社，1988）（《動亂》）。

73　《逢和金》2，頁1148。儘管多有保留，但毛澤東對這份自我批評顯得很滿意。

74　同上，頁1449援引了這次毛澤東講話的記錄。記錄與 *Schram*, texte 20, pp. 264–269有輕微不同。有多位領導人同毛澤東一同參加了10月24日的彙報。

75　毛澤東的這次講話有許多差異較大的版本。也許是因為講話有兩個稿子，一個是發給與會者的手寫版，而另一個是毛澤東臨時發揮的口述版。另外，毛澤東講話帶有濃重的湖南口音，這使北方來的與會者很難聽懂。我們可以想像習慣毛澤東湖南口音的主要秘書田家英已經自

殺，「文化大革命」的最初幾個月中包括逄先知在內的秘書們被逮捕，在這樣的情況下，中央原有的組織秩序受到影響。逄先知與金沖及編寫的《毛澤東傳》是本書主要的參考書目。

76　此次蘇聯會議提醒了毛澤東：蘇聯這個國家是社會主義的先驅，也提供了一些反面教材。

77　在這段講話中，毛澤東兩次提到他的死，證明了培養「革命接班人」來完成他的革命事業的重要性。

78　「大權旁落」一直是毛澤東主義者主要的論題。對他們而言，「文化大革命」是毛澤東重新奪回被劉少奇、鄧小平和彭真「篡奪」的權力的運動。實際上，毛澤東失去的僅僅是「絕對權力」。1958年至1966年，沒有任何重大決議是在沒有經過毛澤東同意的情況下通過的。

79　我們可以看到並不是如此，毛澤東經常被諮詢。自從延安整風運動後，毛澤東就擁有否定決議的權力，雖然這項否定權沒有正式化，但為領導隊伍所承認。實際上，毛澤東的真正權威是因他在「大躍進」中犯的災難性錯誤而動搖的。

80　一些猖狂的「紅衛兵小將」常常發表講話。1966年12月19日，蒯大富在短時間內重新組織了清華大學裏所有的紅衛兵，並建立了一個委員會來編輯他的「著作」。

81　*Schoenhals*, pp. 9–26.

82　他們自稱「秀才造反派」。

83　他代替了上海市委第一書記陳丕顯，此時陳丕顯正因為鼻咽癌在醫院接受手術。

84　實際上，第一輛火車經過了南京，沒有被攔下來。王洪文和主要的「造反派」跳上的是第二輛火車，並很快與從上海趕來的一兩千其他「造反派」會合。

85　毛澤東忘記了結社的自由要經過黨的同意，任何協會都要納入官方組織的範圍，否則就會被當做反革命組織。

86　《逄和金》2，頁1456–1458。

87　「坐飛機」的姿勢是人跪着前傾而雙手被綁在身後，呈V字形。當被遊街的人堅持不住「坐飛機」的姿勢時，他們會被皮鞭抽打。參見李振盛（Li Zhensheng）的攝影畫冊，《紅色新聞兵》（*Le petit livre rouge d'un photographe chinois*, Paris, Éditions Phaidon, 2003（翻譯自英語）。

88　在這些被邀請的客人中缺少了周恩來、康生和林彪，但這並沒有甚麼特別的意思。從1月1日起，毛澤東所有的指示都只跟他邀請參加生日的七個人以及上面提到的三個人溝通：這十個人組成了未來六到七個月的領導核心。

89　參見 *Last Revolution*, p. 151。作者們引用的資料來自王年一的《大動亂的年代》和王力1993年在香港出版的回憶錄。《人民日報》1月1日的社論把毛澤東的話改為「1967年將是全國全面展開階級鬥爭的一年」。《文稿》12，頁176。這裏所參考的版本是可以接受的。

90　有關在上海的「文化大革命」運動，除了常見的書目，我參考了四部作品：Neal Hunter, *Shanghai Journal: An Eyewitness Account of the Cultural Revolution*, New York, Frederick Praeger, 1969; Andrew Walder, *Chang Ch'un-ch'iao and the January Revolution in Shanghai*, Ann Arbor, The University of Michigan Press, 1978; Elizabeth J. Perry and Li Xun, *Proletarian Power: Shanghai in the Cultural Revolution*, Boulder, Westview Press, 1997 (*Perry*); Marie-Claire Bergère, *Histoire de Shanghai*, Paris, Fayard, 2002, pp. 413–426.

91　一部分臨時工被有效地轉為正式工，而那些離開人民公社的農民被漸漸遣送回農村。

92　只是字面意思。上海駐軍於1967年1月1日凌晨1點命令民兵組成「赤衛隊」武裝佔領軍工廠，三天之後上繳全部熱武器，這樣避免了在中國其他城市可能發生的內戰。於是，人們赤手空拳或用榔頭、竹矛互相鬥毆。

93　*Last Revolution*, p. 163.

94　立刻改變立場的人指的是馬天水。馬天水在最初的會議中批評「造反派」影響生產，但張春橋向他解釋說：「文化大革命實際是改朝換代。」

95　陳丕顯由於要接受治療癌症的手術把上海黨委的職位交給了曹荻秋。之後他病休。

96　陳丕顯是上海第一位軍區政委，這次集會後不准穿軍裝：他穿着一件粗布短工作服（配有紅色領章），一條橄欖綠的褲子，沒有戴軍帽。領

導人的撤免非常暴力：四位負責人死於紅衛兵的虐待。張春橋提醒不要讓這些場景被錄像，以免給外國人不好的印象。

97　《文稿》12，頁 186–187。

98　關於這些巴黎公社式的會議，參見 Marie-Chaire Bergère, "La Chine: Du mythe de référence au modèle d'action: La Commune de Shanghai," in Jacques Rougerie éd., *Jalon pour une hisroire de la Commune de Paris*, Assen (Pays Bas), Van Gorcum, 1971, pp. 512–535.

99　關於毛澤東 2 月 12 日的講話，參見 *Schram*, pp. 277–279；關於張春橋 2 月 24 日的報告，參見《關於中國內地新聞界的調查》(*Survey of China Mainland Press* [SCMP], Hong Kong, no. 04147, 27 March, 1968, pp. 1–10)。

100　耿金章，生於山東曹州的一個貧農家庭，曾在國民黨軍隊當過兵，於 1949 年加入中國共產黨。雖然他是工廠民兵負責人，但他的聲譽不好，沒有成為工長。行為粗暴的耿金章組織了「紅衛兵第二兵團」。1 月 14 日，他拒絕以王洪文為指揮的「造反」運動，並且指責張春橋專制。

101　*Schoenhals*, pp. 52–53.

102　《文稿》12，頁 203–206。

103　2 月中旬毛澤東對張春橋和姚文元說他反對「上海公社」，更傾向於「革命委員會」時提到在「大聯盟」的範圍內進行奪權。毛澤東舉了甘肅、福建和內蒙古的例子。實際上，在 13 個最先建立的「革命委員會」中，有一些很快被推翻，這些省份和地區長期處於類似於內戰的混亂中，最後被人民解放軍平定。很明顯，毛澤東避免提到 1967 年 1 月 31 日在黑龍江組成的第一個「革命委員會」。這個「革命委員會」一直保留至九大後黨委恢復。這個「革命委員會」的主任潘復生是黑龍江省委第一書記，1958 年曾因「右傾機會主義」被免除河南省委書記的職務。

104　這裏的高級幹部說的是陶鑄。他在因「安亭事件」連續失勢之前是共產黨內的第四位領導人。毛澤東批准打擊陶鑄，並同意讓紅衛兵於 1 月 5 日進入中南海陶鑄的住處，此地離他自己的住處並不遠。也許毛澤東曾批評陳伯達在這一波三折的事件中，未經過他同意做了一些決定。這一事件到現在仍然不明朗。

105　許世友 (1906–1985)。這位南京軍區司令員曾在年輕流浪時在少林寺當

過和尚。他從不掩飾如果粗魯的造反派想辱罵他，他會親手殺掉這個人的決心。他是參加過朝鮮戰爭的將領之一，威脅如果被反動派攻擊就開展游擊戰。

106 *Last Revolution*, pp. 191–197. 在1981年6月中央表決通過的《關於建國以來黨的若干歷史問題的決議》中的第21條提到：「一九六七年二月前後，譚震林、陳毅、葉劍英、李富春、李先念、徐向前、聶榮臻等政治局和軍委的領導同志，在不同的會議上對『文化大革命』的錯誤作法提出了強烈的批評，但被誣為『二月逆流』而受到壓制和打擊。」

107 我們可以看到2月12日，激烈討論的會議後的第二天，毛澤東在接見張春橋和姚文元的時候，對這個問題做出了否定的回答。

108 《文稿》12，頁233–235。

109 這次講話的版本我們可以在 *Last Revolution* 中找到。而在《逢和金》2，頁1482中，我們可以看到一個不太一樣的片段，但意思是相似的，兩位作者引用了一段沒有出處也沒有引號的話：毛澤東說，我同林彪南下，再上井崗山打游擊。「中央文革小組」改組，陳毅當組長，譚震林當副組長。

110 周恩來負責勸說陳毅做自我批評，李富春和謝富治負責勸說譚政林，而葉劍英和李先念勸服徐向前。4月22日，毛澤東為了安撫老將，釋放了1月25日139名因組織「聯動」被捕的高幹子女。這個小組散布口號：打倒江青！打倒陳伯達！劉少奇萬歲！反對逮捕革命老兵！

111 《文稿》13，頁163。這一次是來自中國官方的資料最符合事實真相。Edgar Snow, *The Long Revolution*, London, chez Huntchinson, 1973, pp. 167–176的報告中記錄了這次會見。斯諾對這個言論做出了指責。

112 中文「全面內戰」後是英語翻譯「all-round civil war」。

113 關於「文化大革命」的相片，參見 Victoria and James Edison, *Cultural Revolution Posters and Memorabilia*, Atglen(PA), Éditions Schiffer, 2005.

114 Michael Frolic, *Le peuple de Mao: Scènes de la vie en Chine révolutionnaire*, Paris, Gallimard, 1982（1980年先出了英文版）, chap. XI, "Mon voisinage," pp. 220–221. 這種奇怪的「請示」開始於1967年，結束於1968年，全名叫「向毛主席請示」。1967年11月，中國人民解放軍8341部隊到北京針織總廠幫助工人們進行「文化大革命」，這種儀式第一次出現（*Last*

Revolution, p. 263）。因為沒多久，就沒有甚麼人可以懺悔並促成階級鬥爭了，用反面例子教育群眾的方法行不通了，於是大家開始將就近的親友指認為某個階級的敵人。這個人就登上講壇，在確保不會遭受虐待之後，一邊做最誇張的手勢一邊懺悔。「文化大革命」就這樣變得戲劇化了。

115 《文稿》12，頁306-309。

116 同上，頁305。

117 林彪說：「不要害怕混亂，因為在混亂之後就會有秩序。」就是這些話支持着破壞分子。

118 《文稿》12，頁314-315。

119 江青在背後促成對王光美的公開羞辱。因為她厭惡王光美優雅的舉止和大資產階級的出身。後來王光美在秦城監獄度過了12年艱苦的牢獄生活。

120 *Perry*, pp. 119-144.

121 肖華，生於1916年，是長征的老兵。1966年8月被任命為解放軍「中央文革小組」組長，和林彪關係不錯，和江青交惡。

122 《逄和金》2，頁1490，註釋2和3。

123 同上，頁1491，註釋1。

124 同上，頁1491。

125 *Last Revolution*, pp. 198-214. 作者們主要使用了王力1993年在香港出版的回憶錄以及陳再道將軍同時期發表的《7月20日災難記》。還有一份英文分析，即Wang Shaoguang, *Failure of Charisma: The Cultural Revolution in Wuhan*, Hongkong, Oxford University Press, 1995. 也可參見《逄和金》2，頁1491-1506和《文稿》12，頁380-384。請注意作者們引用的7月12日到25日的資料的真實性並不確定。

126 「百萬雄師」這一稱號讓人們聯想到毛澤東的一首詩。在這首詩中，毛澤東用「百萬雄師」來稱呼1949年4月解放南京的解放軍士兵。武漢這支隊伍號稱由一百二十萬人組成。

127 特別是賀龍，他與該地區的空軍指揮將領關係非常密切。

128 西安事變指張學良和一些軍官在1936年12月發動兵變，脅迫蔣介石停止內戰，共同抗擊日本，參見本書第八章。

129 根據毛澤東一個貼身警衛的回憶，周恩來本人戴着墨鏡喬裝打扮到位於東湖客舍來找毛澤東。很快毛澤東被近一百名全副武裝的警衛貼身保護，迅速登上了專列，來到山坡機場。Jung, pp. 579–581引用了這段文字描繪毛澤東離開時的混亂場面。這可能也證明了毛澤東之後對王力突然表現出的敵意。毛澤東認為是王力害他落入陷阱。

130 吳法憲是空軍司令，也是林彪的親信。

131 「造反派」從春天起就搶奪兵工廠掌握武器。對1967年混亂時期毛澤東的責任，可以參見Michael Schoenhals, "'Why Don't We Arm the Left?' : Mao's Culpability for the Cultural Revolution's Great Chaos of 1967," *The China Quarterly*, no. 182, June 2005, pp. 271–300.

132 毛澤東焦躁不安地閱讀關於武裝衝突的報告，每天晚上只睡兩到三小時。

133 這次會見在8月20日舉行，但是毛澤東從他抵達上海之後似乎就重複了相似的講話。

134 《逄和金》2，頁1498，註3。

135 在王力的回憶錄中，他提到陳伯達認為這篇社論寫得很好。社論寫道：「揪出黨內一小撮走資派。」很難相信這樣一篇社論會逃過一直關注各種政治文章的毛澤東警惕的眼睛。社論發表一個星期後受到了陳伯達、林彪、江青和周恩來的批評。王力在8月29日才對此作出批評。可能毛澤東是在8月中旬才決定有所反應並通知了他身邊的人。

136 王力還說道：「『中央文革小組』支持所有的革命者……我看不出我們有甚麼過分之處……逮捕陳毅的計劃肯定是正確的……也許這個人物的級別高，但如果應該批判，就批判他。」此處指的也許是周恩來。

137 *Last Revolution*, p. 229. 8月底，美國黑人學者杜波依斯（W. E. B. Du Bois）的遺孀作家雪莉‧格雷漢姆‧杜波依斯（Shirly Graham Du Bois）來訪。周恩來向她講述了當時混亂的狀況以及他對「文化大革命」失敗的擔心。

138 戚本禹在9月4日檢舉王力和關鋒狂妄自大，以自我為中心。而這並沒有阻止他在1968年1月被逮捕。1967年4月，戚本禹發表在《紅旗》雜誌上的文章〈愛國主義還是賣國主義？〉吹響了反對劉少奇的號角，也許毛澤東應該感謝他，但這個野心勃勃的歷史學家寫的反對江青的「黑材料」讓毛澤東十分反感。

139　參見《周恩來年譜》3，頁183。毛澤東說他很滿意，還補充說8月7日王力對外交部部長的批評是非常有害的。

140　最好的描述是本書援引的內容，出自 Last Revolution, pp. 221–231。其中大量參考了王力的回憶和楊成武的回憶錄。

141　《文稿》12，頁412。

142　1968年5月楊成武突然受到清洗。可能他因為自己的熱忱而成為受害者。當他去中央文革小組總部取起訴王力和他的同夥的文件時，他拿了一些破壞江青和謝富治名譽的資料。另外，楊成武不在林彪的第四兵團工作，而在聶榮臻的第五兵團，受到「二月逆流」的牽連。

143　《文稿》12，頁424。

144　*Massacres*, "Wei Guoqing extermine la faction du 22 avril," pp. 249–277.

145　*Last Revolution*, pp. 254–256.

146　這次調查覆蓋了中國2,250個區縣的8.3%。

147　參見 Yang Su, "Mass Killings in the Cultural Revolution: A Study of Three Provinces," in Joseph Esherick, Paul G. Pickowicz and Andrew G. Walder, *The Chinese Cultural Revolution as History*, pp. 96–123; *Massacres*, pp. 145–228 描寫湖南省發生的屠殺。

148　關於這些械鬥，參見 Bianco, *Jacqueries*, pp. 321–350.

149　Zheng Yi, *Stèles rouge: Du totalitarisme au cannibalisme*, Paris, Bleu de Chine, 1999，翻譯自鄭義：《紅色紀念碑》（台北：華師文化出版社，1991）。作者在當地做過調查。

150　*Massacres*, pp. 95–102.

151　《文稿》2，頁617–618。

152　「貧下中農」向參加學習的知識分子介紹在1949年之前他們艱苦的生活條件。人們也許會自問這場用言語美化的饑荒是否讓他們想起1949年新中國成立以前的日子。教育以一頓薄粥和白開水結束。這在延安是很平常的。

153　關於五七幹校，有兩份很好的資料。一本是楊絳的《幹校六記》。楊絳是將《堂・吉訶德》翻譯成中文的翻譯家，同時也是小說家和文人錢鍾書的妻子。除了這本痛苦但有尊嚴的作品，還有一份滑稽可笑的資料，即 Michael Frolic, *Le peuple de Mao: Scènes de la vie en Chine révolutionnaire*, pp. 29–43. 如果你想從西方毛派的幻想中了解中國的現實，可以閱讀 "L'école des cadres du 7 mai: La guérilla intérieure," in Maria-Antonietta Macciochi, *De la Chine*, Paris, Le Seuil, 1971, p. 96.

154　清華大學的情況可以參見 William Hinton, *La guerre de cent jours: La Révolution culturelle à l'université Tsinghua*, Lyon, Fédérop, 1976. 翻譯自 *Hundred Day War*, New York / London, Monthy Review Press, 1972. 此書的立場對左派非常有利。

155　關於這些戲劇性的事件，如今最合適的描述是 *Last Revolution*, p. 250. 作者們運用了一本 1968 年在香港編輯的小冊子《偉大領袖毛主席和他的戰友林彪會見北京紅衞兵聶元梓、蒯大富、韓愛晶、譚厚蘭、王大賓時的講話》。我並沒有看這篇文章。我認為這篇文章與紅衞兵 1968 年在北京發表的《毛澤東思想萬歲》中有一篇文章是一樣的。因此，這是同一篇文章的兩個版本。我參考了兩個版本，但更偏向於後者，我認為這個版本改寫得最少。

156　在 1952 年之前，北京大學坐落於市中心，離王府井不遠，現在五四大街還保留有北大前圖書館的紅色大樓。1952 年後北大搬到了海澱，位於北京西北的郊區，頤和園附近。原先這裏是美國人創辦的燕京大學。

157　聶元梓驕傲地舉起在 3 月 27 日鬥毆中被打了一拳而包紮的繃帶。

158　實際上，1644 年清兵攻克北京城後，南明的軍隊一直抵抗到 1683 年。

159　在 1966 年 6 月與胡志明會見過程中，毛澤東對他說：「我們都是七十以上的人了，總有一天被馬克思請去。接班人究竟是誰，是伯恩斯坦、考茨基，還是赫魯曉夫，不得而知。」

160　《逢和金》2，頁 1524。

161　這次遊行的照片參見李振盛的攝影畫冊《紅色新聞兵》（*Le petit Livre rouge d'un photographe chinois*, Paris, éditions phaidon, 2003, pp. 226–227）。

162　之後，蒯大富被指控與「五一六」武裝運動有關係，1971 年 3 月 21 日在群眾大會上被批鬥，在沒有審判的情況下入獄，1983 年 3 月法庭宣判蒯大富有期徒刑 17 年。聶元梓此時的命運也相似。

163　《人民日報》1968 年 12 月 22 日的原文：「知識青年到農村去，接受貧下中農的再教育，很有必要。要說服城裏幹部和其他人，把自己初中、

高中、大學畢業的子女，送到鄉下去，來一個動員。各地農村的同志應當歡迎他們去。」

164　我之後會談到紅衛兵「失落的一代」的問題，他們的命運不再是毛澤東關心的問題。參見 Michel Bonnin, *Génération perdue: Le mouvement d'envoi des jeunes instruits à la campagne en Chine, 1968-1980*, Paris, EHESS, 2004.

165　1967年11月5日的一次講話中，毛澤東作了個生物學的比喻：人要吸進氧氣，呼出二氧化碳，才能活下去，共產黨也要吐故納新。1968年10月14日的《紅旗》重提這個講話。

166　*Last Revolution*, pp. 273-24;《逄和金》2，頁1530-1537。

167　*Last Revolution* 中使用了1968年10月13日毛澤東的開幕致詞，複本保存在哈佛大學費正清圖書館。

168　1930年，在廣西戰場戰局撲朔迷離的情況下，鄧小平放棄了越來越難以掌握的左右江根據地的第七軍。1930年10月，鄧小平帶着第七軍在江西與毛澤東和朱德會合。

169　周恩來指出「野心家葉劍英」「缺乏階級意識」，在羅瑞卿自殺未遂時寫了一首同情羅的詩。

170　他沒有對譚震林心慈手軟，這位有勇氣的人敢直面紅衛兵的批判不服軟。

171　只有一個代表沒有舉手表決，她是工會幹部陳少敏 (1902-1977)，山東貧農的女兒，在1929年到1933年期間以共產黨地下黨人的身份從事活動，此後加入了共產黨游擊隊。七大時被選作中央候補委員，1956年9月八大當選中央委員。

172　這個「中央專案審查小組」1966年5月24日由中央政治局成立，是「中央文革小組」的執行單位，這個小組的存在有點類似於蘇共的肅反委員會，它只向中央政治局常委彙報，事實上只聽命於最高領袖毛澤東。最有影響力的小組成員是康生、江青、謝富治、汪東興和葉群，成員789人，其中126位領導一個小組只調查一個嫌疑人。在八屆十二中全會時，88位委員或候補委員受到「中央專案審查小組」審查。在九大後本應解散的審查小組一直存在至1979年1月。參見 Michael Schoenhals, "The Central Case Examination Group, 1966-1979," *The China Quarterly*, no. 145, March, 1996, pp. 87-111.

173 關於劉少奇和王光美所蒙受的責難，參見 *Jung*, pp. 570–578. 雖然飽受糖尿病、簡陋的醫療條件與反覆侮辱的多重折磨，劉少奇卻沒有屈服。1969 年 11 月 12 日他因肺炎死於開封一所監獄內，死訊一直秘而不宣，直到 1979 年 1 月官方才宣布此消息。1980 年 5 月他獲得完全平反。

174 《逄和金》2，頁 1547–1555。其中有一張毛澤東開幕儀式上講話時的照片。他看上去有點浮腫，但總體氣色不錯。具體的演說內容參見 Stuart Schram, *Mao Unrehearsed*, doc. 24, pp. 280–281. 閉幕詞參見 doc. 25, pp. 282–289. 這些是未經毛澤東審閱的磁帶錄音。

175 烏蘇里江是黑龍江的支流。按 19 世紀不平等條約的說法，烏蘇里江歸當時的俄國所有，和中國的邊界從西河岸開始。中國認為按照國際慣例，國界在烏蘇里江中間。對中方來說，靠近中方這邊的島嶼是中國的領土，而 19 世紀時蘇聯早把這些視為它的囊中之物。

176 *Last Revolution*, pp. 310–311. 麥克法夸爾和沈邁克描述了九大上一位軍官對少數上層領導做的陳述報告。報告中說由於一個年輕士兵不守軍紀提前開火導致中國大反攻的失敗，因為原定作戰計劃是打算引蘇聯軍隊深入後斷其歸路。急躁的士兵援引了「紅寶書」的句子：「不能聽從錯誤的指揮」。

177 陳錫聯，1913 年出生於湖北的一戶貧困農戶，1927 年參加了秋收起義。陳錫聯是一位老紅軍，被稱為「猛虎」，1949 年 4 月指揮了渡江戰役進軍南京。除了傳奇的勇猛之外，陳錫聯還具有相當敏銳的政治嗅覺，而這一特點也加速了 1959 年彭德懷被清除出高層之後他的平步青雲。作為瀋陽軍區（前身為滿洲）的司令，陳錫聯參與組織了「向雷鋒學習」的運動。在文化大革命期間，陳錫聯是最早使所在軍區恢復秩序的領導之一。當瀋陽軍區所轄的三個省份之一出現軍事暴動時陳錫聯仍然掌管着軍事控制權。他從北京遙控指控可以證明實際上毛澤東關注着這些事件。陳錫聯在此事中獲得的聲譽使他在九大上進入了中央政治局。

178 這些戰鬥中中國士兵犧牲八百人，蘇聯守衛五十人。1977 年 7 月，中國外交部長黃華談到此役中中國軍隊的表現平平（武器不精良，指揮不當），參見他的演講，載《出路與研究》兩卷本（1977 年 11 月和 1978 年 2

月），台北出版。在 Jean Daubier, *Les nouveaux matres de la Chine*, Paris, 1979 一書中有主要段落的法語譯文。

179　李達（1890-1966），1919 年五四運動時期中國為數不多的馬克思主義理論家。李達加入共產黨後又加入了許多社會團體，但由於政治並不是他的興趣所在，李達逐漸退出了政治舞台而投身於大學教育活動。李達在 1953 年後任武漢大學校長並經常接受毛澤東關於理論方面的問題的諮詢。李達不問政事的做法被紅衛軍當做了攻擊的靶子，在一場鋪天蓋地的大字報運動後，李達在 1966 年 8 月 24 日受到了粗暴的批鬥。李達曾請求毛澤東的救助，毛給予的指示是不要把李達整死，要照顧一下。這一消息被李達的敵人曲解。現今我們能在武漢大學的校門口見到李達的半身塑像。

180　《文稿》13，頁 11–13。其中發表了 17 封毛澤東寫給林彪的信件，大都很簡短。其中包括一些修改和建議。

181　Frederick Teiwes and Warren Sun, *The Tragedy of Lin Biao: Riding the Tiger during the Cultural Revolution*, London, Hurst and Company, 1996, pp. 161-168.

182　《文稿》13，頁 117–118，註 10。其中給出了大量極端讚譽毛澤東的例子，以林彪為甚。林彪確信不管是甚麼好話毛澤東都很讚賞。這裏有個例子：「不能離開中心。中心就是太陽，九大行星圍繞太陽旋轉，一切工作圍繞太陽轉。毛主席就是太陽。毛澤東思想就是太陽。」

183　1945 年延安七大上，毛澤東思想被寫入黨章，和馬克思列寧主義一樣起決定性作用。1956 年八大時，在毛澤東的要求下取消。這是戰略後退，因為毛澤東擔心受蘇共二十大的牽連。

184　張雲生：《毛家灣紀實：林彪秘書回憶錄》（北京：春秋出版社，1988）。部分英文翻譯見 *Chinese Law and Government*, Taibei, no. 2, 1993.

第十七章　失敗無法避免（1969–1976）

1　關於 1969 至 1976 年期間的文獻，參見前一章的開頭。還應加上 Schoenhals 和 *Last Revolution*; Frederick Teiwes and Warren Sun, *The End of the Maoist*

Era: Chinese Politics during the Twilight of the Cultural Revolution 1972–1976, Armonk, M. E. Sharpe, 2007 (*Teiwes*), 詳述了毛澤東時代的衰落。也有很多文獻專於林彪事件，儘管我沒有涉及所有結論，我主要使用的是 Frederick Teiwes and Warren Sun, *The Tragedy of Lin Biao: Riding a Tiger during the Cultural Revolution*, Hurst, 1996 (*Tragedy*). 高英茂（Michael Kau）所著的《林彪事件》（*The Lin Biao Affair*, IASP, White Plains, 1975）。關於林彪（江青）案件的書，見 *A Great Trial in Chinese History: The Trial of the Lin Biao and Jiang Qing Counter-Revolutionary Clilque, November 1980–January 1981*, Oxford, Pergamon Press, 1981. 此書有勝利者叙述失敗者史書的所有特點。在中文資料方面，有《逢和金》2，頁 1556–1604；《文稿》13，頁 114–118 有幾章重要內容。張雲生：《毛家灣紀實：林彪秘書回憶錄》（北京：春秋出版社，1988）。Yao Mingli, *The Conspiracy and Death of Lin Biao*, New York, Alfred Knopf, 1982. 這本書説林彪在香山的一次宴會後被毛澤東下令暗殺，此書受到彼得·漢納姆（Peter Hannam）嚴厲的批評，〈解開林彪死亡之謎〉（"Solved the Mystery of Lin Biao's Death," *Asiaweek*, no. 2, February, 1994.）

2　葉群和江青十分親近。她們曾一起在九大時當選為中央政治局委員。她曾經偽造林彪的簽名寫了一封讚美江青的信。但林彪討厭江青。葉群一再提醒林彪要站在毛澤東後面，手裏要一直拿一本《毛主席語錄》。

3　參考官偉勛在 1993 發表的回憶錄。摘錄於 *Tragedy*, p. 11。

4　林彪十分喜愛他的女兒，也極力保護他的家人，也就是葉群、他的女兒豆豆、兒子林立果（小名老虎）。林立果後來成為中國人民解放軍空軍作戰部副部長。

5　林彪曾經決定，在所有交給主席批准的文件中，把「請」都改成「呈」（下級交給上級）。他十分擔心得罪主席，甚至派遣天津駐軍的一個團幫助附近的人民公社收割也要請求主席的批准。

6　2008 年，中國生產了五億噸鋼鐵。

7　Isabelle Attané, *La Chine au seuil du XXIe siècle: Questions de population, questions de société*, Paris, Les cahiers de l'INED, 2002, p. 35.

8　《逢和金》2，頁 1968：作者們承認「九大確實一定程度上緩解了他的壓力」。

9　《文稿》13，頁65。

10　《逢和金》2，頁1563–1564。

11　*La vie privée*, p. 529.

12　司湯達用來描寫愛的句子，就過程而言對恨也同樣適用。

13　英文版參見 Schoenhals, *China's Cultural Revolution 1966–1969*, pp. 85–89.

14　1966年12月份發行的這本書中文版的第二行。

15　《文稿》13，頁94。

16　像很多高級軍官一樣，林彪也討厭張春橋。

17　《逢和金》2，頁1570–1582。我使用了兩位作者的九屆二中全會議程，因為他們曾參閱會議的報告。這份議程與其他參與者的回憶錄存在一定的差異。

18　《毛澤東最後的革命》(*Mao's Last Revolution*)，頁331，援引汪東興：〈毛澤東與林彪反革命集團的鬥爭〉的內容。

19　陳伯達說話口吃，福建口音讓人理解起來也有困難。毛澤東沒有責怪汪東興，對於困難時長期出任他警衛的人他還是表現出了足夠的信任。我們也可以理解為，他認同汪東興的言行有助於撕開林彪偽善的面具。此外我們知道汪東興在1976年10月「四人幫」倒台中起到了關鍵作用。

20　《逢和金》2，頁1578有這封1970年8月31日毛澤東「公開信」的手稿複印件，信中就陳伯達援引恩格斯和列寧語錄及天才問題進行了激烈回應。

21　一直到1971年9月，毛澤東都允許林彪的照片傳播，旁邊有吳法憲等經常拜訪毛家灣的將領、江青和周恩來審慎的妻子鄧穎超。

22　Jurgen Domes, *The Internal Politics of China, 1949–1972,* London, Hurst, 1973; *China after the Cultural Revolution: Politics between two Party Congresses*, London, Hurst, 1976, chap. 4–5.

23　Michael Kau, *The Lin Biao Affair,* IASP, White Plains, 1975, pp. 127–171.

24　*La vie privée*, p. 541.

25　Ibid., p. 566;《逢和金》2，頁561–571。

26　*CHOC* 15, pp. 414–415.

27　*Last Revolution*, p. 320，援引自1980年吳法憲庭審時的陳述。

28　這個「571計劃」，與「武起義」同音（即「武裝起義」）。Jean Daubier, *Les nouveaux maîtres de la Chine*, Paris, 1979, pp. 258-269 的附錄中可以找到這篇文章的譯文。在林彪悲劇地毀滅後，這個計劃在被公開前一定做過很多處理。

29　這是1928年6月日本人暗殺試圖擺脫他們的軍閥張作霖時的方法。

30　Edgar Snow, *The Long Revolution*, London, Hutchinson, 1971, chap. 24: "A conversation with Mao Tse-tung," pp. 167-176.

31　這一幕我在這本書前面部分已經提到過。和賓客告別時，毛澤東用了歇後語「和尚打傘——無髮（法）無天」，被譯者或斯諾美化了。中國反教權的傳統將這幅浪漫主義的畫面戲謔地呈現出犬儒主義的意味，把「髮」字由第四聲變成了第三聲，這樣就變成了「無法無天」，毛澤東對斯諾說出了想除去這位長期最忠誠的朋友林彪的想法。

32　Stuart Schram, *Mao Unrehearsed*, doc. 26, 12 September, 1971. 這篇文章由中央委員會研究部編輯發表，是毛澤東巡行期間一切講話剪輯的。

33　參考 *Jung*, p. 572-573照片資料第67張照片。

34　九次鬥爭分別涉及陳獨秀、瞿秋白、李立三、羅章龍、王明、張國燾、高崗（和饒漱石）、彭德懷和劉少奇。

35　公元前3世紀秦末農民起義的領袖。

36　太平天國運動首領，太平天國定都南京，在19世紀中期與清政府對峙長達十多年。

37　本書這一章之後的敘述都是基於 *Last Revolution*; Barbara Barnouin and Yu Changgen, *Ten Years of Turbulence: The Chinese Cultural Revolution (Barnouin)* 等書的內容。很多細節都援引自 *La vie privée*, pp. 543-547 and *Jung*, pp. 600-608.

38　她名叫林立衡，但父親和朋友們都喜歡親昵地叫她「豆豆」。

39　可能是因為沒有時間，油箱只蓄了12.5噸油：視速度和海拔而定飛2至3個小時的油量。由於飛機要低空飛行避開雷達監測，它的續航能力可能被進一步降低。我們可以認定完成兩個小時的飛行後，油箱中基本只剩1-2噸油量，黃色信號燈脫落了。一說是飛機降落時直直地撞上了試圖穿過降落軌道的罐裝卡車，這可能造成了墜機。

40　海軍狙擊縱隊受困於大霧天氣只追擊到試圖與林立果匯合的載有三位同夥的直升機並迫使其返回北京，飛機着陸後兩個同夥自殺，剩下那個被捕。

41　有些專家補充説，當時中國還沒有地對空導彈，也沒有執行夜間攔截任務的殲擊機。

42　蘇共派了最好的克格勃調查員亞歷山大・柴可夫迪納將軍（Alexandre Zagvozdine）去現場，根據屍體的牙齒作了初步鑒定：林彪在抗日戰爭時期在莫斯科接受過治療，蘇聯當時拍了 X 光片。然後蘇共方面又在莫斯科作了第二次深入調查，證實了第一次的調查結果。那些不能證實的流言正源於此，有説是在林彪和飛行員間發生了激烈搏鬥，留下了子彈痕迹。根據 *Jung*, p. 605, note 2.

43　《逢和金》2，頁1605。

44　J. L. Domenach et P. Richer, *La Chine 1949-1985*, Notre Siècle, Imprimerie nationale, 1987, p. 285.

45　*La vie privée*, pp. 537-541, 550-560 和《逢和金》2，頁 1615-1616。他們使用了大量張玉鳳的回憶錄。張玉鳳原是毛澤東專列上的服務員，而主要的護士是吳旭君。

46　*La vie privée*, pp. 558-560.

47　《逢和金》2，頁1617。泰偉斯對這時候把王洪文加入這個小組持質疑的態度，因為這個上海人直到 1972 年 9 月才去北京。他認為這個職位首先應該考慮葉劍英。這個小組 1973 年春解散，並在 1974 年春重組，而第二次組成的小組中肯定有王洪文。

48　周恩來稱為「小球震動了地球」。

49　亨利・基辛格時任國家安全事務助理一職。他是 1973 年尼克松總統的國務卿，在尼克松因「水門事件」引咎辭職後，傑拉德・福特總統上台，基辛格獲得了連任。

50　參考 *Jung*, pp. 572-573 中的照片。我們看到照片上有兩個引人注目的痰盂。這次歷史性的會晤，參見 Henry Kissinger, *À la Maison-Blanche, 1968-1973*, Paris, Fayard, 2 vol., 1978. 更為嚴謹的版本見 Margaret MacMilllan, *When Nixon Met Mao*, London, John Murry, 2006.

51　J. L. Domenach et P. Richer, *La Chine 1949–1985*, 1987, pp. 287–289.

52　*Teiwes*, p. 25，引自陳東林、杜蒲主編：《中華人民共和國實錄》（吉林：吉林長春人民出版社，1994），卷三，〈內亂與抗爭：1972–1976〉，毛澤東這次會面由周恩來、唐聞生和汪東興陪同。這次會談沒有在中國報紙上報道。

53　*Last Revolution*, p. 346. 作者們採用了 1972 年出現在四川的一本小冊子裏的結論，小冊子裏文章的標題是〈揭露野心家、陰謀家、叛徒林彪的罪行〉。沒有任何中央出版物發布這份文件。同年中多次舉行會議批判林彪的極左錯誤。這些信息的留存還得歸功於「左」派理論家組成的「中央組織宣傳組」。1970 年 11 月 4 日，毛澤東任命張春橋領導這個小組。

54　*Last Revolution*, pp. 344–345. 沈邁克（Michael Schoenhals）説他從匿名史學家（一説是逄先知？）處得到的信息，林彪曾要求銷毀這封信。在要銷毀這封信的時候，戚本禹曾以這是毛澤東的手信的名義提出反對。周恩來為讓他安心，説中宣部負責人陶鑄已經按他的要求做了備份。現在流傳的版本就是未經毛澤東過目的。

55　《文稿》13，1972 年 12 月，頁 334–335。

56　余秋里，1914 年出生在四川，在戰鬥中失去了左臂，解放戰爭即將勝利的時候，是鄧小平麾下的副政治委員。1958 年他被任命為石油工業部部長，他試着把大慶模式的經驗推而廣之，應用到所有工業領域，正因為如此他沒有受到「文化大革命」太大的衝擊。九大成為中央政治局委員，1970 年 6 月被推舉為國家計委主任。余秋里是這個國家幾個偉大的公僕之一，努力減輕減弱經濟計劃的負面影響，這讓他遭到江青的忌恨。

57　《逄和金》2，頁 1622。

58　Lawrence C. Reardon, "Learning How to Open the Door: A Reassessment of China's Opening Strategy," *The China Quarterly*, no. 155, 1988.

59　*CHOC* 15, pp. 336–371.

60　《文稿》13，頁 239，注解 1。

61　周培源，1902 年出生在江蘇一戶富人家庭。他曾就讀於清華學校（清華大學前身），後去美國留學（芝加哥大學、加州理工學院），在美國獲得了理學博士學位。1929 年擔任清華大學物理系教授，他沒有參與任何

政治運動，很多時間他都在美國度過。1948年他在英國時決定要回到祖國歸附支持共產黨政權。他是世界科學工作者協會負責人之一，在國際科技領域享有很高的聲譽：那時他可能是世界上最有名的中國科學家。1959年他加入中國共產黨。他在「文化大革命」中銷聲匿跡，1970年10月他以北大「革命委員會」副主任的身份重新出現在公眾的視野並於1978年就任北大校長。他在1973年接受法國人阿蘭・佩雷菲特（Alain Peyrefitte）採訪，後來佩雷菲特寫成暢銷書《當中國覺醒時》。

62　《逄和金》2，頁1657–1658。

63　華國鋒（原名蘇鑄），1921年生於山西。他曾在湖南任職，把毛澤東的家鄉韶山打造成一個「朝聖地」，「文化大革命」讓他有機會進入湖南省委。九大後他被調入中央，1971年他被毛澤東調任負責公共安全事宜。

64　此事的發展被記錄在 Last Revolution, pp. 355–356，主要參考了王年一的《大動亂的年代》一書，其中第450頁收錄了周恩來的秘密文件和江青的言論等參考資料。我們知道這些屬「外史」，作者通常不援引出處，它們屬政治新聞而不是歷史。然而王年一被很多專家認為消息極其靈通。

65　王若水：《智慧的痛苦》（香港：三聯書店出版社，1989），王年一曾引用。

66　《逄和金》2，頁1648：12月17日毛澤東與周恩來、張春橋、姚文元的會談記錄。

67　援引自泰偉斯一個章節的標題，參見泰偉斯 Teiwes, pp. 110–185.

68　Barnouin, p. 249; Short, p. 532.

69　Jung, pp. 638–645.

70　5月30日毛澤東不贊成對他信任有加的康生作腫瘤切除手術。

71　《逄和金》2，頁1649–1653。

72　《文稿》13，頁308–309，1972年8月14日毛澤東給周恩來和汪東興的信；《逄和金》2，頁1649–1653。

73　泰偉斯大多選用鄧小平女兒鄧毛毛的書《父親鄧小平十年「文革」記》的內容。同一時期，江青和張春橋也挑起了「伍豪事件」，但是沒有得逞，伍豪是周恩來在上海做地下工作時的名字。

74　例如，毛澤東在接見法國總統喬治・蓬皮杜時聲稱：「拿破崙的那一套

才是最好的，他解散了議會，親自任命他的政府成員。」這句話並未在
《毛澤東選集》中體現。

75　除了基辛格和尼克松的回憶，我們還參考了 William Burr, *The Kissinger Transcripts: The Top Secret Talks with Beijing and Moscow*, New York, The New Press, 1998. 中國相關的文獻資料如今還無法查考。

76　SALT：指美蘇之間的限制戰略武器談判。

77　《逢和金》2，頁 1655–1656。

78　我們可以在 2002 年香港出版發行的影音資料中找到關於毛澤東與王洪文、張春橋的談話紀要。

79　《逢和金》2，頁 1658–1666。

80　同上，頁 1654。

81　1975 年有一部中國電影《決裂》描繪了一個在「開放」大學裏教課的強壯的農民，天真得沒法讓人生氣。

82　Bonnin, *La génération perdue*, pp. 115–117. 這次會議緊跟在李慶霖事件後召開。這個福建貧困農村的小學老師在 1972 年 12 月 20 日給毛澤東寫了封「告御狀」，在王海容的周旋下，信到了毛澤東手裏。李慶霖在信中描述了他生活的困境，更要命的是，他得給農村上山下鄉的兒子寄食物和生活費。1973 年 4 月下旬，毛澤東給他寄 300 元並指出「全國此類事甚多，容當統籌解決」。工作會議上了解到三分之一的上山下鄉青年得靠父母寄的生活費生活，因為他們的生產力不足以養活自己，其中的 40% 居住條件很艱苦。因此大家決定提高發放給他們的津貼：這等於承認運動的失敗，被寄予厚望的青年生產力事實上卻成了被救濟的對象。參見 Elya J. Zhang, "To be Somebody: Li Qinglin, Run-of-the-Mill Cultural Revolution Showstoper," in *Escherick*, 2006, pp. 211–239.

83　理論上是九個人，但朱德和董必武只是象徵性的代表。由於年事已高，身體欠佳，他們從未出席。

84　九大時，林彪曾說「毛澤東思想是當代馬克思列寧主義的頂峰」。

85　《逢和金》2，頁 1654 和註 3。

86　Bonnin, *La génération perdue*, pp. 127–128. 在農村上山下鄉的知青張鐵生已經錯過兩次類似的考試。根據之後幾個月內當地的新聞報道，他加倍投入生產隊勞動中，像基督教中的殉道者波利耶克特一樣，他帶着

學校的孩子們到為避免大旱來襲而準備的向天求雨的山洞中，把神像砸爛。也許我們可以自問這些農民是不是為了擺脫他才想把他送到大學裏去的。

87 根據斯大林的意見，生產方式從原始共產主義開始隨着生產力的提高呈線性增長，每次新的生產方式都更為高級，譬如封建制度比奴隸制度高級。孔子想讓不可逆轉的歷史倒退。楊榮國是廣東中山大學的教授，寫了〈孔子——頑固地維護奴隸制的思想家〉一文，在眾多維護奴隸制度的古代名人中，楊榮國恰好找到一位「周公」。

88 《文稿》13，頁361-362。這首詩中有不少隱晦的暗喻，相當平庸。

89 遲群和謝靜宜是8341部隊的戰士。兩人都是清華大學的重要負責人，參與了重整清華大學秩序的運動。

90 馮友蘭（1895-1990），這位哲學家出生在湖南的一戶地主家庭，1923年在約翰・道威的指導下獲得紐約哥倫比亞大學博士學位。他的主要成就源於他多次修撰編寫的史學巨著《中國哲學史》。1927年他開始了清華大學的教授生涯，1952年後去了北大。1931年的第一版受他導師理性主義和經驗主義的影響。1948年的第二版是又一次移居美國時完成的，深受新儒家主義的影響。回國後馮友蘭加入共產主義陣營，在1950-1952年間與毛澤東頻繁通信並滿懷熱情地參與了土地改革運動。他批判梁漱溟，卻在1957年被當成右派批判。1961年的第三版中加入了自我批判的序文。1964年的第四版開始着手從馬克思主義角度解讀他的哲學史，這也幫他幸運地在文化大革命浪潮中全身而退。他把新孔儒主義和馬克思主義有機結合，這讓他晚年生活平靜。

91 武則天，唐朝兩位帝王的寵妃，在公元690年建立了只傳了一代的周朝，並成為中國歷史上唯一的女性皇帝，留給後人殘暴專政的名聲。江青卻對她另眼相看。

92 基辛格這次訪問北京是令人失望的，11月14日發表的公報也證明了這一點。中國人對受「水門事件」拖累的尼克松總統的未來存在疑慮，同時美方也不願放棄他們所謂的台灣盟友。對於周恩來向基辛格透露中國試圖尋求和平解決台灣問題一事，毛澤東很是光火。對於毛澤東來說，這等於接受了「兩個中國」的原則。但他不是曾經在基辛格面前提到過美國關於解決波羅的海國家外交關係的先例嗎？前任總統既承認

這些國家的主權，同時與蘇聯保持外交關係。毛澤東也承認台灣問題是個長期問題，不排除武力解決的可能。

93　參考 *Jung*, p. 572 關於會面的第73張照片。我們注意到王洪文坐在扶手椅裏。

94　《逄和金》2，頁1619–1686。陳錫聯讓毛遠新加入了他的參謀部。我們注意到瀋陽軍區都在他的掌控之下，瀋陽軍區最先掀起學習雷鋒的運動，也是發生白卷事件的地方。上將蘇振華在十大上被選為中共中央政治局候補委員。

95　《逄和金》2，頁1682–1685。

96　同上，頁1692–1694。

97　同上，頁1693–1694，根據7月17日毛澤東和政治局成員的會議記錄。

98　同上，頁1697和《文稿》13，頁402。

99　「鋼鐵工廠」這一短語用來表示某個人個性很強。

100　這個暗喻指「大規模群眾批判運動」，被批判者在公眾的批判聲中被壓得抬不起頭，然後被強行戴上滑稽的高帽子，在群眾的議論下當街遊行。

101　斯拉沃熱・齊澤克（Slavoj Zizek）介紹毛澤東的文章：《實踐論與矛盾論》（*De la pratique et de la contradiction*, Paris, La fabrique, 2008, p. 302）。

102　這是廣東的情況，1973年9月13日和1975年4月10日期間，廣州的李正天、陳一陽和王希哲等人以「李一哲」的署名，在鬧市區張貼了77張大字報，抨擊當時不完善的民主與法制，最重要的一張是關於民主社會主義的宣言〈關於社會主義的民主與法制〉，矛頭直指林彪集團大搞封建法西斯專政。1974年4月，在「批林批孔」的運動進行得如火如荼的時候，這張大字報第一次出現，最後一次在同年11月10日出現。這三位當年的紅衛兵曾在1966至1967年組織「吶喊兵團」。1974年的幾個月內，他們為官方報紙《南方日報》調查1968年解放軍鎮壓珠江紅衛兵的行動，在那次行動中四萬人被殺害。這次活動受到了當地的新書記趙紫陽和新任軍區司令許世友的秘密支持。參閱李一哲：《中國人，你是否了解：關於社會主義體制下的民主與平等》（*Chinois, si vous saviez: À propos de la démocratie et de la légalité sous le socialisme*, Paris, Christian Bourgois, La bibliothèque asiatique, 1976）。

103 《逄和金》2，頁 1692–1694、1701、1715、1719–1729；*La Vie privée*, pp. 586–593, 598, 601–604.

104 *Terrill*, pp. 429–430，援引自 1979 年 10 月 11 日曼谷的廣播。

105 *La vie privée*, pp. 602–603. 有資料描述了讓人震驚的一幕：報告人在江青無禮的干擾下感到無措，周圍到處是圖表、X 射線透視圖和在人體蠟像上掛着的圖片。

106 血中缺氧。

107 根據 *Terrill*, p. 434。作者援引了一本叫《緬懷》的書（北京：中央文獻出版社，1993），頁 663–665。

108 借這個機會毛澤東對護士說他沒有在母親彌留之際照顧到她。他不想記住她因為痛苦而扭曲的臉。

109 周恩來在醫院病房內見了很多前來探望的同志。1974 年 10 月 4 日到 12 月 23 日，有 89 人次的探訪：王洪文 16 次，張春橋 6 次，江青 5 次，姚文元 2 次，「四人幫」共計 29 次；與此相比，鄧小平 12 次，李先念 11 次，葉劍英 10 次，務實派共計 33 次。與江青關係密切的「兩位小姐」去了 10 次，但只是以外國訪客的陪同及翻譯的身份前往的。

110 1975 年夏天以後隨着毛澤東的疑心增大，她們的作用在減少。

111 有些作者認為 1975 年 9 月到 11 月間毛遠新在毛澤東身邊出現的情況並不多見。另一些則認為毛遠新一直陪伴到毛澤東離世。

112 *Terrill*, pp. 324–325.

113 《我的父親鄧小平》（北京：中央文獻出版社，2000）一書，2002 年翻譯成法語，書中鄧的女兒毛毛描述了毛澤東和佐勒菲卡爾・阿里・布托（Zulfikar Ali Bhutto）的會談，鄧小平和王洪文也陪同在側：「毛澤東心裏其實是希望王洪文和鄧小平共同組成新的工作體系。」顯然，開始就有問題。

114 參見本書第十五章，頁 724，以及 Slavoj Zizek, *Mao*, pp. 19–22，在第 277 頁有〈1964 年 8 月 18 日毛澤東關於哲學問題的講話〉（"entretiens de Mao le 18 août 1964 sur quelques questions de philosophie"）。

115 仍然缺少文獻佐證：雖然有風險，所有的作者只能參考不可全信的「外史」，但大家也可以參考宋永毅主編的有一定質量的影音資料，《中國

文化大革命資料》（*The Chinese Cultural Revolution data base*, Université de Hongkong, 2002）。泰偉斯多次引用這本書的資料。

116　*Teiwes*, pp. 205–217;《逢和金》2，頁 1701–1702。

117　當江青的書面報告傳達給他們時，鄧小平在簽名上畫了個圈，周恩來批「已閱」。

118　我們在周明主編的《歷史在這裏沉思 —— 1966–1976年紀實》（北京：華夏出版社，1986–1989）中找到關於這個情節很生動的描述，卷三；卷二，頁196–203。資料來源沒有標註，對話被重新組織表達。作者試圖表現1974年後毛澤東對「四人幫」的反感。

119　《逢和金》2，頁 1704。

120　11月6日，毛澤東把江青稱作「王母娘娘」。這是個不近人情的道教水澤女神：在女兒身的外表下欺騙人類，製造毀滅。

121　王年一：《大動亂》，頁 511。「兩位小姐」唐聞生和王海容的回憶參見《文化大革命十年資料選編》（北京：中共文獻研究室，1981），卷三，頁 63–64。*Last Revolution*, p. 380 有引用。1974年12月26日毛澤東的三個指示可以參見《文稿》13，頁 413–414。

122　辯論可以參見 *Teiwes*, pp. 234–244。我贊同白吉爾、李侃如，即肯尼思・科伯索爾（Kenneth Lieberthal）和杜勉（Jurgen Domes）的意見。

123　周恩來不無幽默地宣布他的錯誤在於「太看重次要的東西」：這幾乎是不久前毛澤東批評江青的話。

124　《逢和金》2，頁 1717。

125　同上，頁 1729–1730。

126　同上，頁 1730。

127　*Teiwes*, pp. 234–244;《逢和金》2，頁 1732–1733;《文稿》13，頁 497（1976年11月15日），頁 487–493（1975年8月和1976年1月間毛澤東的指示）。

128　《文稿》13，頁 596。*Last Revolution*, pp. 396–412.

129　鄧毛毛：《我的父親鄧小平》，頁 362。

130　這段話在以下作品中可以找到：宋永毅：《中國文化大革命文庫光碟》（香港：香港中文大學出版社，2002）。題目是〈同鄧小平關於批評「四人幫」的一次談話（節錄）〉。

131　王洪文離開北京去了上海，因為他要保留自己的政治基礎。

132 鄧小平 1975 年 7 月 4 日說的話是:「這三條指示互相聯繫,是個整體,不能丟掉任何一條。這是我們這一時期工作的綱。」《鄧小平文選》(北京:人民出版社,1994),卷二,頁 12。

133 *Last Revolution*, pp. 399–401; *CHOC* 15, pp. 336–371; *Teiwes*, pp. 305–381.

134 鄧力群,1915 年出生在湖南,他在延安加入共產黨。他曾是劉少奇的特別秘書,在「文化大革命」中處境極其艱難。

135 見本書第十章。

136 *Teiwes*, pp. 302–303,援引自報告的作者之一于光遠 1998 年的回憶。

137 施耐庵,由譚霞客(Jacques Dars)翻譯註釋的《水滸傳》(*Au bord de l'eau*, Paris, NRF Gallimard, Bibliothèque de la Pléiade, 2 vol., 1978)。

138 托塔天王是對晁蓋的浪漫主義描述。

139 在章回體長篇小說第九十二回。

140 鄧小平很有可能在香港參加了反對江青「女皇」野心的運動,露克珊・維特克(Roxane Witke)對江青進行採訪後,中文版《紅都女皇:江青同志》在香港出版,讓毛澤東大為惱火。

141 《逢和金》2,頁 1751:「她在放屁。」

142 到目前為止,這些談話的內容沒有官方版本,但我們可以從以下文獻中找到不少的重要段落:《逢和金》2,頁 1743 和《文稿》13,頁 486–493。其中後者的註釋中給出了很多細節。

143 *Teiwes*, pp. 388–398;《逢和金》2,頁 1753–1755;*Last Revolution*, p. 408.

144 這個「示範」村模仿大寨的樣子,「文革」期間,因唱樣板戲、搞賽詩會而聞名。 參見 Jeremy Brown, "Stagin Xiaojinzhuang: The City in the Countryside, 1974–1976," in Joseph Esherick, Paul Pickowicz and Andrew Walder ed., *The Chinese Cultural Revolution as History*, Stanford, Stanford University Press, 2006, pp. 153–184.

145 *Last Revolution*, p. 407,麥克法夸爾和沈邁克援引了 1987 年 8 月出版的第 20 期《北京黨史資料通訊》中的「文化大革命」年表紀實。1975 年毛澤東見毛遠新時曾說:「鄧小平把三項指標放在一起的做法,既沒有得到政治局的批准,也沒有向我彙報。鄧小平這個人是不抓階級鬥爭的。歷來不提這個綱。還是『白貓、黑貓』啊,不管是帝國主義還是馬克思主義。」

146　《文稿》13，頁488。

147　同上，頁513；《逢和金》2，頁1765–1766。

148　他的遺孀鄧穎超向遊行的人們解釋説火化遺體是總理生前最後的願望，他希望他的骨灰可以從飛機上灑落到這個國家的每個角落。

149　*Teiwes*, pp. 435–448. *Barnouin*, p. 290.

150　1976年還在等待研究它的歷史學者：文獻資料不詳，或者為了弱化毛澤東的責任和壓制「四人幫」，資料經過處理。學者們對這幾個月的了解只能借助於外史和經歷事件者後來的回憶，而且要考慮到當時與毛澤東的溝通變得越來越困難。此處我引用的毛澤東對他身邊人的評價來自 *Teiwes*, pp. 418 et 495–496，和《逢和金》2，頁1766–1767和《文稿》13，頁476–490和頁538。

151　這次任命1976年2月2日向公眾公布。

152　作者們大多是通過歷史傳記回憶錄的形式了解這次運動的，主要內容沒有爭議。參見 *Last Revolution*, pp. 420–428; *Teiwes*, pp. 466–488; *CHOC* 15, pp. 336–371;《逢和金》2，頁1774–1777。我還參考了兩本法文資料：Claude Cadart et Cheng Yinghsiang, *Les deux morts de Mao Tsé-toung, commentaire pour Tian'anmen l'empourprée de Hua Lin*, Paris, Le Seuil, 1977; Alain Jacob, *Un balcon à pékin*, Paris, Grasset, 1982, pp. 69–75. 賈寇柏（Alain Jacob）是當時世界報駐北京記者。

153　而且為了抵制迷信行為，政府十幾年來一直努力把這一儀式變成祭奠逝者的形式。因此紀念1月份逝世的周恩來就變得順理成章，無須任何「地下組織」協調解決，時間、地點、目的提前就被確定下來了。

154　這條路上有首都的清真寺，是回民的聚居地。

155　*Teiwes*, pp. 496–515，第495頁的第79條註釋明確指出可參考的文獻中值得商榷的部分。

156　《文稿》12，頁538。第539頁的第1條註釋指出前三句話被1976年12月17日的《人民日報》援引，用來批判「四人幫」。這些話是1976年4月30日晚上毛澤東和華國鋒談話時說的。第四句話是1976年6月25日下午3時毛澤東和華國鋒談話時說的。

157　這句話是毛澤東過世後爭論的焦點。「四人幫」控制下的《人民日報》在

1976年9月16日發表了社論，其中這句話的表述上有所出入，即「按既定方針辦」。江青和她的擁護者們認為是針對「文化大革命」中的既定方針而言，而不是黨史上更早的方針政策（「過去」）。華國鋒和他的擁護者在這次內容改動中注意到「四人幫」做了手腳。

158 *Schoenhals*, p. 293, doc. 57, "Seal the Cffin and Pass the Final Verdict." 我們可以在《逢和金》2，頁1781–1782找到這篇文章的中文版。這篇文章重新抄寫了1977年3月22日葉劍英在中央工作會議開始時的講話。兩個文本大致相同，我在自己的書中也引用了《中華人民共和國：中國特色社會主義的建立1949–1966》(*La Chine populaire*, Messidor, Éditons sociales, 1984, vol. II, p. 146)。日期不完全肯定，有人提出可能是1976年1月13日。不過，「混亂」大概是指「四五」事件，我和大多數作者一樣認為日期應該是6月15日。

159 《逢和金》2，頁1783。

160 *La vie privée*, pp. 624–628. 在7月17日江青指責醫生誇大毛澤東的健康問題後，華國鋒和汪東興打算逮捕江青。他認定在毛澤東最後的日子裏江青的行為好像是要加速主席的死亡。例如讓呼吸困難的毛澤東靠右睡，給他抹滑石粉，滑石粉在病人肺功能衰竭時非常危險。關於毛澤東最後的日子，可以參見*Teiwes*, pp. 521–535; *Last Revolution*, pp. 440–443;《逢和金》2，頁1784–1785。

結語

1 洪武大帝朱元璋（1328–1398）的父親是淘金戶之後，母親是巫師之後，朱做了和尚後在安徽加入了紅巾軍。

2 我援引的文獻是*CHOC* 15, pp. 368–371; *Last Revolution*, pp. 440–449; *Teiwes*, 2007, pp. 574–592. 在這段艱難的時期，有很多內容撲朔迷離，通常進行的研究都從秘史和人物回憶錄中獲得資料。80年代後華國鋒的角色被淡化，葉劍英的作用被強調。2000年中共中央文獻研究室編撰出版的《陳雲年譜》和同年《當代中國史研究》第5期上吳德的回憶是

重要的資料來源，但是不全面。我們注意到華國鋒（1921-2008）自始至終完全沉默。

3　James L. Watson and Evelyn S. Rawski ed., *Death Ritual in Late Imperial and Modern China*, Berkeley, University of California Press, 1988. 特別是 Frederic Wakeman, "Mao's Remains," pp. 254–288. 事實上，最終的說法 9 月 16 日才決定。在台灣，六分之一的島民大約 250 萬人參加了 4 月 5 日清明節開始的悼念活動。

4　英文版的第 495 頁。

5　我想起了瓦西里・阿西諾夫（Vassili Axionov）提到蘇聯人在斯大林逝世時的心情：「那是個奇特的夜晚，大多數人都處在一種完全混亂的狀態。斯大林曾是一個神，我自己也不相信他會去世，但確實沒人說他能長生不死。」

6　我採用這種說法是出於以下方面的考慮。泰偉斯認為「四人幫」存在矛盾，這肯定沒錯，王洪文並不總是和其他三人採取同樣的行為，江青經常有非常個人的立場。然而，從毛澤東離世到「四人幫」被捕這段時間，他們儼然是個聯繫緊密的政治集團，不斷接觸，共同商議。

7　吳桂賢是陝西一個工廠的勞模，與「文化大革命」「左」派並無瓜葛，受到毛澤東的注意，被毛澤東提議任命為中央委員兼副總理，是一個象徵性的代表，兼具女性和工人的雙重身份。

8　封存遺體的做法古來有之：傳說秦始皇的遺體就放在巨大的秦始皇陵中。這種方法後來只在佛教寺院高僧中沿用。不過，高僧的肉身不朽是他們的修行成就的。

9　參見《華盛頓郵報》上發表的訪問。

10　第五卷的尾注中堅持批判劉少奇和鄧小平。

11　「三自一包」允許農民以自己的方式自由耕地，可以把多餘收成拿到集市上交易，做小生意和手工買賣。農民要以固定的價格把收成中的一部分向國家出售。

12　Alain Badiou, *La révolution culturelle: la dernière révolution?*, Paris, 2002, "Les conférences du rougegorge," *Metapolitica*, Naples, Cronopio, 2002; Slavoj Zizek, *Mao, De la pratique et de la contradiction, avec une lettre d de la contradiction, avec une lettre d' Alain Badiou et la réponse de Slavoj Zizek*, Paris, La Fabrique, 2007.

13 這篇文章曾有過一個整理稿，在黨內高中級幹部中進行過傳達，因此標注的年份是指這篇文章大量傳播的時間。

14 Alain Badiou, *La révolution culturelle: la dernière révolution?*, p. 29; "Lettre d'Alain Badiou à Slavoj Zizek," in Slavoj Zizek, *Mao: De la pratique et de la contradiction*, p. 294.

15 Geremie R. Barmé, *The Shadows of Mao: The Posthumous Cult of the Great Leader*, Armonk, M. E. Sharpe, 1996.

16 斯圖爾特‧施拉姆的書中有原文和譯文，參見*Mao Tse-tung*, Harmondsworh, Grande Bretagne, Penguin Books, 1966, p. 304，援引自1964年第3期《文藝報》，報上還有安旗的評論。我們可以從不同角度欣賞毛澤東的這首詩。我認為毛澤東是位很有才華的詩人，然而我不得不贊同英國漢學家亞瑟‧魏禮 (Arthur Waley) 和西蒙‧雷耶 (Simon Leys) 的意見：「毛澤東的詩詞固然沒有希特勒的畫糟糕，但比不上邱吉爾的畫。」

17 位於湖南南部，是南嶺山脈的一部分。傳說上古大帝堯有兩個女兒嫁給了他的繼任者舜。舜在一次南行中在此處過世，並被葬於此。兩位遺孀把竹子都哭滿了斑點，這就是斑竹的由來。

18 長島是位於湘江上的橘子洲，當毛澤東還是師範生的時候，他經常和朋友去游泳。毛澤東和他的朋友曾在這裏組織革命活動。

19 「芙蓉國」是對湖南的詩意說法。安旗評論說：共產主義的黎明來了，堯的女兒們的哭聲再次證明了一條馬克思列寧主義的原則，即所有的變革都在困難時期發生。

參考文獻

此處我列出的是最常用的參考文獻，每本書在第一次出現後，我會在括號中增加該書名的縮寫。關於翻譯成法語的著作，除非特殊說明，頁碼指的均是譯本的頁碼。

關於20世紀中國歷史的著作

Barnouin, Barbara and Changgen Yu. *Ten Years of Turbulence: The Chinese Cultural Revolution.* New York, Paul Kegan, 1993. (*Barnouin*)

Bergère, Marie-Claire. *La Chine de 1949 à nos jours.* Paris, Armand Colin, 1987, 2000. (*Bergère 1987*)

Bianco, Lucien. *Les origines de la révolution chinoise 1915–1949.* Paris, Gallimard, 1967, 2007. (*Bianco 1967*)

———, et Yves Chevrier. *Dictionnaire biographique du mouvement ouvrier international: la Chine.* Paris, les Éditions ouvrières, 1985. (*Dicobio*)

Bowie, Robert and John Fairbank. *Communist China 1955–1959: Policy Documents with Analysis*, Cambridge, Harvard University Press, 1965. (*Bowie*)

Escherick, Joseph, Paul Pickowicz and Andrew Walder. *The Chinese Cultural Revolution as History.* Stanford, Stanford University Press, 2006.(*Escherick 2006*)

MacFarquhar, Roderick. *The Origins of the Cultural Revolution.* Oxford, Oxford University Press, 1974–1997. (*MacFarquhar*)

Résolution sur l'histoire du parti communiste chinois de 1949 à 1981. Pékin, Éditions en langues étrangères, 1981. (*Résolution*)

Saich, Tony. *The Rise to Power of the Chinese Communist Party.* Armonk, M. E. Sharpe, 1996. (*Saich*)

Schoenhals, Michael. *Mao's Last Revolution.* Cambridge, Harvard University Press, 2006. (*Last Revolution*)

Teiwes, Frederik and Warren Sun. *The Lin Biao Tragedy: Riding the Tiger during the Cultural Revolution.* London, Hurst, 1996. (*The Tragedy*)

The Cambridge History of China, 1912–1982, vol. 12–15. Cambridge University Press, 1983–1991. (*CHOC*)

常凱主編：《中國工運史辭典》。北京：勞動人事出版社，1990。(*Dicomo*)

毛澤東傳記

Benton, Gregor ed. *Mao Zedong and the Chinese Revolution* (4 vol). London, Routledge, 2008. (*Benton*)

Chang, Jung, and Jon Halliday. *Mao: The Unknown Story.* London, Jonathan Cape, 2005. ［法文版：Paris, Gallimard, Biographies, 2006.］ (*Jung*)

Chevrier, Yves. *Mao et la révolution chinoise.* Florence, Casterman Giunti, 1993. (*Chevrier 1*)

Hu, Chi-hsi. *L'armée rouge et l'ascension de Mao.* Paris, Éditions de l'EHESS, 1982. (*Hu Chi-hsi*)

Leys, Simon (Pierre Ryckmans). *Les habits neufs du président Mao.* Paris, Champ libre, 1971. (*Leys*)

Li, Zhisui. *La vie privée du président Mao.* Paris, Plon, 1994. (*La vie privée*)

Schram, Stuart. *Mao Tsé-toung.* Paris, Armand Colin, Collection U, 1963. (*Schram 1963*)

———. *Mao Tse-tung.* Harmondsworth, Penguin Books, 1966–1968. (*Schram 1968*)

Short, Philip. *Mao Tse-toung*. London, Hodder et Stoughton, 1999. [法文版：*Mao Tsé-Toung*. Paris Fayard, 2005] (*Short*)

Siao, Yu (Xiao Yu). *Mao Tse-tung and I Were Beggars*. New York, Collier Books. 1973 (*Xiao Yu*)

Snow, Edgar. *Red Star over China*. New York, Random House, 1938 [法文版：*Étoile rouge sur la Chine*. Paris, Stock, 1965] (*Snow*). 引文基於法文版。

Spence, Jonathan. *Mao Zedong*. Putnam, 1999. [法文版：Québec, Fides, 2001.] (*Spence*)

Teiwes, Frederick and Warren Sun. *The End of the Maoist Era: Chinese Politics during the Twilight of the Cultural Revolution, 1972–1976*. Armonk, M. E. Sharpe, 2007. (*Teiwes 2007*)

Terrill, Ross. *Mao: A Biography*. Stanford, Stanford University Press, 1999. (*Terrill*)

Wang, Nora. *Mao: Enfance et adolescence*. Paris, Autrement, 1999. (*Wang*)

Wilson, Dick. *Mao, 1893–1976*. Paris, Éditions Jeune Afrique, 1979. (*Wilson*)

李鋭：《毛澤東同志的初期革命活動》。北京：中國青年出版社，1957。[英文版：*The Early Revolutionary Years of Comrade Mao Tse-tung*. Armonk, M. E. Sharpe 1977.] (*Li Rui*)

金沖及主編：《毛澤東傳 (1893–1949)》(上下)。北京：中央文獻出版社，1996。(《金》)

逄先知等主編：《毛澤東年譜 (1983–1949)》(上中下)。北京：中央文獻出版社，1993。(《年譜》)

逄先知、金沖及主編：《毛澤東傳 (1949–1976)》(上下)。北京：中央文獻出版社，2004。(《逄和金》)

關於毛澤東的著作

Kau, Michael and John K. Leung. *The Writings of Mao Zedong*, vol. I: 1949–1955; vol. II : 1956–1957. Armonk, M. E. Sharp, 1986 and 1992. (*Kau*)

MacFarquhar, Roderick et al. ed. *The Secret Speeches of Chairman Mao: From the Hundred Flowers to the Great Leap Forward*. Cambridge (Ma), Harvard University Press, 1989. (*Secret*)

Schoenhals, Michael. *China's Cultural Revolution, 1965–1969: Not a Dinner Party*. Armonk, M. E. Sharpe, 1996. (*Schoenhals*)

Schram, Stuart. *Mao's Road to Power: Revolutionary Writings* (7 vol). Armonk, M. E. Sharpe, 1992–2009. (*Mao's Road*)

《毛澤東文集》（八卷）。北京：人民出版社，1993–1999。（《文集》）

《毛澤東選集（1926–1949）》（四卷）。北京：人民出版社，1951–1964。《毛澤東選集》第五卷包括了1949–1957年的內容，於1977年出版。（*Mao V*）

《建國以來毛澤東文稿》（十三卷）。北京：中央文獻出版社，1987–1998。（《文稿》）